D0505516

LES MENTEURS

DU MÊME AUTEUR

L'IMPROMPTU DE MADRID, Flammarion, 1988

LA NUIT DES MASQUES, Flammarion, 1990.

CARNET DE BAL, Gallimard, 1992.

L'ŒIL DU SILENCE, Flammarion, 1993.

1941, Grasset, 1997.

ÉTRANGERS DANS LA NUIT, Grasset, 2001.

CARNET DE BAL 2, Grasset, 2003.

MARC LAMBRON

LES MENTEURS

roman

BERNARD GRASSET
PARIS

Tous droits de traduction, de reproduction et d'adaptation
réservés pour tous pays
© *Éditions Grasset & Fasquelle, 2004.*

A Sophie

« On jouissait d'une liberté purement négative dans la conscience continuelle des raisons insuffisantes de sa propre existence, baignés par la grande vision de ce qui ne s'est point passé. »

ROBERT MUSIL.

« Utilisant la structure anonyme de la langue, le sujet se forme et se transforme dans le discours qu'il communique à l'autre. »

FERDINAND DE SAUSSURE.

J'avais retrouvé Claire près de la fontaine Médicis. Que dire à quelqu'un que l'on n'a pas vu depuis vingt-cinq ans ? La beauté brune d'autrefois était devenue une femme dans la mi-quarantaine. Elle portait un manteau beige, un pull à col roulé et des pantalons noirs. Elle m'a regardé avec un sourire, son air sérieux et légèrement moqueur à la fois.

Claire tenait à la main un quotidien du jour, janvier 2004, qui consacrait sa une au futur procès de Bertrand Cantat. Je constatai qu'une conversation interrompue depuis des années peut se renouer, avec le même ton, la même longueur d'onde, le tutoiement allant de soi. Tout en marchant vers le bassin du Luxembourg, nous avons évoqué l'affaire de Vilnius.

Je m'étais demandé dans quelle disposition je trouverais Claire. Nostalgique ? Rétractée ? Hérissée ? Après tout, elle avait quelques raisons de me garder rancune. Mais non. Le premier abord, les mots que nous avions échangés, elle prenait tout en bonne part. Soudain, j'eus l'impression d'être ailleurs, au milieu d'un temps flottant. Le gravier qui crissait sous nos talons était pourtant réel, et Claire aussi était réelle, marchant à côté de moi, enveloppée dans son manteau.

Il était près de midi, mais les promeneurs restaient rares. Un balayeur égalisait le sable de l'allée, la rumeur de la ville venait mourir sous les arbres. Au milieu de la multitude d'événements qui se produisaient à cet instant, dont la plupart suivaient le cours routinier, usuel et affairé d'une matinée d'hiver à Paris, il s'en trouvait un qui prenait pour moi une résonance inhabituelle : nous étions en 2004 et j'allais retrouver deux femmes auxquelles je n'avais pas parlé depuis les années 1979 ou 1980. Je les avais rencontrées dans une autre ville, puis nous avions vécu dans celle-ci. Dix fois, le hasard ou la volonté auraient pu nous réunir. Cela ne s'était pas produit.

Au loin, parmi les arbres nus, j'ai vu se détacher une silhouette qui marchait vers nous.

— La voilà ! s'est exclamée Claire.

Elle avait parlé avec un accent d'impatience, presque enfantin.

Karine s'avançait vers nous. L'allure était claquante. Manteau grège fait de peaux cousues, pantalons crème, sac flottant, bottes de daim, très chic bohème. Avec la mèche blonde sur l'œil, et toujours son maintien de diva. En se rapprochant, elle nous a fait un petit signe, du genre « Bonjour les copains », en même temps qu'elle décochait un sourire à terrasser le parterre. Elle aurait fait une bonne actrice. En un sens, elle en était une.

Karine a ouvert les bras, les deux filles se sont embrassées, puis Karine m'a embrassé aussi.

— *Such a long time*, a-t-elle dit en nous dévisageant. Il y avait sur les traits de Karine quelque chose que je ne lui connaissais pas. Les yeux embués, peut-être.

Depuis cette promenade de janvier, Claire et Karine ont dansé au fond de mes rêves comme des flammèches dans la main du diable. Un tissu de mots unit ma vie aux leurs quand le temps nous a séparés ; elles sont les héroïnes du film perdu où j'ai tenu un rôle. Ce que l'indifférence disjoint, le regret l'accomplit. Il me plaît de les mettre en scène, mes amies sont devenues mes personnages, et j'ai dû prendre mon parti de leur évasive multiplicité. Si l'on ravaude sa mémoire avec celle des autres, alors j'ai volé à mes petites Parques le fil et l'aiguille. Elles me pardonneront bien, puisqu'un autre jour se lève déjà. Claire, qui aime tant Rimbaud, saura bien retrouver la citation : « *... et tourné du côté de l'ombre, je vous vois, mes filles ! mes reines !* »

Pierre

——————— *CLAIRE*

La première fois que je vis Pierre, je le trouvai franchement beau. Avec ses cheveux dans les yeux, son visage fin, il ressemblait un peu à Jimmy Page, le guitariste de Led Zeppelin. Plus tard, un psy m'a dit que l'intérêt que j'attachais à la beauté physique, notamment celle des hommes, ne relevait pas seulement d'une haute estime de moi-même qui me poussait à rechercher le meilleur, ni même d'un tempérament romantique, toutes choses qu'après tout j'aurais pu ratifier, mais d'une nostalgie du corps populaire, des valeurs roboratives qui s'attachent à une complexion saine, gage de reproduction sans tares et de force de travail – bref, que je cherchais la robustesse derrière la beauté, et le géniteur derrière l'amant. Je ne partage pas forcément cette opinion. Elle est empreinte d'une certaine muflerie. Ce psy était au courant de mes ascendances ouvrières, à deux générations, et en tirait des conclusions à la Zola.

J'observerai que Pierre n'avait rien d'un déménageur, qu'il était plutôt gracile, et d'ailleurs que l'androgynat de mise à l'époque habillait d'un flou artistique toute virilité trop coupante.

Pour parler comme Claude Roy, dont j'aimais tant les chroniques du *Nouvel Observateur*, mon idée de l'amour était plutôt stendhalienne. Un Stendhal revu par une fille, avec ce que cela suppose d'Italie et de regard. Très tôt, j'avais éprouvé le pouvoir multiplicateur de la littérature. Vous êtes dans la contingence, un roman ouvre ses pages, et vous traversez alors des époques, des vies interdites ou révolues. Ma place se trouvait dans les rayons de ce conservatoire de la beauté que l'on appelle une bibliothèque. Mes parents m'y encourageaient. Au milieu des années 1950, ils avaient franchi la ligne qui sépare le travail manuel du monde des livres en devenant professeurs de collège.

Il serait aisé de dire que j'ai confondu très tôt les livres et la vie. C'est une forme de bovarysme, mais aussi une façon de se confronter à la noblesse du monde, à l'exigence de ceux qui l'ont vu comme un paradis embelli par les mots. Etais-je Jane Eyre ? Etais-je Clélia Conti ? La question, banale pour une jeune fille, laisse toujours des traces de lumière dans la suite d'une vie.

Mon amour des livres m'a assez vite placée à l'unisson de certaines valeurs encouragées par l'école. A dix ou douze ans, je m'en étonnai : le temps passé à lire des romans, dont j'aurais pu croire qu'il relevait d'une activité latérale, gratuite ou distrayante, me valait des compliments au cœur même de ce qui aurait dû être un pensum, l'école obligatoire et laïque. Je savais écrire, j'avais lu. On me décernait des tableaux d'honneur pour avoir pris de l'agrément chez les écrivains : magnifique découverte. D'une certaine façon, j'ai payé mes études en fausse monnaie ; parce qu'elle mettait encore l'accent sur le bien-dire, le raffinement dans l'interprétation et la connaissance du passé, cette école-là m'a paru être un pays de cocagne, une enfilade de grandes vacances. « Elève fine et intelligente », notait-on sur mes carnets scolaires. Je me le tenais pour dit. Tous ces professeurs graves se doutaient-ils que j'usais de leur institution comme d'une annexe un peu empesée de tous les bonheurs sauvages, de la plénitude d'évasion que m'avaient offerts les romans ?

J'avançais sans piper mot, ne pouvant croire qu'un tel plaisir soit rémunéré par l'estime. Ma curiosité, que l'école encourageait, se portait indistinctement vers des domaines qu'elle valorisait moins. Mes parents avaient refusé d'acheter la télévision, craignant son influence pernicieuse. Mais le cinéma, oui, je l'ai fréquenté sans restriction à partir de mes quinze ans, une fois par semaine au moins, dans les fauteuils tout neufs de l'Astoria ou les vieux cageots de la Fourmi. Là, avec la carte de lycéenne où j'avais trafiqué ma date de naissance, je devenais une héroïne. J'étais la Julie Christie du *Messager*, renversée nue dans la paille par un métayer viril. J'étais la Maria Schneider du *Dernier Tango à Paris*, marchant sous le métro aérien vers les falaises de Passy. J'étais Charlotte Rampling, séquestrée dans un palace viennois par un portier de nuit. A chaque fois, ce n'était qu'un cinéma de Lyon, et soudain c'était l'univers à ma portée, romanesque au plus haut degré.

Le cinéma accréditait chez moi l'idée que la distance entre le réel et l'imaginaire était réductible, puisque ces personnages étaient incarnés par des acteurs vivants. Si la vie était un film, il fallait le mettre en scène. Cela ne m'a pas guérie, au contraire, de mon bovarysme de mini-Emma. Ma maladie, ce fut longtemps l'intensification romantique d'états ordinaires que je parais de grands atours. Une manifestation lycéenne contre la loi Debré ? J'étais une héroïne de Wajda. Une dispute avec ma mère ? J'avais vu ça dans Ken Loach. Un joint fumé dans le parc de la Tête d'Or ? J'étais sur la route de *Easy Rider*. Un comité contre l'Espagne de Franco ? Je passais la frontière avec Yves Montand, la guerre était finie. Si j'ai moins donné que certaines de mes copines dans le militantisme lycéen, autour de 1973, c'est que je trouvais leurs AG triviales, leurs mots d'ordre trop intéressés. A la Ligue communiste, le mois d'octobre manquait d'Eisenstein.

Et puis je me sentais seule.

Après-midi de pluie, comme malades, où je posais sur le pick-up des disques de musique planante et regardais l'eau ruisseler sur les façades des immeubles lyonnais, en me demandant si la vie serait jamais autre chose que cette attente au milieu d'une ville plongée dans l'automne. Ce climat de vie suspendue, où l'on rentre en soi comme un animal somnolent, ne laissait pas d'autre loisir qu'une rêverie portée par les nappes de musique cosmique.

J'avais un corps, j'aurais aimé que des mains le caressent, l'explorent, me le fassent aimer. Un jour, à quinze ans, pendant un slow, un garçon qui me serrait – je sentais une bosse sous ses pantalons – avait frissonné bizarrement. Quand il s'était détaché de moi, une tache maculait son jean blanc. Rêve, non pas d'un prince charmant, mais d'une communauté d'amis intensément soudés, qui auraient voyagé ensemble, éprouvé les mêmes expériences, avec une onde d'amour enveloppant le groupe, filles et garçons mêlés, océaniquement emportés, libérés de la malédiction de jalouser, de haïr, de posséder. Sentiment d'être définie par des tentations, des intérêts, des questions qui semblaient échapper totalement à mes parents, et leur échappaient en effet.

Il me fallait revenir aux livres. En classe de première, j'ouvris *Le Degré zéro de l'écriture*, de Roland Barthes : impression étrange, comme opiacée, d'une géométrie qui déplaçait les lignes. En terminale, je découvris Foucault, Deleuze, Lacan. L'effet fut sismique. Je pénétrais sur des terres inconnues, dangereuses, comme dans un roman de science-fiction ; je sentais bien que ces hommes de chaire s'étaient aventurés vers une pensée à la première personne. Leur préoccupation commune tournait autour du sujet, du discours, des effets de structure, des illusions de conscience, de l'expérience des limites, de la folie. Leurs livres m'évoquaient, par une curieuse correspondance, les distorsions que les pédales wah-wah, les fuzz, les effets larsen infligeaient à la musique rock. J'ai l'air de parler de la Rome de Septime Sévère, mais c'était Lyon en 1974.

En accumulant dans ma chambrette les livres de poche, je construisais une citadelle. Les mots s'interposaient : ceux des livres face à la vie, ceux des écrivains contre la médiocrité des hommes. Mais cet écran donnait du sens, infusait de la civilisation. Tout pouvait être subtilement expliqué, donc ressenti.

Quand je lisais un poème de Hölderlin ou de Rimbaud, c'était comme si j'avais ouvert une porte vers le dénuement, le cœur vivant de l'instant. Il y avait dans ces poèmes de beaux venins qui m'aidaient à penser les raisons d'un dissentiment avec le monde où j'étais née ; en préservant cette discorde, j'affirmais mon intégrité. Les livres me délivraient du sentiment d'appartenance. Je ne voulais être enfermée dans aucun lieu, aucune famille, aucune opinion.

Désormais, je sais que le sentiment de ne pas se rattacher à une classe sociale définit précisément l'appartenance à l'une d'entre elles, qui est la petite bourgeoisie. En opposant à mes parents des lectures séditieuses, j'accomplissais en réalité leur vœu, qui était de me voir exister dans l'univers des mots. Ils auraient regardé sans estime une orientation vers le commerce ou les entreprises. Leur chose, c'était la transmission du savoir sous le parapluie de l'Etat. L'approbation de mes parents n'interdisait pourtant pas l'arrivée de lumière qu'un grand livre provoque toujours dans une vie. J'utilisais les romans comme une drogue, plus forte que les barrettes de hasch ou les feuilles de colombienne. Cela explique, je crois, l'état d'incandescence intérieure dans lequel vivent souvent les élèves des classes préparatoires littéraires : accomplissant le désir de leurs parents, qui viennent une fois sur deux du monde scolaire, ils se voient entraînés dans un vertige qui les détache du sol, parce que la littérature est plus forte, parce qu'elle peut rendre heureux et fou.

Quand j'ai rencontré Pierre, ce fut comme si j'avais trouvé un double Pas seulement parce qu'il cultivait les tics du moment, des attitudes frondeuses dont on sentait ce qu'elles devaient au rock'n'roll – il aimait les Rolling Stones et chérissait un disque pirate de Bob Dylan qu'il avait acheté à Amsterdam –, mais parce qu'il plaçait dans l'admiration des écrivains, même s'il s'en défendait, l'espoir d'une sorte de salut. Très joli garçon, le sachant comme une femme, il avait l'air d'un chérubin qui vient de voler des pommes. Aimant les paradoxes, volontiers narquois avec une pointe de cruauté ; pas forcément content de lui, mais d'un élitisme féroce. Il pouvait adopter des attitudes câlines (on sentait que l'enfance n'était pas loin), corrigées aussitôt par une pirouette acide. L'œil brillait, on avait l'impression d'être passée aux rayons X, et le rejet promettait d'être implacable autant que l'amitié désintéressée.

L'une de nos premières conversations, lors de l'arrivée en hypokhâgne, fut l'occasion pour lui d'exposer, l'air le plus sérieux du monde, une thèse qui devait lui servir à nous jauger. Pierre soutenait que, dans un univers réglé, l'expression des états d'âme aurait dû être proportionnée à la qualité de la personne. Seuls les plus doués, les plus intelligents auraient eu le droit de se plaindre, ce que leur dignité leur interdisait naturellement de faire. Quant aux autres, toute revendication d'ego, toute crise de nerfs lui paraissait relever d'une prétention à laquelle ils n'avaient pas droit. En sorte que, dans cet univers idéal, les forts s'abstenant de récriminer et les faibles n'ayant aucun titre à le faire, la vie se serait écoulée sous le signe d'un irénisme total. On protesta. Il était ravi de son effet.

A telle remarque, à telle intervention faite en classe (les premières semaines, il s'exprimait peu, mais toujours en choisissant un angle rare, laissant supposer qu'il possédait déjà tous les autres), je découvrais, enchantée, que ma grammaire un peu rare, qui mélangeait Derrida et Coppola, John Lennon et Pierre Klossowski, avait un autre adepte. On se la jouait petits frimeurs ? Peut-être, mais il y avait de l'appétit autour de la table.

J'ai l'air d'en parler avec détachement. Dès les premiers jours d'hypokhâgne, j'étais déjà acquise, enlevée, amoureuse. Il y a un passage de *La Chartreuse de Parme* où le jaloux Mosca dit, à propos de Clélia et de Fabrice : « Si le mot d'amour est prononcé entre eux, je suis perdu. » Je savais que le mot d'amour serait prononcé entre nous. J'attendais et je retardais ce moment. Pierre, lui, faisait le ténébreux. Il avait des attitudes de petite star à l'échelle de la province. « Vous êtes l'élite du Sud-Est », disaient ironiquement nos professeurs, avant de nous coller un thème latin ou une dissertation de philosophie, sauvagement notés en dessous de la moyenne – ils nous claquaient pour préparer la pâte.

Pendant quelques semaines, je crus que Pierre voyait une fille en dehors du lycée. Dans notre espace commun, j'avais identifié le danger : il se prénommait Karine.

PIERRE

Lyon. J'y étais né, dans une clinique proche du parc de la Tête d'Or. Mon père, qui travaillait pour la société Mérieux, avait les manières calmes de ces biologistes qui vivent penchés sur leurs cornues. Ma mère, après avoir enseigné, se consacrait à ses enfants, ma sœur aînée et moi. D'une certaine façon, la ville de mon enfance était un port. Non seulement parce que de grosses barges venaient mouiller aux quais de la Mulatière, à l'entrée du monstrueux couloir de la pétrochimie qui donne au ciel de banlieue, lorsque les torchères de Feyzin crachent leurs flammes, une teinte de brasier. Non seulement parce que des péniches mafflues longeaient paresseusement les quais de la Saône. Mais parce que les frontières du passé traçaient leurs lignes au fil de l'eau. Jusqu'en 1856, des crues ravagèrent les berges du Rhône. La cité restait sur son assise. Mais des frontières bougeaient, des flots sortaient de leur lit. Comme si l'antique Lugdunum avait été ceinte de flux changeants, de marées immémoriales. Pour tout dire, comme si Lyon avait été une île.

Faut-il quitter les îles ? Dans le Lyon de mon adolescence, tout parlait de mouvement, de liaisons, de connexions. Les deux cours d'eau roulant vers le confluent, les ponts, les traboules à flanc de collines, la croisée des routes vers la neige ou la plage, les soyeux expédiant leurs ballots d'étoffes vers l'univers, et simultanément quelque chose ne cessait de réduire chacun à son quartier, à sa classe, à sa famille, à son métier, comme si l'esprit de cette métropole s'était évertué à multiplier les enclaves, les clôtures, les fragments. La passée des eaux promettait un ailleurs que chaque façade récusait. Les tissus de soie chatoyante étaient palpés par des hommes en gris. Lyon restait une cité de vertiges immobiles. Ici, tout est conquis parce que tout est jugé. Les écrivains lyonnais racontent toujours une déambulation en boucle, le voyage arrêté de l'homme emprisonné par les brumes et le labyrinthe. On y est en situation optimale pour déchiffrer les grands livres de l'exploration intérieure, ceux qui parcourent les cités obscures de l'espace mental, *La Conscience de Zeno* de Svevo, *Ulysse* de Joyce, *L'Homme sans qualités* de Musil. Jamais je ne les ai mieux appréhendés et ressentis que lorsque je vivais là. Il y avait quelque chose de triestin dans les places aux feuilles jaunes, les banques à caryatides de la rue de la République, les passages secrets des deux collines. Une géométrie de l'absence qui invitait à une projection psychique intense : le langage devenait une ville que l'on arpentait au fond de soi-même. A dix-sept ans, j'étais fasciné par le dessin d'une spirale de Brancusi illustrant le *Joyce par lui-même* de Jean Paris, dans la collection « Ecrivains de toujours ». Une allégorie de l'écriture joycienne hantée par les écrits de Vico et les arabesques du *Book of Kells*. Mais, pour moi, sous un certain angle, c'était ma ville.

A Lyon, il fallait partir en restant sur place. Partir, c'était chercher dans la cité le point qui donnerait accès à des lieux inconnus. Le terrier d'Alice ? L'*autre scène* de la psychanalyse ? Je croyais parfois trouver ce point. L'autre scène, c'était le TNP-Villeurbanne où les acteurs de *La Dispute*, génialement dirigés par Patrice Chéreau, se battaient dans le sable à l'orée d'une forêt baignée par la lune : on aurait voulu entrer dans le tableau. C'étaient les libraires de la colonnade de l'Opéra qui tiraient de leur comptoir des fanzines de science-fiction, des romans de Lovecraft pleins de dieux sauvages. C'étaient des groupes de rock expérimental, King Crimson ou Can, qui faisaient entendre des sonorités de cauchemar dans la bonne ville du maire Louis Pradel. C'était l'écran du CNP-Terreaux où la Glenda Jackson de *Music Lovers* se livrait aux mains avides d'une bande d'aliénés, où la Jane Asher de *Deep End* flottait nue à la surface d'une piscine bleue. Je tournais et retournais dans le cercle. Lyon aurait pu être une ville pour de longues amours secrètes, avec des femmes prisonnières du temps, contraintes d'envisager le vide qui peut-être les détruirait.

Lorsque j'intégrai l'hypokhâgne du lycée du Parc, j'eus l'impression de trouver une maison dans les arbres. Perchées en haut d'une galerie, les salles de cours donnaient sur des frondaisons. De jeunes esprits étaient conviés à sauter de branche en branche, tels des pinsons de la pensée, pour construire au creux d'une branche leur nid de savoir. Une brindille de Tacite, un fétu de Rabelais, une plume de Michelet. Au lycée, on vivait encore dans le royaume des feuilles. Marronniers que l'automne faisait roussir, teintes mordorées des épicéas sous la pluie. Non loin du parc de la Tête d'Or, on méditait des extraditions : le concours de Normale, cette utopie, promettait de nous expédier vers Paris. Pour l'heure, nous étions tous dans l'arbre des robinsons suisses, fourmis de l'étude, bricoleurs du désarroi. C'était un pressoir psychique où chacun se demandait qui il était. Entre garçons et filles, pour fixer une ligne moyenne, il s'agissait plutôt de cueillir des pensées dans une maison de vertu que des vertus dans une maison de pensée. La vie passerait-elle comme un paquebot près du rivage, ou irions-nous vers les grandes tempêtes méridiennes ? On vivait là sans savoir ce qui adviendrait.

Sur la photo de classe, hypokhâgne du lycée du Parc, rentrée 1975, Claire apparaît coiffée en cascade de rivière, une écharpe tricotée autour du cou. Elle baisse la tête avec un air fatal. Son côté résolu, prêt à avaler le monde. Le visage paraît à peine sorti de l'adolescence, sans proportion, quand j'y repense, avec la gravité dont nous nous sentions dépositaires. La politique. La philosophie. Les livres. Sur cette photo, trois silhouettes me séparent de Claire. Mes cheveux sont presque aussi longs que les siens. Karine, elle, affiche un air mutin, déjà encline à se distinguer du lot. Les classes d'hypokhâgne accueillent plus souvent qu'on ne le croit de très jolies filles. Elles perturbent les professeurs, brisent quelques cœurs, se montrent assidues ou vite lassées. Karine, avec son petit bonnet rasta, paraît affirmer une pétulance un peu dégoûtée : tous ces balourds autour d'elle qui suent sang et eau sur des versions latines et ne savent pas qui est Bob Marley. Cette photo me rappelle ses parents, un couple de médecins du VIe arrondissement de Lyon, très occupés par leur pratique, dignes et sans questions. Ils n'attendaient de l'avenir que le meilleur, des enfants diplômés, installés dans une vie exigeante mais aisée, un gendre, des petits-enfants. Imaginer que la vie de Karine se ramènerait à cela...

Claire, elle, me bassinait avec sa légende. Petite-fille d'ouvriers, fille d'enseignants, elle me racontait ses vacances d'enfance dans une cité ouvrière de la Nièvre, quand elle allait voir son grand-père. La cuvette pour se laver les pieds, les latrines à la turque, la télévision avec *Thierry la Fronde*, un livre de Gyp, *Le Mariage de Chiffon*, qui était à l'entendre le seul trésor de la maison. Elle me citait toujours un poème de Rimbaud, *Les Poètes de sept ans*, à cause du vers où il écrit que « dans ses yeux fermés [il] voyait des points ». Claire aussi avait vu des points danser sous ses paupières quand elle avait sept ans.

Très bonne élève. Convaincue que les livres la sauveraient ; que le savoir était une richesse refusée à ses ascendants, une terre promise dans laquelle, portée par ses parents, elle entrerait. L'idée du métier, pour elle comme pour moi, restait théorique. Rendre un jour des diplômes solvables, occuper un emploi, cela n'était pas une préoccupation, encore moins un projet. On écrirait des livres, on verrait le monde, on regarderait les nuits d'été depuis les toits de l'Ecole normale supérieure. Il y a des sociétés triangulées par le soldat, le prêtre et l'agriculteur. Nous étions à l'école des prêtres laïcs, promis au magistère, à la préservation du savoir, à la propagation du rite. Essorés de travail, portés à haute fusion par la difficulté du concours, on revivait, sous prétexte d'excellence républicaine, le vieux mythe des voleurs de feu. De tel camarade, on disait avec estime qu'il était « brillantissime ». Etait-ce une valeur absolue ? Il semblait bien que oui. Mais pourquoi ? Le brio conceptuel, l'agilité dialectique, les fulgurances d'interprétation serviraient-ils à quelque chose dans notre vie future ? Ce point ne paraissait pas envisagé. L'argent était indifférent ; la gloire ne l'était pas. Elle naîtrait de traités définitifs, de grandes thèses commentées de Kyoto à Buenos Aires, de livres aventureux et savants devant lesquels l'époque s'inclinerait. La gloire passerait par l'université, puis par le débordement de l'université.

La fierté de Claire me plaisait infiniment. Lycéenne à l'époque des manifestations contre les lois Debré et Fontanet, elle en avait tiré la conclusion que « l'on peut foutre le bordel à défaut de grandes révoltes ». En 1975, Claire portait des jupes gitanes ou des jeans effrangés, se passait les cheveux au henné et sentait le patchouli. En vrac, elle aimait : Amsterdam, « Little Nemo », les lunettes fumées rondes, la Beat Generation, Pétrone, les sucettes à la fraise, la musique en boucle de Terry Riley, les calanques de Cassis, Peter Fonda, les chroniques de Jean-Louis Bory.

Elle aimait surtout une chanson de Leonard Cohen, *Take this longing*, dont les paroles la fascinaient. « And everyone who wanted you, they found what they will always want again – Your beauty lost to yourself, just as it was lost to them. » Elle y voyait un signe, un chiffre de son destin à venir, un miroir de son côté « je ne suis jamais là où l'on m'attend », le rêve d'une île grecque où un poète canadien écrivait pour elle des vers pathétiques. *Et tous ceux qui te désiraient ont découvert ce qu'ils désireront toujours – Ta beauté perdue pour toi comme elle était perdue pour eux.*

Je pense que Claire a très vite senti que la vie en khâgne réservait aux élèves un sort austère, le maximum de sexualité frustrée alliée à une ingurgitation forcenée de connaissances. Son orgueil la poussait à déjouer ce pensum. Elle avait décidé d'entrer à l'Ecole normale, mais de ne rien céder sur ses envies. J'ai bénéficié de sa résolution : Claire ne passerait pas deux ans d'études en dormant seule.

Il y avait à l'époque dans l'hypokhâgne du lycée du Parc une tradition de bizutage que rien, pas même les idées libertaires en vogue, ne venait remettre en cause. C'était assez bon enfant, et plutôt apprécié par nombre d'élèves qui arrivaient de Dijon, Mâcon ou Grenoble, sans attaches à Lyon. Gentiment ballottés par ce chahut initiatique, on se serrait les coudes, on liait connaissance, on formait déjà des clans. Le soir de l'intronisation, après une cérémonie parodique, une boum était organisée dans une cave du vieux Lyon. Quand j'y suis arrivé, un disque des Who jouait à plein volume. Claire buvait un whisky-Coca au bar. Elle s'était charbonné les yeux comme une petite Nadja. Claire avait déjà décidé, je crois. Nous avons dû échanger quelques mots, puis nous sommes sortis dans la rue. « Tu es timide ? » a-t-elle demandé

En même temps, j'ai senti qu'elle glissait sa main dans la mienne. J'étais un peu désemparé. Claire me regardait par en dessous, je l'ai attirée à moi. « Tu n'es pas si timide que ça », a-t-elle dit avec un sourire. Je lui ai fermé la bouche d'un baiser.

C'est l'une de mes scènes primitives : une cave du vieux Lyon, la sono qui joue les Who, Claire accoudée au bar en train de boire un whisky-Coca, ses yeux sombres. Nous marchons dans la rue Gadagne, l'air de septembre est tiède encore, sa main glisse vers la mienne. La vie qui viendrait ressemblait à cet instant, comme la promesse d'une respiration immense, d'un temps promis et recommencé. A travers les années, je peux rester fidèle à cette vérité, plus forte que mes accommodements, moins inconstante que mes lassitudes.

——————— *KARINE*

Que l'on ne compte pas sur moi pour la nostalgie. Ça me fait presque flipper de penser à cette époque, d'abord parce que tout ce cirque était profondément inesthétique. Porter des pattes d'eph', passe encore, mais avec l'étoffe du jean taillée pour te mouler les fesses, on a l'air d'une clochette de muguet à l'envers. Et les imprimés fleuris, façon fermière détournée par le loup en allant vendre son lait, merci bien. Dire qu'il fallait accessoiriser ça avec des sabots ou des sandales à plate-forme...

Je peux te faire le plan 1975. D'un côté, tu as l'allure Birkin, la recyclée du Swinging London qui se trimbale en nymphe naturaliste, pas de soutif évidemment, le petit panier en osier à la main, les tennis blanches, du lipstick rose quasi invisible ; là, tu as l'air d'une asperge qui regrette le potager. De l'autre côté, tu es tentée de te la jouer décadente, Bowie et Roxy Music, ce qui suppose la robe noire à la Marlène, les cheveux crantés, le chapeau éventuel, les bas couture, mais faute de vrais porte-jarretelles tu portes des *collants* à coutures, et un maquillage à la Vincent Price par-dessus le marché ! Entre les deux flotte encore le tropisme oriental, donc les vestes en peau de mouton retournée, divers parfums musqués, les écharpes de

Kandahar *made in Lubéron*, les gilets indiens à petits miroirs qui te transforment en borne kilométrique phosphorescente. La plaie !

Je ne vais pas me vanter, mais j'ai tout de même trouvé le temps de faire tout ça, en plein dans le panneau, et avec application, et contente de moi encore... Pas beaucoup de tendresse pour la fille que j'étais, quand j'y repense. Mes parents, pas méchants, juste rasoir. Ils m'auraient bien vue dans le médical ou le paramédical, mais les autopsies à la faculté avec macchabées à la Rembrandt et pontifes lyonnais jouant les mandarins à stéthoscopes, très peu pour moi. Déjà que je n'ai jamais su remplir les feuilles de sécurité sociale quand j'avais la grippe, on ne me voit pas traitant le coryza.

En réalité, j'avais envie d'aller vivre à Paris. Rien ne justifiait cet horrible exil aux yeux de mes parents, puisque Lyon offrait toutes sortes d'universités, à commencer par la fac de médecine. Et puis j'aimais lire, bizarrement, je dis bizarrement parce que tout le monde me voyait chanteuse dans un groupe pop. En 1974, mon copain Alex m'expliquait que j'avais une tête à chanter avec le Velvet Underground ; quatre ans plus tard, nombre de gens m'ont dit que je ressemblais à Debbie Harry, la chanteuse du groupe Blondie, en croyant me flatter... La vérité, c'est que j'ai toujours eu envie de me cacher, y compris en faisant tout pour que l'on me voie. Donc je passe un bac A, on me dit au lycée Jean-Perrin que je suis douée pour les lettres et qu'il faut faire une khâgne au Parc. On m'explique que cela prépare à une école située à Paris, qui plus est avec hôtellerie et traitement assurés pendant quatre ans. Je lève l'oreille comme une rongeuse émoustillée, je veux acheter mon ticket.

Et me voilà en septembre 1975, bac mention très bien avec un an d'avance, sur la galerie du lycée du Parc, en compagnie d'une trentaine d'individus qui pénètrent dans la salle d'hypokhâgne. Faute de tout saisir, je vois au moins les défauts. Des types aux airs de puceaux pressés, des filles qui rêvent d'enseigner au collège et comptent déjà leurs points de retraite. Or, je l'ai dit, je hais la sécurité sociale, avec un h aspiré. Toute ma vie, j'ai cru à la théorie de l'élection : tu captes immédiatement le bon ou le mauvais karma, c'est *love at first sight* ou rien du tout.

Là, je capte peu, mais j'en capte deux : Pierre et Claire. Evidents. Détachés du lot. Lui est un brun aux cheveux frisés, l'œil qui pétille, avec le look qu'il faut. Des tee-shirts marins à rayures, les jeans délavés, les boots marron, le havresac de surplus militaire. Assez poseur, prenant des airs de Lord Byron détroussé, se promenant toujours avec des bouquins, des trucs pas possibles, du genre la collection « Connaissance de l'inconscient » ou les essais de Walter Benjamin. On sent qu'il est né sept ans trop tard : San Francisco en 1967 lui aurait mieux convenu, des nuits entières sur les pelouses à compter les étoiles avec une petite pastille de Yellow Sunshine diffusant dans les neurones. A l'oral, je remarque ses interventions très maîtrisées, toujours en avance d'un coup ; sous les côtés dilettantes, une volonté de puissance. Il est donné comme intégrable, autrement dit promis à réussir le concours. Lèvres admirablement dessinées. Je le trouve odieux et intéressant.

Claire est une brune qui pousse le style Birkin vers le versant oriental. Traces de henné dans les cheveux, lunettes rondes alors qu'elle voit très bien, longues robes gitanes portées sur des bottes à franges. Le nez en l'air, intense et attentive, sexy comme le sont parfois les filles sérieuses. A la rentrée 1975, je remarque qu'elle est uniment bronzée à la naissance des seins : donc saison estivale topless. Elle aussi marque vite son territoire. Si elle n'avait pas cette touche frondeuse, je dirais même qu'elle est un parfait bas-bleu. A la mode. Elle pose ostensiblement sur sa table le *Roland Barthes par lui-même*, cite des textes de Deleuze ; explique la différence entre sémiotique et sémiologie. Elle parle naturellement le Barthes. En un mot, Claire me bluffe.

Moi, il me semble que je ne sais trop ce que je fais là. Déjà confrontée, il me semble, à la question que je vais me poser pendant le reste de ma vie : je fais la conne ou je ne fais pas la conne ? Faire la conne, c'est jouer à l'idiote, à la blonde, me laisser porter par tous les malentendus qui, en un sens, m'arrangent. C'est aussi rater un rendez-vous, perdre ce que je convoite, laisser passer les trains. Là, je suis spécialiste. Ne pas faire la conne, c'est arrêter de me dévaloriser, monter en ligne, utiliser ce que l'on m'a laissé de matière grise pour agir à mon gré, selon mon meilleur profil. Là, je suis moins bonne.

A Lyon, en septembre 1975, je fais clairement la conne. Pierre est à mes yeux le seul type possible dans la classe, il m'agace et il m'attire. Dans ces cas-là, je suis encore plus timide, c'est-à-dire en apparence plus hautaine que d'habitude. Il m'adresse la parole, je le refroidis. Il met un pied dans la porte, je la ferme.

Est-ce que je peux savoir que Claire – en plus, la fille que je commence à estimer, celle dont je pourrais être l'amie – va faire sa blitzkrieg dès les premières semaines, là, un soir de boum, juste après cette cérémonie d'intronisation qui marquait la fin du bizutage, enfin cérémonie est un grand mot parce que toutes ces simagrées et initiations avaient un côté Ku Klux Klan faisant brûler des croix en l'honneur du Grand Dragon ? Est-ce que je peux savoir qu'elle va me piquer le type le plus intéressant de la classe, tout de suite, sans même le vamper, en se contentant d'exister ?

J'étais moi aussi dans cette espèce de boîte de la rue Gadagne, avec tous ces khâgneux qui dansent le rock sur des trucs sudistes, le genre *I can help* de Billy Swan, je me morfondais dans un coin avec des boutonneux qui n'osaient pas me parler, je les intimidais paraît-il, l'un d'entre eux m'avait dit qu'il me voyait en noir et blanc comme Lauren Bacall dans ses premiers films, mais moi j'étais une fille de médecins lyonnais de dix-huit ans qui essayait de composer avec sa frimousse, avec son corps, ses envies, « Tu es une bêcheuse » m'avait dit un autre mec et je trouvais ce mot grotesque, vieilli, et donc, qu'est-ce que je vois ? Claire, assise au bar avec son verre de Coca ou je ne sais quoi, elle ne bouge pas, et Pierre qui arrive dans ce caveau enfumé, fond sur elle, moi pendant ce temps-là entreprise par un type dont je n'ai rien à faire, je regarde par-dessus son épaule. Eh bien, le petit lord Fauntleroy tout brun, le Monsieur Ego-c'est-moi, l'odieux adorable parle à Claire. Pas la peine de se raconter des histoires, ces deux-là sont irradiés, on perçoit l'aura, le frémissement lumineux qui les nimbe, c'est pour ce soir, et c'est d'autant plus cruel à dix-huit ans que les choses ne sont jamais plus irrémediables qu'à cet âge-là...

Instantanément, je me dis : merde, merde, merde. Pas un pli, Pierre la baratine à peine, et les voilà debout, ils traversent ensemble la salle en bousculant les pois sauteurs qui s'agitent sur Abba, ils marchent vers la sortie.

Ce n'est même pas que je fais la conne. Là, je *suis* une conne.

CLAIRE

Fragments de ma vie de khâgneuse.

Les châtaigniers de l'avenue Verguin, la façade du lycée du Parc, d'une austérité de caserne 1900. Salles de cours sur la galerie, tableau noir, tables de bois griffonnées, sculptées, alvéolées par des générations d'élèves. Un professeur seul derrière le bureau. Trente élèves qui prennent des notes et se regardent. Les rôles, les places, les hiérarchies déjà en cours de cristallisation.

Ma chambrette louée sous les combles, rue Montgolfier. Un matelas à même le sol, un plan de travail sur deux tréteaux, une armoire. Et des livres, partout des livres. Le Gaffiot, le Quicherat, Benveniste, François Furet, Kojève, Tite-Live, Milton, Lorca, vingt autres. Un magnéto à cassettes Philips. Au mur, poster de Humphrey Bogart. Toilettes et douche sur le palier.

Le sentiment de participer à une olympiade mentale, des trimestres de course contre soi-même, un régime d'entraînement digne des nageuses d'Allemagne de l'Est. Ceux qui craquaient, s'effondraient lentement, la substance corticale rongée. Celles qui allaient pleurer en silence dans la salle d'à côté. Les têtes de classe, portées par l'émulation du concours, la reconnaissance des maîtres, donnaient l'impression de flotter au-dessus du sol. Toujours plus.

Les semaines de concours blanc, répétition générale des épreuves finales. Un sujet libellé en quelques mots. (« Qu'est-ce que l'indicible ? », « Faut-il remiser l'humanisme au musée des idées mortes ? », « La Révolution française est-elle terminée ? »), puis cinq heures de composition sur table. La mine terreuse des khâgneux sortant fumer une cigarette, croquant du sucre ou des pastilles vitaminées. Fatigue.

Pierre. On pensait qu'il entrerait à Ulm. Mauvais en latin, matière qu'il affectait de tenir pour le domaine des laborieux ; mais des fulgurances ailleurs. Rapide d'exécution, bon bluffeur, jouant de son esprit comme on va au casino. Il adorait tirer de son sac un livre que personne ne possédait encore, les *Esthétiques sur Carpaccio* de Michel Serres, une nouvelle traduction des poèmes de Gerard Manley Hopkins, un essai de Pierre Legendre paru aux éditions de Minuit. On se penchait sur son épaule, pour en recopier le titre, comme s'il avait détenu des fioles de potion magique. Avec cela, dégagé, capable de jouer dangereusement contre lui-même, par pur dandysme.

Tout le monde savait qu'il était mon amour, mais il répugnait aux démonstrations ostensibles. Même s'il restait chez Pierre des poses d'adolescent méphitique, je vivais avec lui des moments de pure innocence. J'étais comme la fiancée du « Cantique », à laquelle on objecte que son bien-aimé est un brigand, et qui n'écoute pas les jacasseries des jaloux. Ce sont des époques de la vie où l'on peut confondre l'aspiration à un but commun, représenté par le concours, avec l'ivresse fusionnelle des jeunes amoureux. Pierre en agaçait plus d'un, mais il suffisait de parler dix minutes avec lui pour déceler une sensibilité de verre filé, le besoin d'être entendu.

J'aimais la distance qu'il manifestait en public : elle rendait la tension qui passait de lui à moi encore plus électrique. Au milieu de ces journées exténuantes, dans la frustration de l'étude et du dressage consenti, je rayonnais de la certitude qu'il me donnait d'être devinée, désirée, entourée. Savoir qu'il me retrouverait certains soirs dans ma chambre, ses yeux noirs, ses mains dégrafant mon soutien-gorge, roulant sur mes jambes ces petites culottes transparentes que l'on portait alors, sa bouche si douce à ma peau, le bonheur que j'éprouvais à le sentir en moi, quand il venait, ses cheveux retombant sur mon épaule. Sous le regard de Pierre, je vivais.

Il avait une prédilection pour les musiques nostalgiques. Pierre vénérait Brian Wilson, le sorcier effondré des Beach Boys, et le Frank Sinatra des albums les plus sombres, *Only the lonely* ou *Watertown.* Il me disait que le plus beau film du monde est *Vertigo* de Hitchcock, une histoire spectrale de femme disparue, dans laquelle une bonne khâgneuse n'aurait eu aucun mal à reconnaître le mythe d'Orphée (et à écrire, s'il l'avait fallu, dix pages de dissertation pour le démontrer).

Karine. Elle me fascinait. Cette fille avait tout, la beauté, l'allure, l'intelligence. Probablement la khâgneuse lyonnaise qui a déclenché à cette époque le plus grand nombre de *wet dreams* chez les garçons. Extrêmement orgueilleuse, capable de travailler pour river le clou à ses rivales, dont moi, mais ne s'abaissant pas à leur manifester de l'hostilité. On avait l'impression de côtoyer une échassière qui s'est posée par hasard sur un toit où nichent des volatiles d'une autre espèce. Elle les considérait avec curiosité, mais ne s'attarderait pas au milieu de la tribu. Une statue d'indifférence, d'autant plus déroutante qu'elle ne paraissait pas très motivée par le concours. Karine pouvait décrocher une note stellaire un jour, et rendre copie blanche le lendemain. Peu lui importait, elle méprisait les besogneux avec la plus grande élégance.

Il me semble que j'agaçais Karine. Parce que j'étais avec Pierre. Il n'est même pas sûr qu'elle l'aurait regardé s'il avait été libre, mais le fait qu'il soit mon petit ami devait l'exaspérer. Karine, on ne sait pas avec quel type d'homme elle aurait pu s'entendre ; certainement pas les khâgneux qui l'entouraient, trop gris à son goût.

Quand Karine s'approchait de Pierre, j'avais toujours peur qu'elle lui fasse un coup de charme. Lui protestait que Karine n'était pas son genre, une fille se prenant pour la reine de la ruche, trop *self-*

conscious. Je soupçonnais Pierre de la déprécier parce qu'elle lui paraissait inatteignable. « Cette fille est mentholée comme une cigarette », disait-il.

Mais Karine n'était peut-être pas du métal que l'on croyait. Un jour, elle entre dans un café proche du lycée. Comme je me tenais assise à une table en angle, elle ne me voit pas. Karine s'assoit, déplie le numéro du jour de *Libération*, puis le laisse retomber sur la table. Et la voilà, les yeux dans le vague, avec un air de petite fille désemparée, en plein spleen... Je ne sais pas quelles pensées pouvaient l'occuper, mais elle paraissait accablée par le désarroi. A ce moment-là, un autre khâgneux entre dans le café, Karine le voit, et rétablit aussitôt son personnage. Visage recomposé, lisse, marquant une distance. Il me semble aussi que Karine avait moins de verve qu'elle n'en a montré ensuite. L'espèce de drôlerie qu'on lui connaît aujourd'hui est venue plus tard ; elle a perfectionné la dérision.

A l'approche du concours, chacun s'est retrouvé sur ses rails, oppressé par l'échéance qui allait décider de nos vies. Pour ceux qui réussiraient, six à sept d'entre nous, ce serait Paris et la multiplication des possibles. Pour les autres, l'une des premières blessures par lesquelles on s'achemine vers le deuil de nos rêves. Même les plus doués de la classe entraient en surchauffe, avalant des pages entières de vocabulaire latin ou de grammaire allemande. Pierre et moi avons travaillé séparément, précaution ascétique. Je savais que, si l'un de nous deux ratait le concours, nous serions séparés l'année suivante. Aucune certitude : éloignés de Paris, les khâgneux lyonnais se trouvaient moins au fait des critères du jury que leurs redoutables pairs de Henri-IV ou Louis-le-Grand. On avançait dans le brouillard. Moi, j'avalais des polys avec une sorte d'appétence sexuelle.

Nous avons passé les écrits au début du mois de mai. Les résultats d'admissibilité tombaient vers le 20 juin, suivis des oraux à Paris. Cela laissait le temps de souffler. A la fin des écrits, j'ai sauté avec Pierre dans un train pour Venise. Ereintés, libérés, nous avons pris le vaporetto avec nos sacs à dos, puis marché jusqu'à la pension de Dorsoduro où nous attendait une chambre minuscule. Le soleil de mai avait rarement été aussi éblouissant que ce printemps-là. Pierre se montrait détendu, adorable, joueur. Il me photographiait sur les ponts, marchait en me donnant la main, ce qu'il ne faisait jamais à Lyon.

Nous étions comme deux danseurs de comédie musicale volant au-dessus des eaux. Si l'un de mes plus beaux souvenirs de jeunesse ressemble à une carte postale, je n'y peux rien, c'est idiot et c'est vrai.

Le soleil de ce printemps-là, je voudrais ne l'avoir jamais perdu.

KARINE

Ils m'appelaient la reine froide. On disait que je prenais des airs, que mes bagues brillaient trop. Est-ce que j'allais, moi, leur faire l'inventaire de leurs tenues ? Le genre rescapé de la bataille de Gettysburg pour les garçons, avec leurs barbes, leurs manteaux qui ressemblaient à des capotes d'artilleurs en déroute, et ceux dont on devinait le maillot de corps sous la chemise en nylon, et les cols pelle à tarte, et les auréoles sous les bras ? Quant aux filles, il y en avait une ou deux arborant des collants qui n'auraient pas déparé une neuvaine, ce ton brique pâle à gerber, du type « Saint-Sulpice vous attend », et les petits mocassins tristounets, et les chapeaux couleur canard ? Moi, la reine froide, je pouvais leur balancer l'absolu look 1976, la salopette en jean ou le jupon patchwork, la redingote lèche-bottes et le regard ombré au khôl. Mon côté Botticelli blafard perdu dans un champ de pâquerettes, je ne me suis pas privée de l'accentuer, pour les faire marner.

Je fais la conne, ou je ne fais pas la conne ? Après une année d'hypokhâgne, je décide de ne pas faire la conne. Par orgueil un peu, par imitation de Claire beaucoup. Elle était la princesse du concile, la perle du Sanhédrin, Mlle Sémiologie. « C'est une petite

Kristeva », ai-je entendu de la bouche d'un prof, sans avoir la moindre idée de ce qu'il voulait dire. Si la fille avait été laide, cela m'aurait arrangée. Sauf que Claire avait son côté Jane Fonda de lycée, aucune faute de goût sur l'écharpe tricotée ou le sac indien (à moins que l'écharpe tricotée ou le sac indien n'aient représenté des fautes de goût par essence, mais c'est une autre question) ; arborant le dernier numéro de *Tel Quel* sur la table, tirant sur le joint les samedis soir par surcroît.

Moi, j'ai toujours été un pur caméléon. Et déterminée quand je le veux. Je me suis mise au travail dans mon coin, mes parents s'inquiétaient en même temps que cela les rassurait. J'assimilais par fureur, je n'étais contente ni des autres ni de moi, et bizarrement je commençais à entrer dans la chose. Les méandres du savoir. La chasse aux faux sens dans une version... l'hypotypose et la synecdoque... la *Darstellung* chez Fichte.

En février 1977, à trois mois du concours, je pouvais réciter par cœur telle épître de Cicéron (« Cum e Cilicia decedens Rhodum venissem, et eo mihi de Quintii Hortensii morte esset allatum, opinione omnium majorem animo cepi dolorem »), gloser sur la politique extérieure de Napoléon III, ou détecter la paraphrase biblique dans un poème de John Donne. Je n'ose jamais raconter ça, on ne me croirait pas. En fait, j'allais chercher Claire sur son terrain, c'est-à-dire légèrement au-delà du programme. La petite Kristeva du lycée du Parc excellait dans les acrobaties conceptuelles, avec tout de même un peu d'esbroufe. Non sans mérite (quand j'y pense...), je tentais de m'accrocher à la locomotive, de trouver dans les grimoires ce qui rendait Claire si estimable dans l'échelle des valeurs de nos professeurs, si désirable aux yeux de Pierre.

Contre toute attente, je commençais à y trouver du plaisir. Même si j'ai beaucoup fait la conne ensuite, ces années-là ont laissé en moi une sorte d'horloge intérieure qui sonne quand tout menace de désespérer. Les salopettes en jeans et les yeux au khôl, très bien. Mais, et là je parle sérieusement, il y avait l'abnégation de nos professeurs, leur patience sévère, leur entêtement, leur conviction de détenir un savoir qui disparaîtrait s'il n'était pas transmis. Ils m'ont fait voir la vie autrement. J'ai beau vivre aujourd'hui dans un milieu qui mouline le franglais et se flatte de ce qu'il ignore, je peux savoir de quoi l'on parle si Vivienne Westwood refait des jabots Directoire, ou ne pas être trop larguée si je lis une libre opinion de Peter Sloterdijk. Je me sens à la fois orpheline et enracinée. C'est mon secret.

En 1977, je faisais moins la maligne, dopée aux photocopiés et aux vitamines. Ce fut ma période Aristote-Supradyne. Ne me tirant pas trop mal des concours blancs et autres colles orales, travaillant régulièrement jusqu'à minuit pour faire bonne figure dans la journée. D'une certaine façon, je peux bien l'avouer maintenant, le duo Claire-Pierre me rendait malade. On n'imagine pas le pouvoir d'irradiation des couples qui se forment dans la promiscuité d'une classe où l'on passe six heures par jour, toutes glandes déchaînées et toutes émotions bridées. Dans l'étouffoir de cette khâgne devenue mixte depuis peu, nombre d'entre nous guettaient chez l'autre sexe un démenti à leur incertitude, à leurs ignorances, à leur laideur. Un couple signifie ostensiblement : nous, on peut jouir. Certains jours, c'est insupportable. On me prêtait toutes sortes d'aventures romanesques à l'extérieur du lycée, mais la vérité est que je suis restée chaste pendant mes deux années de lettres supérieures. Je n'en étais pas fière.

Au cours de mon année de terminale au lycée Jean-Perrin, j'avais tout de même eu un petit copain, un folkeux maladroit et gentil (il ressemblait au chanteur Donovan). Maladroit, je le dis rétrospectivement et parce qu'on l'est tous plus ou moins à cet âge, et qu'il est malheureux que ce ne soit pas avoué, discuté, désamorcé. Au cours de l'été 1975, j'avais aussi couché avec un Italien plus âgé, il avait vingt-trois ans, et cela ne m'avait pas laissé un bon souvenir. Donc, en 1977, deux hommes au compteur, et pas dans les meilleures conditions. Pendant plusieurs mois, j'ai continué à prendre la pilule. Pour rien.

Pierre et Claire ne s'affichaient pas. En classe, ils étaient assis à des tables différentes. Aux intercours, lorsque l'on sortait sur la galerie pour fumer une cigarette, ils ne se la jouaient pas couple. C'est prétentieux de le dire, mais je pense que je représentais le seul péril pour Claire. La seule que Pierre ait pu regarder. Elle le surveillait du coin de l'œil quand il m'approchait. J'étais si pomme, et à certains égards si loyale que je n'aurais su que répondre s'il m'avait fait des avances, alors que je ne rêvais que de ça. D'autres types me tournaient autour, mais si je regarde aujourd'hui la photo de classe, les noms de la moitié d'entre eux m'échappent. D'ailleurs, je les réfrigérais vite, j'étais la reine de glace, *the ice queen*, ils avaient fini par me considérer ainsi. On peut prétendre changer la vie, plus difficilement le rôle assigné à chacun. C'était le mien.

En juin, j'ai été déclarée admissible aux oraux de l'Ecole normale supérieure de jeunes filles de Sèvres, en même temps que Claire. Du côté de la rue d'Ulm, Pierre décrochait lui aussi une admissibilité. C'est peu dire que je conserve un souvenir exécrable des oraux. On les passait en plein mois de juillet, évidemment sans ventilateur. A chaque épreuve, il fallait tirer un sujet que l'on préparait sous la garde d'une apparitrice à tête de cerbère, avant de composer devant deux examinatrices. La morphologie de ces dernières oscillait entre Miss Marple en deuil de son châle et Marguerite Yourcenar un jour de canicule. C'est tout juste si on ne m'a pas demandé de produire un certificat de virginité. Les plus malignes des candidates s'enlaidissaient à loisir, quand elles avaient besoin de le faire.

Claire, par exemple, je l'ai vue composer avec les cheveux tirés en queue de cheval, une pâleur cireuse de sainte nitouche, talons plats, arborant une robe bleu sombre digne de l'une des filles du Dr March. On aurait dit qu'elle s'apprêtait à porter le produit de la quête au presbytère. Moi, évidemment, je n'étais pas très douée pour agiter les cloches de l'Armée du Salut. En voyant ma petite robe blanche et mes jambes bronzées (comme une conne, j'étais allée réviser dans la villa de mes parents à Saint-Raphaël), les Miss Marple ne m'ont pas loupée. « Mademoiselle, m'a dit l'une des examinatrices de latin, vous semblez confondre la poésie d'Hésiode avec la pratique du solarium. » J'aurais pu lui rétorquer que le soleil se lève aussi pour les crocodiles, mais je l'ai bouclée. Epreuve après épreuve, j'avais l'impression que les Miss Marple fronçaient le sourcil en voyant mes genoux. Elles étaient malheureusement hétérosexuelles. Le résultat ne s'est pas fait attendre. J'ai perdu trente places à l'oral et me suis retrouvée parmi les premières collées. Là, j'ai quand même pleuré. De rage.

J'ai l'air de me vanter ? Pas de ma faute si la terre tourne autour du soleil, même en juillet. Allez, je me vante : l'huile solaire n'est pas la seule responsable de la déconfiture ; j'étais vraiment nulle en philo.

Claire et Pierre ? Evidemment, admis tous les deux.

PIERRE

En 1978, l'Ecole normale supérieure faisait relâche. Dix ans auparavant, des tempêtes avaient battu ses murs : fièvres, révolutions, fracas de mai 68. Comme un paquebot qui a trop bourlingué, l'Ecole de 1978 aspirait à la quiétude du port. A certaines heures, dans la chaleur tiède du printemps, on aurait dit une station thermale d'avant-guerre. Les statues immobiles, les jeunes filles écloses sur les pelouses, les films de Leo McCarey au ciné-club du mercredi soir, et même cette conviction très normalienne « qu'il faut beaucoup d'imbéciles pour faire un monde », tout cela composait un tableau hors du temps. A l'heure des repas, les élèves sortaient de leurs chambres comme des troglodytes éblouis par la lumière.

Pourtant, quelque chose mourait. Cinq décennies durant, l'Ecole avait été la Bastille du romantisme politique, la boîte à idées des avant-gardes. Nizan y avait rêvé d'Aden, et les prochinois d'un lumineux Yang-tsé constellé de cent fleurs. Cinquante années durant, dans cette usine à concepts, le pouvoir avait été au bout des mots. Ce temps avait vécu. En 1978, l'idée de révolution venait d'être portée en terre, avec tous ses opiums. La rumeur des couloirs était plus soucieuse des réductions de postes à l'agrégation que des stratégies du Grand Soir. Je me souviens de Louis Althusser écoutant mélancoliquement son invité Toni Negri, vers la fin de 1979. Entre ces deux marxistes d'obédiences opposées, c'était un dialogue de sourds, mais plus sourd encore était le monde qui les entourait. Gauche américaine et maquis afghans, archipel de Soljenitsyne et révolution islamique en Iran. La religion politique entrait en agonie, veillée par ses docteurs.

L'Ecole était désormais veuve de ses illusions lyriques. Que restait-il ? Un crépuscule de clercs réfugiés, non sans noblesse, dans leurs petites alchimies. On faisait de l'histoire sérielle et de la sémiologie littéraire, enfermé chacun dans son laboratoire à l'heure où le train de l'Histoire s'éloignait. L'horloge s'était arrêtée aux douze coups de minuit.

Du coup, un parfum de lupanar de Bas-Empire flottait sur les lieux. Tandis que les talas méditaient dans leurs catacombes, des tripots s'ouvraient dans les thurnes. Plusieurs mois durant, une partie de « Donjons et Dragons » tint en haleine, au fond des sous-sols, la fine fleur de la section mathématiques. Dans une chambre, un sombre amateur d'opéra décorait ses murs de fresques wagnériennes. Dans une autre, un squatter était victime d'une tentative de meurtre aux ciseaux. Des jeunes femmes surnuméraires installaient leurs hamacs et leurs réchauds. Les rockers tenaient la cave, et les claudéliens le théâtre. Un autonomiste cachait un fusil à canon scié sous son lit, tandis que les normaliens alpinistes s'encordaient pour escalader la façade de l'Ecole.

Autant que la poursuite d'une tradition libertaire, c'était le passage d'une ère d'idéologies à une société de loisirs. Les monomanies se côtoyaient sans s'exclure, dévots de la version latine, amis du dériveur, sociétaires de boîtes de nuit, sectateurs du Collège de France, affidés de la moto, hallucinés du tennis. Cela ressemblait tantôt à un livre de la comtesse de Paris – tout m'est bonheur –, tantôt à un film muet de Harold Lloyd. On vit passer par l'Ecole le fils du patron des services secrets chinois, Louise Weiss, un officier irakien, Michel Rocard, quelques structuralistes japonais, Raymond Aron, un escroc ivoirien, et même Clara Malraux qui, désignant un petit groupe d'élèves, eut cette curieuse phrase : « J'ai déjà vu ça en Allemagne avant la guerre. Ils finiront tous chômeurs. »

Le malentendu avec Claire se noue là, très vite. Elle avait été ma fiancée de khâgne, la fille que l'on aime entre Suétone et Spinoza. Nous nous étions épaulés, tendus vers un but qui paraissait inatteignable, soudés comme des soldats préparant la même bataille. Les seules guerres que l'on mène dans les périodes de paix sont psychiques.

Claire disposait d'une chambre à l'ENS de Sèvres, boulevard Jourdan. Je dormais dans une thurne de la rue d'Ulm. Comme elle n'appréciait pas forcément ses coreligionnaires du boulevard Jourdan, dont beaucoup évoquaient la couventine en période de jeûne, son mouvement était de se rapprocher du Quartier latin. Claire partageait souvent ma thurne, à la façon de deux étudiants cohabitant dans le même studio.

Un premier accroc eut pour cause l'insistance de Claire à m'entraîner à tous les cours, séminaires et conférences auxquels elle assistait. J'avais le sentiment qu'il lui fallait maintenir à tout prix le rythme des classes préparatoires, comme si elle avait eu peur du temps libre, c'est-à-dire de celui qu'elle aurait pu passer avec moi. Cours de Foucault, de Lévi-Strauss, de Barthes au Collège de France, séminaires de Lacan à la faculté de droit du Panthéon ou de Derrida à l'ENS. Claire courait à la chaire comme à l'époque de Charles X on se ruait au Jardin des Plantes pour voir la girafe. Avec une certaine affectation d'indifférence, je lui faisais valoir que Paris est grand. Il fallait profiter des vacances auxquelles invitait le début de la scolarité, avant de préparer plus tard l'agrégation. En fait, j'étais jaloux de la dévotion qu'elle manifestait envers tous ces sachems. Je commençai à lui en faire le reproche. Pourquoi avait-elle à ce point besoin de maîtres ? Quelle satisfaction trouvait-elle à prendre des notes, assise dans un amphithéâtre où pérorait un gourou ? Lorsque j'eus la mauvaise inspiration d'employer l'expression « bas-bleu », elle explosa. Claire ne pouvait admettre qu'après des années passées à convoiter une place dans cette école, je ne profite pas davantage du luxe intellectuel qu'offrait la montagne Sainte-Geneviève, concentration sans égale de penseurs que le monde entier nous enviait. Elle en parlait comme d'une nouvelle Jérusalem.

Claire ne comprenait pas que, désormais, je désirais moins une école que Paris. Les jambes nues des filles qui bronzent en juin sur les chaises du jardin du Luxembourg, les impasses fleuries du XIVe arrondissement, l'ivresse légère qui vous porte vers des quartiers inconnus. Cette ville n'était pas le prolongement du monde que racontaient les livres, mais un livre dont chaque phrase serait écrite par nos actes. L'Ecole normale offrait une base pour ces explorations : il fallait se désintoxiquer du rapport purement intellectuel à l'idée.

Il s'y ajoutait pour moi le sentiment d'être menacé par les habitudes. Chaque matin, à l'heure du petit déjeuner, le réfectoire de l'école voyait apparaître des élèves tombés du lit en compagnie de leur fiancée attitrée. Mal réveillés, les yeux cernés – ils passaient une partie de la nuit à forniquer –, ces inséparables se serraient comme des poussins frileux devant leurs tartines beurrées. Le spectacle de ces petits couples déjà formés, casés, se passant le sucre en bâillant, était consternant. Certains se donnaient la main sous la table, muets, comme abrutis d'eux-mêmes. Même les jolies filles, et quelques-unes l'étaient, prenaient là une mine de pensionnaires d'hospice. Tintement des cuillers, biscuits craquant sous la mâchoire. Rien ne me paraissait plus répugnant que ces déplacements de mammifères endormis s'abattant sur le point d'eau, jusqu'au jour où, assis en face de Claire qui avait passé la nuit dans ma thurne, j'eus soudain la vision de nous, installés là, ne différant guère des autres ruminants domestiques, petit couple parmi les petits couples.

Des idées de libertinage germèrent. La note que nous avions tenue haute, pendant des mois d'abnégation et d'espoir, résonnait moins fort. Il me semblait connaître trop bien le corps de Claire, au point de m'y résigner. L'une des pires choses qui puisse arriver à des jeunes gens qui se pratiquent déjà depuis un certain temps, c'est de commencer à parler au passé composé. Nous avons fait ceci, nous sommes allés là. Je t'ai aimée au premier regard.

Quand cela arrive trop tôt, le présent se leste de regret. A chaque minute, le démon de la comparaison menace de raturer ce qui n'est pas encore écrit, au nom de ce qui l'a déjà été. Etais-je toujours, face à Claire, dans l'état d'exaltation qui nous avait collés l'un à l'autre ? Je devais bien admettre que non. J'eus le soupçon que son insistance à m'entraîner avec elle aux séminaires de ses prestigieux maîtres recouvrait, que Claire en soit consciente ou non, le désir de perpétuer la façon d'être qui nous avait réunis : une tension commune vers le savoir, un attelage d'étudiants penchés sur les mêmes livres. Elle cherchait à cimenter un couple qui se désagrégeait. Et cela m'attristait.

Ce qui menaçait arriva : je la trompai. Pas de la façon la plus élégante, puisque ce fut avec une khâgneuse du lycée Louis-le-Grand, armée de réserve sur laquelle certains normaliens exerçaient un droit de cuissage quasi médiéval. Cette jeune Laurence, qui venait me rejoindre dans ma thurne à l'heure du déjeuner, avait des seins ronds et adorait se servir de sa bouche. Un esprit assez désespéré, ardent et prêt à tout. Peu de mots, mais une demande d'emprise : cette fille aimait être convoquée et abaissée. C'était la première fois que je rencontrais l'une de mes contemporaines dérogeant au pacte implicite d'égalité entre les sexes, parce que son désir était d'être traitée comme un objet.

Evidemment, de bonnes âmes ne manquèrent pas d'aller rapporter à Claire que j'en voyais une autre. Sa réaction fut à la fois glaciale et bouleversée. Elle vint frapper à la porte de ma thurne, entra, et resta debout contre la porte qu'elle venait de refermer, comme si elle refusait de faire un pas de plus. A son expression, j'ai tout de suite compris. Elle avait les yeux gonflés de larmes, le visage blême. Claire dit simplement :

— C'est vrai ?

J'ai dû tenter une esquive, afficher une mine étonnée, et je savais qu'à la seconde elle m'avait déchiffré. Claire me connaissait comme une amante et comme une sœur. Je me suis senti honteux. S'il y avait quelqu'un à qui il était indigne de mentir, c'était elle. Claire n'avait jamais rien fait qui puisse nous placer au-dessous de l'idée qu'elle s'était formée de notre histoire. Je me suis entendu répondre :

— Oui, mais ça n'a aucune importance.

Ce qui était vrai.

Elle est restée appuyée contre la porte, me regardant sans parler. Je la sentais soudain à des années-lumière de moi. J'aurais dû me lever, la serrer dans mes bras, mais moi aussi je restais figé, acceptant ce qui venait, le moment où ma première jeunesse allait finir. Le masque de notre proche passé s'était déjà fendillé. Je lui ai dit la vérité, que j'avais couché avec cette fille, et c'était moins dur que de maintenir un simulacre tiède. Nous ne serions plus jamais les khâgneux de Lyon qui marchaient le soir dans la brume, un livre sous le bras, se hâtant vers le café où l'on s'embrassait sur la banquette. Le désir même que j'avais de connaître d'autres femmes, je n'aurais pu le contenir longtemps sans préjudice. Le préjudice, c'était tout autant la peine que je lui causais à présent, la certitude désolée que nous étions devenus des êtres du passé composé. Claire le savait comme je le savais.

Elle a murmuré :

— C'est tout ce que tu as à me dire ?

Pour toute réponse, j'ai dû hausser les épaules en signe d'impuissance. Claire se tenait debout devant moi, si proche et déjà si lointaine. Je sentais le couperet se lever. Avec ma chiennerie de jeune homme, j'attendais que son orgueil décide.

Elle m'a regardé, beau visage aux yeux rougis.

Sans un mot, elle a ouvert la porte et l'a refermée.

Claire était partie.

——————— *CLAIRE*

Je ne me suis pas traînée aux pieds de Pierre il y a vingt-cinq ans, ce n'est pas maintenant que je vais le faire. Dans son récit, il affirme qu'il préférait s'éloigner de moi plutôt que de risquer la tiédeur. Est-ce que la suite de sa vie a été exempte de tiédeur ? Est-ce qu'il me l'affirmerait droit dans les yeux ? Moi aussi, je pourrais inventer des griefs, dénoncer son sadisme masqué, ses envies de vagabondage sexuel.

Et puisqu'il me décrit comme une obsédée des exercices cérébraux, je ne lui ferai pas la grâce d'une description intime de ce que j'ai ressenti. Il me prend pour une cuistre ? S'il lui plaît de le croire, je ne lui épargnerai pas l'énumération cuistre, c'est-à-dire *impersonnelle*, des effets d'une rupture.

Qu'est-ce que cela fait d'être quittée quand on a un séminaire poststructuraliste à la place du cœur, puisque Pierre veut me voir ainsi ? Si tu ne le sais pas, Pierre, je peux te le dire avec les mots les plus froids, les plus techniques, les plus désinvestis. Je ressemblerai ainsi à l'image qu'il t'arrange d'avoir de moi. Etre quittée, et ne crois pas que je mette dans cette expression, au moment où je l'écris, le moindre affect, c'est froidement ceci :

1) Perte d'objet répétant la séparation d'avec le corps maternel.
2) Blessure narcissique.
3) Effraction du manque ; perte de l'autre sexué.
4) Rumination du passé, deuil des anticipations heureuses.
5) Culpabilité (sentiment de).
6) Désocialisation par rupture avec le groupe proche.
7) Solitude objective.
8) Rétraction devant l'avenir (peur de la répétition).
9) Perte de l'estime de soi, pensées mortifères.
10) Souffrances psychiques rémanentes.

Une fois que l'on a posé cela, rétrospectivement et même sur le moment, est-ce que l'on est plus avancée ? Pas vraiment. Ce que Pierre a emporté avec lui, ce n'est pas seulement le temps où je l'avais aimé, mais l'idée que je m'étais faite de la vie. Il me décrit comme une polarde, prétend que mes aspirations fusionnelles étaient nées d'un cursus scolaire. Est-ce qu'il croyait, lui, pouvoir s'exempter de ce qu'il avait appris ? Ne serait-il pas obligé, comme tout le monde autour de lui, de se présenter à l'agrégation ? Etait-il vraiment libéré de la vision littéraire du monde qu'il me reprochait ? Il disait s'émanciper des livres et vivait encore selon les schémas dictés par les écrivains. Je parle d'une époque où il n'était pas devenu indigne de s'intéresser au passé. Pierre m'a dit qu'il était arrivé à Paris quelques trimestres trop tard pour tenter d'entrevoir trois personnages qui avaient disparu à la chaîne. Emmanuel Berl d'abord, puis Morand pendant l'été, puis Malraux à l'automne. Il avait raté les morts de 1976. Mais je sais qu'il a cherché à rencontrer les proches des uns et des autres, Guillaume de Tarde qui avait bien connu Berl, Clara Malraux, je ne sais qui encore.

En même temps, Pierre voulait se convaincre que j'étais un obstacle à son dandysme. Il s'achetait des vestes chez Ventilo, traînait dans les boîtes de nuit, écoutait les Sex Pistols. Ce sont des attitudes. Je ne sais pas au nom de quel paradoxe il pensait qu'il devait coucher avec de jeunes bourgeoises idiotes, mais c'est ce qu'il a fait après m'avoir quittée.

Maintenant, si Pierre veut savoir comment j'ai pris cette affaire, je peux lui en faire part : très mal. Je me revois, pleurant comme une fontaine, seule dans ma chambrette du boulevard Jourdan, à ressasser le temps que j'avais passé avec lui, vivant son comportement comme une injustice. Est-ce qu'on a le droit de gâcher comme ça la vie d'une fille de vingt ans ? D'en faire une veuve dont le mari court la campagne ? Je haïssais ce beau salaud, et plus encore l'amour que j'avais eu pour lui. Certaines nuits, le sentiment de manque était atroce. J'aurais pu me jeter à la tête du premier venu, mais j'avais perdu jusqu'à l'envie de regarder un visage de garçon ; pire que ça, j'en avais peur. Si c'était le prix de l'âge adulte, j'étais en train de le payer comptant.

Je ne vais pas geindre pendant des pages et des pages. Là-dessus, je reste assez fille de mes parents : ils m'avaient appris quand on a mal à ne pas crier.

Mais l'éloignement de Pierre, son abrupte volte-face m'ont fait ressentir pour la première fois, au-delà de la douleur d'être quittée, ce que peut être le désenchantement du monde. Un sentiment d'irrémédiable m'écrasait au-delà de la mesure, je me trouvais laide, indigne de séduire, je me reprochais ma bêtise et mon insignifiance. Un ou deux garçons me tournaient autour, mais je leur opposais des mines de vierge hautaine. D'ailleurs, ils ne me plaisaient pas. J'étais renvoyée à la nécessité de construire autrement ma vie.

Un temps, je me suis considérée comme une bannie. L'Ecole de la rue d'Ulm, la périphérie du Panthéon, certains cinémas m'étaient interdits. Tous les endroits où j'aurais pu croiser Pierre, je les évitais. Le seul remède que je connaissais, c'était le travail. Je voyais dans l'étude un antidote à ce que Pierre m'avait infligé au nom du plaisir. Il me prenait pour un bas-bleu ? Je n'allais pas le décevoir, résolue que j'étais désormais à devenir une sorte de nonne de la mystique sémiologico-psy. De plus belle, je fréquentais le Collège de France, les chapelles où se disaient diverses messes, dont la plus solennelle, la plus baroque était représentée par le séminaire de Jacques Lacan. Oui, j'ai trempé mes écrouelles dans le bénitier d'un pape, même si l'eau bénite pouvait sentir le soufre.

Je revois la scène. Trois cents personnes se serraient dans l'amphithéâtre. Les micros des magnétophones étaient suspendus près des enceintes acoustiques : de loin, on aurait dit des chauves-souris accrochées en fuseau à la voûte d'un temple malais. Rassemblés aux premiers rangs, les prélats de l'Ordre attendaient l'arrivée du pontife. Un côté templiers, un côté sermon sur la montagne. Mais chacun restait libre de venir ou de ne pas venir : Lacan n'était pas là pour envoûter, mais pour dire la vérité. Il arrivait du fond de la salle, l'épaule accablée, dinosaure migrateur couvert d'un manteau en poil de chameau, et traversait les rangées de fidèles comme un spectre irradiant de présence réelle. On le regardait fendre les eaux, les palmes se levaient, il était là.

Une fois installé sur l'estrade, Lacan restait quelques instants debout, silencieux, les mains dans les poches. Des raglans de vieux lord, des lunettes d'astronome de la Renaissance, une silhouette de magicien muet. Il soupirait d'abord tel un mammouth harassé, et ce soupir impressionnait les bandes magnétiques qui avaient commencé à tourner : le Verbe, stocké sur cassettes. Il haussait les épaules. Le mouvement signifiait qu'il allait parler.

Ce que Lacan disait là, l'espace d'une heure, n'était probablement décryptable que par les grands prêtres du culte. Cette sibylle de Cumes s'enveloppait de vapeurs très savantes. Pourtant l'on écoutait cette langue inouïe comme on aurait suivi un sermon de Bossuet, parce que Lacan lançait des formules qui frappaient chacun. La femme n'existe pas... Il n'y a pas de rapport sexuel... L'hystérique cherche un maître sur qui régner... Je suis psychotique pour la raison que j'ai toujours essayé d'être rigoureux... Lacan jouait avec ses mathèmes, ses ficelles, ses nœuds borroméens, étrange et comique souverain régnant dans la seule pourpre des mots. On entendait la voix d'un vieux pharaon qui allait bientôt entrer dans la chambre des morts, hiéroglyphes, faucons rouges, lévriers d'or. Jacques Lacan tournait comme un aurochs furieux dans les labyrinthes du langage, obstiné, épuisé, et sa tapisserie ressemblait à quelque chose de ma vie, à une histoire d'amour assassinée...

Lacan comblait mon besoin de lyrisme et de *Götterdämmerung*. Fuir des peines de cœur dans une grotte de Lourdes, quand bien même on y vénère les apparitions de saint Sigmund, est une échappatoire comme une autre. Il m'est arrivé à cette époque d'éclater en sanglots parce que la radio diffusait une chanson sentimentale, ou de sortir du cinéma bouleversée par un *happy end*. Je prenais lentement la résolution de passer ma vie toute seule, de m'en montrer capable, sans considérer que j'avais le temps pour moi. Si un garçon me lançait un compliment, j'avais envie de détourner la tête. Peut-être deviendrais-je une vieille jeune fille vibrante et sèche.

L'année de l'agrégation, je l'ai passée la tête dans les grimoires, constatant amèrement que les textes au programme ne parlaient que d'amour. Les *Sonnets à Hélène* de Ronsard, la *Phèdre* de Racine, *Le Mariage de Figaro* de Beaumarchais, *L'Education sentimentale* de Flaubert. J'étais experte en tropes de la passion, mais je n'avais pas d'homme dans mon lit. Ma résolution de vierge et martyre a eu au moins un effet heureux : j'ai été reçue troisième à l'agreg, l'année de ma première tentative. Ce résultat en a déclenché un autre. Sur la recommandation de Gérard Genette, je me suis vu proposer un poste de lectrice au département d'études françaises de l'université de Berkeley. La prise de poste devait se faire à l'automne suivant. Rien ne me retenait à Paris.

J'ai immédiatement accepté.

PIERRE

Claire prétend que je l'ai quittée pour des idiotes. Cette affirmation gagnerait à être nuancée. Elle me voit en petit cynique ? Je ne la décevrai pas. Vers cette époque, je lançai quelques explorations du côté de la bourgeoisie parisienne. Certains camarades de l'Ecole en étaient issus – souvent les plus déliés, les moins intimidés, qui avaient l'avantage d'inviter dans leurs thurnes, à l'heure du thé, des jeunes filles très fraîches à la voix chantante, dont le tic principal consistait à sonoriser la voyelle « e » en fin de phrase, surtout quand il n'y avait pas de « e ». Par exemple : « On va au cinéma-e ? » ou bien : « Tu connais Vanessa-e ? »

Contre toute attente, elles jetaient leur gourme avec une santé, une envie de voir le loup qui ne s'embarrassait guère de précautions. Plusieurs raisons à ce comportement. Dès les années 1960, l'ouest de Paris était devenu une enclave où des jeunes filles pas tombées de la dernière pluie avaient décidé, parce qu'elles voulaient être amoureuses et redoutaient une existence pareille à celle de leurs mères, de fixer l'homme qu'elles convoitaient. Coucher devenait une bonne manière d'arriver au mariage ; une façon de retenir des jeunes gens du même cercle qui bénéficiaient, les voyages et Castel aidant, des dispositions encore plus libérales des Suédoises et des secrétaires twisteuses.

Au milieu des années 1970, la pilule contraceptive commença à accompagner systématiquement les premiers pas d'une jeune fille dans le monde. Les écoles privées où elles étaient formées se caractérisaient par la promiscuité organisée des élèves, destinée à maintenir serré le réseau des alliances. Une certaine grégarité des comportements, garantissant en principe l'homogénéité du groupe, était susceptible d'engendrer des effets inattendus. A partir du moment où quelques audacieuses se risquaient à coucher tôt, toutes leurs camarades étaient enclines à les imiter. Le nouveau code devenait le suivant : la pilule couvrait les risques ; on pouvait vivre le romantisme dans un lit ; il n'était pas interdit d'essayer plusieurs garçons, notamment en vacances, mais également à Paris ; celles qui arrivaient vierges au mariage étaient des gourdes. Toute la frustration accumulée sur la tête de plusieurs générations, mères mal-aimées, tantes restées vieilles filles, grand-mères à badine, se libéra en tourbillons comme une rivière débondée. Il y avait des décennies d'alcôves froides, de dentelle flétrie, de soupirs languissants à exorciser.

Elles s'y attelèrent avec bonne humeur. La campagne Giscard d'Estaing de 1974, et surtout l'euphorie qui marqua en mai son élection, cristallisèrent cet appétit de rattrapage. Au nom du libéralisme avancé, de jeunes ménades ornées du tee-shirt « Giscard à la barre » faisaient don de leur personne aux militants de la Muette ; statistiquement, l'année 1974 marque l'explosion en France de la contraception et du téléphone, l'une n'allant pas sans l'autre. Nombre de ces jeunes femmes, qui sentaient l'encens et la pommade, avaient pris goût aux jeux horizontaux qu'elles pratiquaient avec bonne humeur, et même avec plaisir – car elles découvraient, contrairement à certaines opinions ataviques, qu'il n'est pas exclu d'en éprouver quand un garçon vous secoue sur une couette.

J'aimais les quartiers où elles vivaient pour ce qu'ils avaient de mystérieux. En marchant dans les rues, grands canyons d'immeubles 1890, on surprenait des lampes allumées derrière les rideaux, éclairant des silhouettes inconnues. Insoucieuses de laisser une trace extérieure, des existences confortables se déroulaient là, tout entières tournées vers le souci de perpétuer l'aisance de ces familles qui traversaient la vie comme on habite un archipel. J'eus une brève affaire avec une étudiante en droit de la rue Nicolo (« Nicolo-e »). Elle possédait comme personne l'usage des tissus Liberty à fleu-fleurs, des pommeaux de douche et des talons plats. Mais le retour des escarpins, les effets de la mode rétro qu'Yves Saint Laurent avait mise en vogue, une certaine influence des films allemands donnaient des idées à cette coquine, qui cherchait à se rendre fatale. Le résultat n'était qu'un compromis, mais recherché avec ardeur, accompli avec sentiment, non sans la persistance d'un esprit hygiénique et innocent qui la poussait à prendre dix douches par jour et lui faisait arborer à la messe du dimanche, quand elle la fréquentait encore, un air de lys tombé du vitrail.

Mon étudiante en droit s'était éloignée du groupe de réflexion catholique auquel elle avait un temps adhéré, mais fréquentait encore quelques-unes de ses anciennes amies. C'est ainsi que j'eus un aperçu d'une autre espèce, celle des délavées. Un type de chimères aux yeux lessivés, étrangement molles et flottantes, qui paraissaient légèrement sorties de leur axe. Elles parlaient peu, étaient prêtes à tomber sous la coupe d'un homme qui leur octroie de l'attention, un peu à la façon d'un confesseur, un peu à la façon d'un tentateur. On croisait généralement dans leur entourage des jeunes gens aux mines de petits crevés qu'elles désignaient, en leur absence, par des prénoms qui valaient sésame et illuminaient leurs visages, « Bertrand », « Jacques », « Antoine », lesquels, lorsqu'on les rencontrait, avaient tous les traits de l'homosexuel catholique rentré. Les délavées étaient prêtes, avec une effarante absence de retenue, à se livrer à toutes sortes de mortifications vagues. Le travail estival dans une léproserie de Bombay était un classique breveté, mais les groupes de réhabilitation des prostituées où les filles racontaient en confession publique leur parcours fatal, de préférence avec les détails les plus glauques, réveillaient extraordinairement l'esprit de charité des délavées. Elles avaient tout du gibier de secte, d'ailleurs exsangues par avance, résignées à offrir leurs cous blêmes à la canine du vampire.

Pour achever de me déconsidérer aux yeux de Claire, j'avouerai ici que j'ai connu une délavée. Anne-Florence. Elle n'était pas vierge. On la sentait habituée à des coïts sans lendemain, tentes de jamborees ou greniers de villas normandes, d'ailleurs plus amie de la ruelle du lit que du traversin. Ni déchaînée ni froide, mais prête à accepter avec une ahurissante indifférence tous les sévices que je me gardais bien de lui infliger, mi-vocation de sainte prête à rôtir sur le gril, mi-ancienne petite fille goûtant encore les choses sales de l'enfance. Je me demandais parfois si elle n'avait pas été catéchisée par un curé frôleur. C'était moins de l'immoralité froide qu'un rapport flou avec la loi : dans sa vie comme dans son lit, Anne-Florence ne savait pas très bien où placer le curseur. Cette fadeur de fille disponible aboutissait à un érotisme de pneu crevé. Avec elle, on se sentait glisser dans un intermonde cotonneux, plein d'une tristesse plate, qui ressemblait assez à l'idée que l'on peut se faire du purgatoire.

Mes incursions dans l'Ouest parisien m'ont édifié. Ces filles étaient transparentes, bien élevées, dispensées d'inquiétude : tout se rangerait et la vie passerait sans drame. Leur jeunesse les rendait encore malléables, mais l'amidon les saisirait bientôt. Etais-je destiné à devenir le professeur de leurs enfants ? Certains de mes camarades de l'Ecole normale paraissaient pressés de passer de l'autre côté de la vie, aspirant déjà au conseil de classe et aux corrections de copies. Cette perspective me paraissait prématurée, sinon lugubre.

A cette époque-là, je commençais à être obsédé par l'imposture. En suivant certains cours magistraux dispensés à l'Ecole, je ne pouvais qu'être frappé par la diversité des approches ; à chaque professeur sa marotte, son morceau de bravoure, son jeu de scies. On se gargarisait de science du texte littéraire, mais cette science-là tenait davantage de la plaidoirie d'avocat que des équations grâce auxquelles les portants d'un pont tiennent le coup plutôt que de tomber dans la rivière. Sciences dures, sciences molles, j'étais du côté du mou. Pour ne rien dire de mes camarades du laboratoire de sociologie qui, à force d'animer les chiffres comme un ventriloque sa marionnette, parvenaient à faire coïncider les lèvres du mannequin avec des postulats acrimonieux et revanchards dont il eût été aisé de démontrer, en utilisant leurs propres armes, qu'ils correspondaient exactement à leur position de classe. Un premier prix de conservatoire de piano ne triche pas : il est capable, ou non, de jouer une sonate de Liszt. Un agrégatif de lettres ou de sciences sociales peut avoir recours à des martingales, des trucs, estomper ses insuffisances et masquer ses lacunes, utiliser des grilles d'interprétation passe-partout et s'en tirer par des pirouettes.

Peut-être entretenais-je cette suspicion parce qu'elle me séparait un peu plus de Claire, que j'avais quittée pour d'autres raisons. D'après ce que l'on me rapportait, elle adhérait plus que jamais aux sourates de ses gourous. Mais les apothicaires ne coupent-ils pas de bibine leurs potions ? Ne sait-on pas que les magiciens de théâtre utilisent des boîtes à double fond ?

En voyant officier l'un des maîtres penseurs de Claire, je fus troublé. Lorsque Alain Robbe-Grillet était venu donner une conférence à l'Ecole normale, j'avais moins été frappé par son éloquence, réelle, que par sa narquoiserie. Cet ancien ingénieur agronome avait breveté, à la façon des professeurs Tournesol peuplant les bandes dessinées des années 50, un nouveau type de moteur à explosion. Vingt-cinq ans après, son succès le laissait encore pantois. Tel un enfant divin admis à débattre avec les docteurs du Temple, il avait vu se pencher vers lui des entomologistes de haute époque, Paulhan, Bataille, Jean Wahl, qui le scrutaient à la loupe en s'émerveillant des fines antennes de cet insecte inconnu. Ils l'avaient fêté, courtisé, logé, bientôt suivis par la frange la plus remontée de la jeune université française, les campus d'outre-Atlantique, les départements de sémiologie d'Europe de l'Est, la presse mondiale enfin. Ebahi, Robbe-Grillet avait saisi tous les billets de première classe qu'on lui tendait, puis actionné la sirène du train. Colloques, chaires de *visiting professor*, argent des producteurs, présidences de festivals, hommages, amour éperdu des groupies, il avait tout pris, tout consommé, ravi que l'on propose à sa gourmandise naturelle un tel festin. Il aurait pu craindre le goudron et les plumes, on lui offrait les clés de la ville sur un coussin. Tel un prédicateur roublard bénissant les veuves pour mieux les trousser, Robbe-Grillet se produisait volontiers en conférence, moins pour diffuser ses théories désormais universelles que pour vérifier, toujours aussi incrédule, que les gobeurs se reproduisent aussi vite que les lapins.

Ce soir-là, après avoir donné sans notes la conférence qu'il promenait depuis des années de Caracas à Bratislava, et répéterait à n'en pas douter une semaine plus tard à Uppsala, Robbe-Grillet se laissa conduire par quelques adeptes vers une banquette du café « Le Normalien » qui, à la croisée des chemins, culminait entre les rues Gay-Lussac et Claude-Bernard. Entouré de quelques élèves de l'Ecole qui l'interrogèrent sur ses rapports avec l'œuvre de Raymond Roussel, le Jupiter du nouveau roman préféra détourner les conversations vers la villa de Victoria Ocampo, qui lui avait servi de modèle topographique pour *La Maison de rendez-vous*. Robbe-Grillet avait donc envie de parler de bordels. Barbe, pull à col roulé, air de gamin sardonique, l'auteur des *Gommes* dévidait son boniment avec bonne grâce, tel un vieux dresseur de puces qui sait aussi parler aux humains. Je songeais, en l'écoutant, à tous les professeurs de lettres qui avaient brandi ses livres tels les diacres de Vatican II invoquant l'*aggiornamento,* à tous les chargés de cours qui s'étaient prosternés devant ses textes comme s'ils avaient trouvé un objet sélénite, au rayonnement duquel ils exposaient des cohortes d'élèves avançant à la flûte et au pipeau. Le rire de Robbe-Grillet, ses mimiques malicieuses le rendaient sympathique, somme toute : ce *bootlegger* du signe ne se faisait pas prier pour donner la clé de la cave, ce pape sans tiare laissait volontiers entendre qu'il avait fondé une sorte de scientologie à l'usage des clercs, dont la crédulité ne cesserait jamais de le stupéfier. J'aurais aimé que Claire puisse l'entendre dans ses exercices d'autodérision.

Il me fallut quelques minutes pour remarquer le manège de son épouse. Pimpante, en éveil, protégée par le divin bourdonnement du mâle-frelon, Catherine Robbe-Grillet posait sur les normaliens présents autour de la table, dont un ou deux étaient jolis garçons, un regard évaluateur, finement maquignon, comme si la silhouette sur laquelle elle jetait son dévolu prenait place dans un dispositif d'elle seule connu, une équation invisible dont elle poursuivait songeusement la résolution. Elle me toisa : un œil qui détaillait la complexion, la taille, paraissant situer le sujet dans un futur tableau. Un regard spatialisant. Je n'avais pas le souvenir d'un tel paramétrage, presque à bout portant, laissant l'impression d'être géométrisé dans l'instant. Le monde du Nouveau Roman existait dans l'œil de l'épouse. Des années plus tard, en lisant l'ouvrage qu'elle publia sous le nom de Jeanne de Berg, je compris que le regard de Catherine Robbe-Grillet était celui d'une grande prêtresse de cérémonies secrètes, ordonnatrice de séances où évoluaient des corps nus, selon le scénario soigneusement pré-écrit d'un rituel érotique et mental. A Normale sup, mine de rien, elle cherchait de possibles participants. Le mari parlait du Nouveau Roman, l'épouse méditait ses tableaux vivants.

KARINE ——————

De guerre lasse, après avoir admis que je ne voulais pas redoubler ma khâgne, mes parents m'ont laissée partir vers Paris, avec inscription en Sorbonne pour préparer une licence de lettres. Ils m'allouaient royalement 3 000 francs par mois, tous frais compris. Je les ai enviés, Claire et Pierre, payés par l'Etat et logés dans leurs écoles avec la crème de la crème, pendant que je m'enivrais de patates douces dans une mansarde de la rue de la Bûcherie. Pas question de les revoir, je me serais sentie narguée.

Pour me consoler, je me disais que tous ces prétentieux de normaliens sont des punaises, des gagne-petit, des traîne-misère. Dix ans de thèse sur la thématique de l'huître dans l'œuvre de Francis Ponge, merci bien ! Qui allait envier leurs raouts au pain noir, leurs palabres d'impuissants, leurs unions téléphonées ? Un stylo gâche moins d'encre quand il signe un chèque. N'empêche, je me retrouvais sur le carreau de Paris, encore plus fauchée qu'eux. J'ai fait le minimum pour décrocher mes unités de valeur en Sorbonne, sans m'attarder sur les bancs du lieu. Des étudiants hâves venaient renauder autour de mes chevilles sans oser se déclarer, des filles un peu blettes sortaient des sandwiches au fromage de leurs sacs indiens. J'enrageais, mais j'étais à Paris.

C'est là que j'ai commencé à m'amuser. Je n'aimais pas trop le Quartier latin, qui me paraissait un souk triste, mais traînais beaucoup du côté des Halles. Ce quartier bougeait. Des restaurants de style américain, comme le Conway's ou Joe Allen, accueillaient des jeunes gens imitant le style downtown New York, avec des garçons ressemblant au chanteur du groupe Television, Richard Hell, et des filles – nous y voilà – cultivant l'allure Debbie Harry. J'ai déjà signalé la ressemblance que l'on me prêtait avec elle. A ce moment-là, je sors définitivement de ma phase Aristote-Supradyne pour adopter, comme on disait alors, une attitude moderne.

Je peux vous faire le look « mort des années 70 », puisque j'ai servi dans la troupe des assassins. On jette ses jeans patte d'eph', ses vestes en mouton de Cappadoce, ses sabots berrichons, son patchouli, ses tuniques d'esclave à Karachi. On se procure, aux Puces, dans les surplus ou aux Halles (Harry Cover, Sacha, Scooter), une minijupe à petits carreaux noirs et blancs, des collants résille, de vrais escarpins à talons, un pantalon corsaire, on apprend à se maquiller, on regarde des photos de Rita Hayworth en oubliant Mimsy Farmer, on essaie d'acheter en récup' un vieux smoking masculin, et surtout on ne parle plus de politique.

Un soir, j'ai rencontré Valérie. Une brunette de mon âge, un peu tête en l'air, piquante comme la moutarde, toujours prête à partir en virée. Elle était inscrite à l'Ecole du Louvre, mais préférait les cocktails Pelforth-colombienne et les disques de Lizzie Mercier Descloux. Je lui plaisais. Elle s'ennuyait. Son père, diplomate, se trouvait alors en poste au Caire. Les parents de Valérie avaient laissé à leur fille unique l'usage de leur appartement de la rue de la Chaise. Très vite, Valérie me proposa de venir y occuper une chambre, une sous-location dont elle ne perçut jamais le loyer. Je me retrouvais donc hébergée dans un appartement 1910 revu et corrigé par un haut fonctionnaire de la Ve République, avec ce qu'il fallait de reliures cuir et de fauteuils crapauds. L'ustensile essentiel du lieu était le téléphone à cadran que nous martyrisions à longueur de journée. Une soirée dans le VIIe ? Un concert au Gibus ? Un brunch au Diable des Lombards ? Une fin de charrette aux Beaux-Arts ? On sautait dans la Volkswagen Coccinelle de Valérie, et la nuit commençait. En un sens, l'époque était bénie : plus de lamento militant, pas de rêve dangereux, pas de vraie conscience de l'argent, seulement une envie de fête et d'oubli. J'avais trouvé ma petite chanson.

Il y a eu un printemps où je n'ai pas dû passer une seule soirée rue de la Chaise. Sur le modèle des grands night-clubs de New York, le Xenon ou le Studio 54, une boîte venait d'ouvrir rue du Faubourg-Montmartre. On a dit du Palace que c'était une dictature à l'extérieur et une démocratie à l'intérieur. Jamais les filles qui tenaient l'entrée, Edwige ou Jenny, ne nous firent le moindre problème. On suivait un couloir aux grands miroirs, et c'était soudain une vaste matrice orange et bleue, lasers, fréquences basses tapant au pelvis, fumée artificielle, corps penchés au balcon. Le DJ Guy Cuevas, un air de Numide battant le tambour sur une galère, envoyait à pleins tubes la disco music la plus vicieusement dansante, Chic et Richie Family, les Bee Gees et Patrick Juvet, Village People et Isaac Hayes. C'était électrique, amusant, fœtal, comme si cinq cents personnes s'étaient démenées dans une gigantesque poche amniotique, loin du monde et près du bonheur.

Valérie, qui était une vraie petite Parisienne, excitée, élitiste, hystérique, se branchait toujours sur ceux qu'il fallait voir, selon une hiérarchie dont les arcanes m'échappaient souvent, mais elle connaissait les codes. Tous ces gens dont les visages éclairés par les lampes rouges du bar prenaient un tour chinois, fantasmagorique, dragon... Manuella Papatakis... Emmanuel Schlumberger... Alain Pacadis... Eva Ionesco... Marie-Hélène Breillat... Je ne sais plus de quoi on parlait. Ou plutôt, si, d'Eddie Constantine et de Cioran, il fallait toujours qu'ils avalent une phrase de Cioran comme une olive de cocktail. Et les BMW, pourquoi tout le monde rêvait-il soudain de rouler en BMW ? Avant, après, on sautait dans des taxis qui nous conduisaient vers des restaurants, Monsieur Bœuf ou Natacha. Un soir, je vis Aragon chez Monsieur Bœuf, on m'indiqua que ce fin rapace à moustache blanche, un peu voûté sous une cape et qui gardait son chapeau à table, était l'auteur du *Paysan de Paris*, et j'avais beau hurler contre les grimoires de khâgne, je fus impressionnée de voir à cinq mètres de moi un grand écrivain, pas du tout de marbre, mais entouré par des jeunes types en perfecto.

Et puis on revenait toujours au Palace, des heures sous les stroboscopes avec cette musique black et synthétique qui nous portait jusqu'à l'aube, le plaisir de sentir son corps bouger, les basses qui tapent au ventre, les beaux mecs qui vous frôlent, vous cherchent, que l'on allume d'un sourire et que l'on repousse d'une pichenette. Une nuit, ce fut Jean-Edern Hallier qui nous convia à sa table, Valérie et moi, il était bourré et s'imaginait en pute de haut vol soulevant les hommes politiques du moment. Cela donnait à peu près ceci : « Giscard, il n'a strictement aucun intérêt, c'est un parvenu sans charme... Marchais, évidemment, ce sont les amours ancillaires. Si j'étais Lady Chatterley, j'en ferais mon valet de ferme, nous aurions des amours scandaleuses et secrètes. Pour un week-end à Dieppe, je partirais avec Chirac, tout à fait le type de l'homme à l'Hispano. Il serait à la fois mon amant et mon chauffeur, excellent service. » Le tout prononcé avec une sorte d'amollissement grinçant, très folle poseuse. C'est étonnant comme les hommes à ce moment-là ont pris des attitudes gay, même les plus hétéros d'entre eux, ils nous regardaient comme une fille peut en convoiter une autre, on aurait dit qu'ils voulaient se faire monter, même par une femme.

Par Valérie, je connus Edouard. Tête de bandit sexy, brun au profil en lame de couteau. En fait, un étudiant en architecture qui mettait toute son énergie à brûler sa vie, sautant sur sa moto pour courir de lit en lit, visitant ses dealers du XXe arrondissement d'où il ramenait des carrés de shit, des flacons de poppers, des buvards imbibés d'acide. Edouard respirait le danger, le mépris du lendemain, l'intrépidité sexuelle. Il vouait un culte à Keith Richards. Dès la première nuit, je le suivis chez lui, un studio de la rue de Poissy. J'ai le souvenir de m'être réveillée, nue dans son lit, alors qu'il n'était déjà plus là, en me disant que j'étais ravie d'avoir rencontré un tel pirate.

Le sentiment de possession n'était pas de mise avec Edouard. Et j'étais trop orgueilleuse pour lui laisser croire que je tenais à lui. Il ne tarda pas à me montrer sa collection de magazines pornos achetés à Amsterdam et ses ustensiles de sex-shops, des pinces à seins ou des boules de geishas. Sous l'effet des herbes explosives qu'il ramenait de Hollande, tout cela devenait hilarant. Rétrospectivement, je me dis qu'il y avait une bonne part de désespoir dans son comportement ; le sentiment qu'il payait en petite monnaie les vertiges de la vie. Son père avait combattu dans la Résistance. Idéalement, Edouard aurait voulu être Jean Moulin ou Keith Richards, la guerre des héros ou la guerre des amplis. N'étant ni l'un ni l'autre, il retournait contre lui la gloire impossible avec une sorte de dandysme provocateur. Baiser les plus belles filles, se charger le corps de psychotropes, lancer sa moto à fond...

Ce qui m'a séduit en lui, c'était ça, la blessure de l'héroïsme refusé. D'autant plus attirant qu'il prétendait s'affranchir de la possession – il avait une façon d'être amoureux en prétendant ne pas l'être qui me touchait beaucoup plus que n'importe quelle déclaration langoureuse. Edouard m'a dessalée. Apprendre à ne pas faire sa mijaurée quand la belle occasion passe à portée, dire ce dont on a envie ; ne pas se cabrer contre des expériences inconnues tant qu'elles n'ont pas été vécues. Cet égoïste était assez soucieux de mon corps, il me donnait le temps et faisait sauter les verrous. Cet irrégulier m'a appris ce que sont les nuits où l'on dort avec un homme, les bonnes heures remplies de rêves ronds. Fuyant comme la peste le pathos de l'amourette, me jetant parfois dans les eaux troubles pour que j'apprenne à nager.

Avec son allure de grand flingué, Edouard me tuait. J'ai senti auprès de lui que je quittais vraiment l'adolescence pour entrer dans mon corps de femme, j'avais vingt et un ans et j'éprouvais une sorte de puissance, une soif de tout. Il y a un moment où l'on ne baisouille plus. Je le voulais à moi et en moi, tout le temps. Etre bouclée avec Edouard pendant des heures, l'attendre en mouillant somptueusement. Il était tordu, en un sens. Me promenant un rasoir jetable sur le pubis jusqu'à ce que la motte soit glabre, sortant du placard son gel et ses jouets – c'est la première fois que j'ai senti en moi le plastique rose d'un dildo. « Personne ne peut être l'unique signification de la vie d'un autre », m'a-t-il lâché un jour. Edouard se disait prêt à me prostituer au coin de la rue. Il me faisait prononcer le nom d'hommes que je connaissais en me demandant d'imaginer des scènes où je les séduisais. Il enrageait contre le prix excessif que certaines filles attachent à leur vertu, comme si c'était un élément de patrimoine. Edouard shootait des polaroïds de moi dans des poses obscènes, promettant de les montrer au tout-venant.

Avec les années, je lui sais gré de cette gymnastique mentale. Edouard m'a appris que l'exercice de la volonté peut dispenser de certains chagrins. Il se serait senti dégradé s'il avait reproduit les simagrées habituelles, les petites romances du cœur qui conduisent à l'autel ou à la layette. Il adorait citer une phrase de Céline : « L'amour, c'est l'infini à la portée des caniches. »

Il m'a emmenée un peu plus loin dans la nuit. Les années 1970 avaient favorisé l'éclosion de quelques réseaux où les corps s'échangeaient vite et beaucoup. L'un des plus redoutables s'organisait autour d'un acteur dont les compagnes successives aimaient invariablement les femmes, et qui allait chercher ses acolytes parmi la pègre, les prostituées de haut vol, avec un goût prononcé pour des spécialités assez infâmes. D'autres cénacles, plus affectés, plus camés aussi, cultivaient une sorte d'esprit de décadence, à la lisière de la mode, du négoce en art, du monde de la nuit. Des histoires couraient. Quelque temps plus tôt, on avait trouvé mort, apparemment de causes naturelles, un jeune homme qui venait de passer la nuit entre une icône parisienne de la mode et l'ex-épouse d'un dictateur asiatique. L'affaire avait été étouffée. On parlait aussi de l'hôtel de Marrakech tenu par l'ancienne pensionnaire d'un bordel de luxe, devenue l'hôtesse de partouzes aéroportées. Il n'était pas rare de voir le rôle d'instigateur tenu par un couple dont l'homme était ostensiblement bisexuel et la femme faussement évaporée. On pouvait les reconnaître à des traits presque invariables. L'homme, bien mis et pressé, un visage au rictus évoquant le Joel Grey de

Cabaret. La femme, longiligne, un peu tête en l'air, faisant mine de suivre le mouvement tout en le contrôlant parfaitement. L'un et l'autre dévorés de l'intérieur par un parasite mental, une pieuvre noire. Ils menaient grand train, faisaient des affaires pour le soutenir, puis retournaient vers le jeune amant qu'ils se partageaient. Plusieurs exemples peuvent être cités.

Il y avait un endroit où je suis allée quelquefois avec Edouard. Un duplex en lisière du parc Monceau. Au rez-de-chaussée, le propriétaire du lieu, expert en objets d'art africain, avait aménagé son *showroom.* Des masques, des fétiches, des totems placés sur piédestal ou sous vitrine, orbites creusées dans le bois qui paraissaient vous scruter du fond des âges. Au premier étage, l'appartement était meublé avec une ostentation opulente, très déco, non dénuée de raffinement. Dans la chambre aux murs laqués de noir, un lit immense attendait : on disait que le couple se partageait le frère d'une actrice célèbre.

Il y avait des allées et venues nocturnes, des habitués, les favoris du moment. Les nuits d'été, ils installaient sur la terrasse un puissant projecteur de *light show* qui dessinait sur la rotonde de Ledoux, au fond du parc, des figures géométriques, des mandalas, des agrégats globuleux. Le champagne coulait à volonté, la coke était présentée dans de petits pots ouvragés, les joints dans des boîtes d'artisanat marocain. Filles blondes à frange, pareilles à celles qui entouraient toujours Yves Saint Laurent, gitons qui ressemblaient à Hiram Keller, l'acteur du *Satyricon.* A partir d'une certaine heure, lorsque tout le monde était bien chargé, la hi-fi jouait de la musique soul, les corps glissaient lentement les uns vers les autres, un climat de boîte de nuit où les banquettes auraient été graduellement couvertes de corps ralentis, emmêlés – une pelote de soupirs. J'avais vingt-deux ans et c'est la première fois que j'ai regardé le spasme d'une autre femme. Des ombres venaient rôder autour de moi ; Edouard avait compris que je n'avais pas envie des hommes qui traînaient là, trop veules, trop vicieusement mous. Il a dû me prendre deux ou trois fois au milieu de la bacchanale, je me souviens d'une main de fille sur ma cuisse, et carré blanc pour le reste. J'étais ravie de faire mentalement la nique à des gens comme Claire et Pierre, à mes anciens petits camarades qui lisaient Pauline Réage et s'arrêtaient à la page du copyright. Mais si j'avais dû comparer ces soirées-là à autre chose, ce n'aurait pas été à un château sadien ; plutôt l'atmosphère que j'imaginais avoir été celle de l'Occupation, dans certains appartements de la plaine Monceau. Au milieu de ces nuits étranges, des fragments de temps noir flottaient encore entre chien et loup.

Mon histoire avec Edouard a duré ce qu'ont duré mes études, jusqu'à mon DEA de lettres modernes sur « Le thème de l'Espagne dans l'œuvre de Théophile Gautier » (!) J'en garde toujours un exemplaire. Il a jauni. Ma tristesse de ce temps-là a jauni, elle aussi, dissoute comme une feuille de thé dans l'eau, rien de plus. La tristesse, c'est la façon dont mon aventure avec Edouard a tourné, pendant les années 1981-1982, lorsqu'il est devenu de plus en plus accro à la came. Pas vraiment un junkie, mais un corps en demande, passant de la morphine à l'héro, traînant dans des squats du XVIIIe arrondissement pour trouver ses doses. Il se croyait invincible et je voyais un esclave. Le souvenir fruité de nos promenades aux Halles, quand je paradais avec des robes à carreaux de ska-girl et une coiffure Louise Brooks, le côté jeunes gens modernes à la Elli et Jacno, c'était déjà loin. Edouard devenait absent, lançant un sourire mauvais lorsque je refusais la dope qu'il me proposait. L'araignée intérieure tissait sa toile.

Le soir du 10 mai 1981, nous avons marché du côté de la République. Ni lui ni moi n'avions voté. Une foule soulevée par la joie envahissait les avenues en scandant le nom de Mitterrand. La seule phrase que cela inspira à Edouard : « Il va peut-être légaliser le shit. » Cette nuit-là, il m'entraîna vers Pigalle. Je devinais trop bien ce qu'il allait y faire, et ça ne manqua pas : il avait rendez-vous avec un dealer (Edouard disait le « pusher », cela faisait plus chic, c'était le titre d'une chanson de Steppenwolf). Je l'ai planté là et suis partie de mon côté. Vers minuit, un orage terrible creva sur Paris. Le tonnerre grondait, des bourrasques de pluie balayaient les rues. Je ne savais pas si le socialisme allait libérer la France, mais les larmes du ciel brouillaient les miennes.

Les choses ont encore traîné pendant plusieurs mois, si douloureusement que je n'ai pas envie de m'y attarder. Mon histoire avec Edouard avait été un amour, secoué, bizarre, mais un amour. A la fin de 1982, j'ai pris la décision de partir. Il fallait que je mette du champ entre lui et moi. Une copine de la

Sorbonne m'a lancée sur une piste : l'Institut français de Madrid cherchait des lecteurs. Sans trop réfléchir, j'ai postulé, et ma candidature a été acceptée.

Edouard ? Il est devenu architecte DPLG. Construit des auditoriums, des mairies, des centres culturels. Très renommé, il passe désormais pour un sage de l'aménagement urbain. On vient de lui donner les Arts et Lettres.

CLAIRE ————————

Je suis arrivée à Berkeley en octobre 1982. Vingt-quatre ans, une agrégation de lettres modernes en poche, le sentiment que mon excellence normalienne serait ma vie durant un objet d'admiration pour les autres. Lectrice de français au département de *literary studies*, il me fallait cela pour revivre. On aurait pu s'étonner qu'une jeune femme élevée dans le climat universitaire parisien se jette aussitôt dans la gueule du loup yankee. Mais je pensais m'installer sur une île, au cœur d'un éden de la contestation rêvée.

D'une certaine façon, je ne fus pas déçue. Il y avait toujours des bohèmes à cheveux longs pour jouer au freesbee sur le sable de North Beach, des groupes de rock néo-psychédélique au fond des caves, des librairies alternatives dans les ruelles de San Francisco. On venait de commémorer le quinzième anniversaire du « Summer of love », ce qui veut dire que les jeunes gens âgés de vingt ans en 1967 n'en avaient que trente-cinq en 1982. Mais la question du jour était autre. Chaque membre du corps enseignant se voyait doté d'un micro-ordinateur, et vous pouviez en vingt minutes vous retrouver au cœur de la Silicon Valley, qui ressemblait à une banlieue proprette, des bâtiments bas entre les haies d'arbustes où circulaient les *nerds* de la haute technologie. La Californie était devenue un laboratoire face à l'océan, imprégnée d'une Asie lointaine, mais proche aussi, avec ses épiceries chinoises, ses étudiants de l'exil sud-vietnamien en train de devenir de bons Américains.

La Firme IBM affichait son dernier logo, la silhouette de Charlie Chaplin dans *The Immigrant*, et c'était la promesse offerte à tous : la compétence, le travail et les puces informatiques vous donneraient une place dans le nouveau rêve américain. Ce rêve pouvait être vécu par chacun. En version californienne, cela prenait une touche ronde et *friendly*. Il fallait inventer un monde dans lequel la coque de votre ordinateur Apple et les peupliers de l'avenue, la carrosserie du combi Toyota et le chien sur la pelouse, les nouveaux buildings de downtown San Francisco et les vignes de Napa Valley formeraient autant de segments solidaires d'un même univers rond, souple, global.

Que me demandait-on, à la place qui était la mienne ? D'ajouter au savoir mondial, en cours d'archivage dans le royaume californien, quelques pierres continentales et françaises ; autrement dit, que j'expose aux étudiants ce que j'avais retenu des séminaires de Gérard Genette ou Jacques Derrida, parce que cela pouvait concourir, fût-ce petitement, à enrichir au moins deux domaines de la vie démocratique : le droit des minorités à être respectées dans leur langage différentiel, et l'aptitude des individus à décrypter les énoncés par lesquels on veut les duper. J'ai très vite senti que la condition favorable qu'une université américaine réserve souvent à ses départements littéraires n'est pas l'effet de la pure philanthropie, ni, comme on peut le croire en Europe, d'un mécénat généreusement appliqué à des activités nobles et gratuites. On en attend toujours, même individuellement, des bénéfices pour la communauté. Il est arrivé que des étudiants des *gender studies*, après avoir travaillé sur la langue de Marguerite de Navarre ou celle de Virginia Woolf, deviennent des autorités dans le mouvement pour les droits des femmes. Ou même, dans un cas, qu'un spécialiste de Mallarmé applique ses méthodes à l'étude du chiffre soviétique. Cela peut n'être qu'accidentel, ponctuel, dérivé, mais cela arrive. Les Anglo-Saxons savent que le jeune auteur d'un mémoire sur l'architecture des croisés en Terre sainte peut un jour devenir Lawrence d'Arabie. En France, on ne l'a toujours pas compris.

Je ne pourrai jamais dissocier mes années californiennes du souvenir de Peter Dawson. Quand je le rencontrai, il avait vingt-sept ans. Fin, blond, très beau, un visage à la David Hemmings. Natif du Delaware, il avait fait ses études à Berkeley, puis y était resté comme assistant au département d'ethnomusique. Il préparait une thèse sur le blues des années 1930. Dans son petit appartement, un magnétophone Revox lui permettait de repiquer de vieilles cires à partir d'un gramophone dont il économisait les aiguilles. Si les noms de Skip James, Leroy Carr ou Texas Alexander signifient quelque chose pour moi, c'est que je les ai entendus prononcés avec ferveur par Peter, au long des soirées où il me faisait écouter ses bandes, commentant parfois une tierce altérée ou un rare blues à seize mesures, mais se taisant le plus souvent, heureux que je partage avec lui sa musique. Il était blanc mais c'était *sa* musique. Peter admirait les hommes qui, dès les années 1930, étaient allés avec un micro au-devant des vieux gratteurs de guitare, des pionniers comme John Hammond ou Alan Lomax grâce auxquels ces archives existaient. Il m'expliqua comment les paysans français d'Acadie, chassés du Canada par les Anglais vers 1755, s'établirent dans les marais de la Louisiane où ils partagèrent avec les esclaves noirs leur dialecte cajun et leurs violons. Il y avait de la vieille France et du vaudou dans le blues du Delta : Louis XV, en somme, était un ancêtre de Mississippi John Hurt.

Au bout de quelques mois, j'ai senti que j'allais tomber amoureuse de nouveau. Mon ami californien éclairait la vie quotidienne de sa passion pour la musique, et surtout des attentions qu'il avait pour moi. Peter ne laissa pas l'équivoque s'installer. Un soir où nous revenions dans sa vieille Ford Taunus d'un concert que Johnny Winter avait donné dans un club de la baie, je lui demandai, en marchant sur des œufs, s'il avait en ce moment une petite amie. Ses yeux ne quittèrent pas la route quand il répondit : « Mes petites amies sont à Castro Street. » C'était le quartier gay de San Francisco. Puis, sur le même ton, il enchaîna avec des considérations critiques à propos du jeu de guitare de Johnny Winter. Et ce fut tout.

Peter Dawson a été mon professeur d'Amérique. C'étaient les années où l'ancien gouverneur de Californie, Ronald Reagan, apparaissait sur les écrans tel un hologramme, avec sa sincérité d'acteur, le regard légèrement biaisé par le *TV prompter* où il déchiffrait lentement ses discours. Peter n'aimait pas Reagan, mais il l'écoutait toujours avec attention, comme il aurait étudié les paroles d'un vieux blues. « Cet homme, commentait-il, a mille défauts, mais un vrai talent : il dit toujours, surtout dans les circonstances émotionnelles, ce que l'Américain moyen ressent et a envie d'entendre. Nous avons élu un baromètre humain. »

Peter m'emmena un jour dans les locaux d'un *think tank* reaganien, l'ICS, institut d'études financé à grands frais par Chevron et la Chase Manhattan Bank. L'endroit ressemblait plus à un sauna qu'à un bureau. Les chercheurs ne dédaignaient pas de côtoyer Joan Baez et la vieille bohème de Sausalito. Même s'ils plaidaient pour des initiatives musclées face à l'URSS, l'éloignement de Washington DC, la proximité du Pacifique et des folies californiennes en faisaient des intellectuels curieusement décalés. Ils étaient favorables à une transition démocratique en Amérique latine et aux Philippines. Dans leur bouche, les mots bourdonnaient comme des insectes. Voyage du pape aux USA... guerre des étoiles... sentiment Mitteleuropa... renaissance orthodoxe... christologie polonaise... réunification des Allemagnes. Nous n'étions pourtant qu'en 1983. Les gens de l'ICS maintenaient des contacts avec l'institut de bioénergie d'Esalen, s'intéressaient aux mystiques orientales, aux techniques hindouistes de maîtrise de soi. Le reaganisme, dans sa version californienne, flirtait avec le matin des magiciens. L'intelligentsia conservatrice, ici, virait au brahmanisme. En quittant les lieux, Peter lâcha : « N'est-ce pas la meilleure définition qui soit d'une secte ? »

Au fil des mois, Peter m'ouvrit d'autres portes. Je me souviens d'une fête donnée par un grand viticulteur de Napa Valley. Notre hôte avait envoyé son architecte étudier les villas palladiennes en Italie, le long de la Brenta, puis lui avait fait dessiner une réplique californienne de *la Rotonda* au bord d'un lac artificiel. D'énormes enceintes crachaient de la musique, mais pas celle que l'on aurait attendue : le *Don Giovanni* de Mozart dans la version sépulcrale de Joseph Krips (« spooky », disait Peter), lequel avait été au cours des années 1950 le chef titulaire du San Francisco Orchestra. Il y avait là quelques Anglais ivres de chardonnay, le violoniste Schlomo Mintz et l'actrice Anjelica Huston. On tira un feu d'artifice dans la nuit bleue, qui paraissait faire miroir aux milliers de lumières brillant au loin, sur la baie. Je me demandais ce qu'une petite Française comme moi faisait là. Si l'on remontait l'enchaînement des causes et des effets, c'était mon aptitude à déchiffrer une page de Nerval ou un poème de Villon qui me valait d'être admise en contrebande dans cette fête de Californiens riches, avisés et néanmoins candides, car cette réplique de villa palladienne me paraissait vraiment trop kitsch...

Peter Dawson était abonné au câble. Certains soirs de pluie, il me convoquait avec hamburgers et doughnuts dans son appartement et lâchait : « Programme de la nuit, étude du diable ». La télévision, à l'entendre, était la cinquième colonne du démon qui se glissait dans les tubes, les ondes, les récepteurs pour vampiriser les âmes américaines. « Je pourrais te projeter en VHS des films comme *Elmer Gantry* ou *Wise Blood*, disait Peter, mais j'ai beaucoup mieux, contact direct avec les simoniaques, les pharisiens d'aujourd'hui. » Aussitôt, il commutait sur le réseau PTL, Praise the Lord, émettant depuis la Caroline du Nord, avec le couple de télévangélistes Jim et Tammy Bakker. Lui, un croisement de Felipe González et Bugs Bunny ; elle, une tête de cowgirl disant la bonne aventure. Ils commençaient par réciter le Psaume 37, « Trust the Lord, commit thy way unto the Lord », puis, après un bref appel à la repentance, des numéros de téléphone et de comptes bancaires apparaissaient sur l'écran, appuyés d'appels aux dons à faire pleurer les pierres. « Derrière ces deux pitres, grommelait Peter, il y a le domaine d'Heritage USA, un complexe de plusieurs hectares comportant une basilique, un plan d'eau, un hôtel de luxe, des campings, un parc d'attractions religieuses, le Disneyland de l'Ecclésiaste à 170 millions de dollars. » Il actionnait sa télécommande. Entre deux écrans de publicité, le révérend Jimmy Swaggart prêchait contre les maléfices du sexe oral devant un auditoire captivé ; si un fidèle osait le contredire, il le foudroyait d'un « Are you with God, yes or no ? » qui ouvrait les bouches de l'enfer sous les pieds de l'impie. En changeant de chaîne, on tombait souvent sur Dr Ruth, une sexologue septuagénaire qui dispensait dans un étonnant sabir germano-anglais des conseils à base de jacuzzi, champagne et, justement, *oral sex*. Nouveau canal. Cette fois, c'était la tribu Roberts, propriétaire d'un autre complexe christo-industriel. Le vieux Roberts prêchait entouré de ses deux fils, lesquels avaient comme lui la particularité, probablement inconnue des intéressés, d'être les sosies de Jean Lecanuet. Spectacle étrange que celui du sénateur-maire de Rouen, décliné en trois exemplaires, à trois âges de sa vie, prêchant en anglais la rémission des péchés. Comme le vieux Roberts guérissait en facturant les échantillons d'eau d'une source sacrée, c'est à lui que ses fils un peu lambins déléguaient le travail. On voyait le patriarche entrer jusqu'à la taille dans le bassin pour bénir par aspersion quelques souffreteux. Mais comme l'eau était froide, le vieux Roberts toussait à rendre l'âme en bénissant ceux qu'il sauvait. Autre canal. Shirley McLaine annonçait son séminaire de méditation sur le thème *Connecting with the higher self.* Peter éteignait l'image du téléviseur avec un sourire carnassier. « Claire, me disait-il, tu en sauras un peu plus sur ce pays quand tu auras compris que la pornographie est passée chez les religieux et la religion chez les pornographes. »

Je me suis échinée à donner mes cours, avec un trac fou au début, face à des élèves qui n'avaient que quatre ou cinq ans de moins que moi. Mon but ? Essayer de leur fournir des outils pour déchiffrer les textes en appliquant plusieurs modèles de lecture. Décomposition syntagmatique et sémantique, analyse structurale, rudiments de psycho-interprétation, déconstructionnisme. Mes élèves, de bonne volonté, arrivaient en cours avec les polycopiés où j'avais compilé des extraits de grands textes français, de Rousseau à Genet, de Balzac à Proust, mais je voyais dépasser de leurs sacs des 33 tours de New Order ou Kool and the Gang. Je ne sais trop ce que ces étudiants des premières années 1980 auront pu faire ensuite de ce petit bagage, même si le bulletin de liaison de l'université m'a renseignée au fil des années sur la destination de tel ou tel. L'un est aujourd'hui graphiste aux studios Pixar, une étudiante est devenue rédactrice pour le magazine *Ebony*, un autre a appartenu à l'équipe qui entourait Madeleine Allbright au Département d'Etat. Mon plus curieux constat, c'est d'avoir compté au nombre de mes élèves l'actuel accordeur de guitare du groupe Nine Inch Nails, spécialiste du capharnaüm tellurique et de l'Armaggedon électronique. Je ne vais pas me vanter d'avoir été à l'origine de sa vocation.

Parallèlement, j'ai beaucoup fréquenté le service d'informatique appliquée que Berkeley mettait à disposition des enseignants. On y avait développé des logiciels d'analyse linguistique qui permettaient des relevés d'occurrences, des études de champ sémantique, des rapprochements intertextuels. J'ai appris à me servir de ces outils en les appliquant aux écrits autobiographiques de Michel Leiris, et le résultat a été publié sous forme de plaquette par les presses de Berkeley.

En 1984, alors qu'il était près de mettre un point final à sa thèse, Peter fut hospitalisé pour des troubles pulmonaires. Lorsqu'il revint sur le campus, son visage accusait les ombres qui s'y dessinaient depuis quelques mois déjà. Je l'invitai à dîner dans mon studio. Avec sa gentillesse habituelle, Peter m'avait apporté en cadeau un disque de Bukka White. Comme nous attaquions une tarte aux airelles, il lâcha en français : « J'ai la même maladie que Michel Foucault et elle ne se guérit pas. » Il me regarda avec un curieux sourire ; je lui ai pris la main et j'ai dit la seule chose que je pouvais dire avec mon cœur : « I love you, Peter. » En même temps qu'un sentiment de catastrophe m'envahissait, je sentais combien j'étais redevable à Peter de mille choses qui m'avaient rendu la vie américaine habitable. Je l'aimais au-delà de ses bienfaits, avant tout parce qu'il était qui il était. Je l'aimais.

Pendant les mois qui suivirent, j'ai essayé d'être là. Je me souviens d'une promenade, un dimanche de mars, sur la plage de Big Sur. Peter marchait avec une canne. L'un de ses amis, un jeune Portoricain, lui tenait parfois le bras. Peter avait l'habitude de reprocher tendrement à cet ami son ignorance, parce qu'il préférait le rap de Grandmaster Flash aux vieilles cires de Robert Johnson. Je regardais Peter. Il se retournait parfois comme pour vérifier qu'il laissait des traces sur le sable. C'est là qu'il nous a dit : « Pendant des années, j'ai écouté des disques de blues en cherchant à comprendre où cela menait. Jusqu'à ces derniers mois, je n'étais pas sûr de l'avoir compris. Maintenant, je crois que je le sais. » L'océan était devant nous, immensément bleu. Le regard de Peter à cet instant-là est l'une des plus grandes leçons de vie que j'aie jamais reçues.

Peter est mort en juin 1985. A son enterrement, on a joué le blues qu'il avait choisi. *Nobody knows you when you're down and out.*

PIERRE

Moi aussi, j'ai été reçu à l'agrégation, après assez d'heures d'études grises pour me laisser craindre un début de carrière qui aurait la même couleur. Ce que me réserva l'année suivante n'était pas fait pour me détromper. Tout jeune agrégé devait effectuer une année de stage avant sa prise de poste. Je savais que l'ordinateur de l'Education nationale additionnerait des points correspondant à l'âge, la place à l'agrégation, le statut matrimonial, le nombre d'enfants, pour m'envoyer, comme il le faisait invariablement avec les jeunes professeurs célibataires, du côté de Hazebrouck ou de Tourcoing. Pendant l'année de stage, je fus affecté au lycée d'Ivry-sur-Seine. Ces quelques mois me vaccinèrent à tout jamais contre l'envie d'enseigner.

Ce lycée devait ressembler à des milliers d'autres. La poésie des feuilles mortes, qui avait bercé mes rentrées d'élève, se transformait là en promesse de réclusion : j'avais passé mon adolescence dans un lycée lyonnais, puis quatre années de grandes vacances à Paris, et je retournais comme professeur dans un univers où j'attendrais l'âge de la retraite. Je fus accueilli par un proviseur misanthrope, un censeur acariâtre, des collègues désabusés. Quant aux élèves, ils écoutaient avec politesse les cours à peu près incompréhensibles que je leur administrais, soucieux que j'étais d'élever le niveau en recyclant les notes prises pendant mes années d'études. Mon traitement de débutant me permettait tout juste de louer un deux-pièces dans la rue de Dantzig, tout en continuant à mener une existence de proto-étudiant qui va au cinéma et drague le samedi soir. La fréquentation de la salle des profs me déprimait plus que tout. Autour des casiers, c'étaient des chuchotements inquisiteurs, des mines lasses, des conspirations syndicales, des regards d'envie. Au bout de quelques mois, je ne voyais plus que deux issues à cet enfer, la maison de repos ou la crise mystique, susceptibles l'une et l'autre de me valoir des internements plus favorables que les quatre murs d'une classe de lycée.

C'est alors que j'eus recours à l'arme des jeunes désespérés, qui n'est pas le cyanure, mais l'intervention. Sollicitant un rendez-vous avec le sous-directeur de l'Ecole normale, un géographe émérite, je lui fis part de mon allergie à la craie et au tableau noir. C'était l'époque où l'on se plaisait à accueillir en de multiples officines les jeunes agrégés pleins d'une foi d'autant plus progressiste qu'elle leur permettait d'échapper aux parents d'élèves et à l'inspection d'académie. Le sous-directeur de l'Ecole normale exfiltrait de leurs lycées d'affectation des contingents de jeunes normaliens avec le zèle d'un nautonier de Vierzon vous faisant passer la ligne de démarcation.

Il me rappela quelques jours plus tard. Si je sollicitais mon détachement, un point de chute m'attendait dans un service du ministère de la Culture : l'Agence française pour la diffusion de la photographie contemporaine. En fait, une simple association financée par le ministère pour organiser des expositions, éditer des catalogues, recueillir des fonds d'artiste, en évitant les règles trop contraignantes de la stricte procédure budgétaire. Sans avoir la moindre idée de ce qui m'attendait, je sautai sur l'occasion.

L'Agence était située dans un immeuble de la rue Hérold. J'y fus bien accueilli par son directeur, Serge Mathias, manifestement heureux de gonfler l'effectif des trois permanents, secrétaire incluse, qui composaient son équipe. Il m'assura que j'apprendrais sur le tas, et m'inonda aussitôt de catalogues, d'annuaires et de conseils. Je consultai des organigrammes, pris quelques rendez-vous, mais fus surtout impressionné par mon nouveau patron. Depuis sa prime jeunesse, il avait fréquenté des photographes illustres ou obscurs, recueillant chez lui des négatifs qui menaçaient de partir à la poubelle, les stockant à l'occasion dans sa salle de bains, ainsi que l'avait fait Henri Langlois avec les films qui constitueraient la future Cinémathèque. Mathias était une sorte de saint de la planche contact, respecté, indulgent, et protégé par un ministre, Jack Lang, qui comprenait mieux que ses prédécesseurs l'importance de ces archives.

Ce que j'appris aussi, c'était à me déguiser en technocrate de la culture. Le cabinet du ministre donnait le ton : il fallait faire souple dans l'officiel. Costumes légèrement déstructurés, cravate, chemises possiblement colorées, mais dans des tons éteints, une allure qui tenait de l'Anglais dévoyé et du garagiste enrichi.

Après le lycée d'Ivry, il me sembla passer au festin de Trimalcion. Les hauts fonctionnaires de l'époque donnaient l'impression de traverser la vie sur des patins à glace. Enivrés par des arbitrages budgétaires favorables, ils sautaient d'un véhicule à gyrophare aux réunions interministérielles, confondant le rayonnement immanquablement universel de la culture française avec la roue de leur éclatant plumage. L'officine de Serge Mathias, imprégnée d'un certain jansénisme photographique, se voulait vaccinée contre ces vanités. Mais il suffisait de circuler dans les directions du ministère ou de se rendre dans l'un de ces cocktails qui étaient devenus, rue de Valois, aussi rituels que l'heure du thé dans un cercle colonial, pour faire la connaissance des heureux du monde.

Au début, je fus assez fasciné par les jeunes énarques du ministère. A peine plus âgés que moi, ils avançaient dans la vie avec la conviction euphorique de leur importance, tout en participant à l'esprit copain-copain et « all you need is love » qui mêlait en une même valse tous les affidés du ministre, cinéastes polonais, écrivains andins, Prix Nobel du cœur. Portés par l'esprit de fraternité, ils étaient même prêts à traiter avec le normalien en détachement que j'étais, tels des quakers fumant le calumet avec un Iroquois sorti de son tipi. Contrairement à ce que l'on croit, ce sont les jeunes gens qui aiment à se définir par leurs titres. Ensuite, la vie les dépouille pour ne laisser que l'os de l'homme. Je copinai même avec deux ou trois d'entre eux, qui se flattaient de pactiser avec un ancien de la rue d'Ulm, tandis que secrètement je les jalousais.

Je fus frappé par un trait commun à ces jeunes énarques auto-proclamés de gauche : à quelques exceptions près, ils étaient étonnamment indemnes de culture marxiste. J'en sondai quelques-uns, mine de rien, sur les manuscrits de 1848, les *Grundrisse* ou les travaux que Lénine consacra à la dialectique. C'était comme si je leur avais parlé chinois. Je leur demandai de quel texte de Marx était tirée la célèbre formule sur « la critique rongeuse des souris » (*L'Idéologie allemande*) ; quel était le théoricien qui avait popularisé la maxime préconisant d'allier « le pessimisme de l'intelligence à l'optimisme de la volonté » (Gramsci) ; ou celui qui avait introduit dans la lecture de Marx la notion de « coupure épistémologique » (Althusser). Ils s'en souciaient comme de leur première cravate. Ces jeunes hommes étaient mes contemporains, grandis dans le souffle de l'après-1968. N'avaient-ils jamais trouvé sur leur chemin, à l'époque où chaque pierre en cachait deux, un militant de la Ligue communiste ? Dans quels lycées avaient-ils grandi ? Ne savaient-ils pas que le camp auquel ils appartenaient avait connu en 1920 une pathétique scission entre sociaux-démocrates et communistes ? Apparemment, non.

Ils étaient jeunes. Une culture de progrès leur semblait opportune. Ils la voyaient comme un mélange des opinions les plus risquées d'Alfred Grosser et des audaces de la social-démocratie suédoise, habillée pour faire lyrique de quelques slogans dignes de réveiller une seconde un prêtre opprimé de l'Altiplano. L'Etat était sous la coupe de vieux préfets corses ? On leur substituerait des émules d'Olaf

Palme ayant lu *Cent Ans de solitude* – un livre inscrit au programme. Le secteur nationalisé avait besoin de dirigeants frais ? Leurs connaissances comptables, repeintes en rose, ne seraient pas de trop pour redresser la barre ; ils étaient même prêts à se dévouer pour la tenir. La lecture des rapports du Plan leur fournissait des maximes sur la nécessaire réforme d'une société qui serait bientôt dotée d'idées générales et de micro-ordinateurs ; c'était une vision du monde où le mot « révolution » était immédiatement accompagné de l'adjectif « technologique », car l'on y connaissait mieux Steve Jobs que Rosa Luxemburg. Il fallait à la France des administrateurs civils toniques ? Des conseillers d'Etat dépoussiérés ? Des inspecteurs des finances érotiques ? Des diplomates à ressorts ? Des ministres amis des faibles ? Avec l'humilité requise, ils ne sauraient dédaigner aucun de ces postes. La scolarité à l'ENA, en principe destinée à les imbiber des idéaux du service public, leur avait surtout fait sentir que le progrès dans la carrière nécessiterait de marcher sur quelques têtes. Mais comme M. Quilès proposait alors de les couper, cette lueur de guillotine les dispensait d'avoir à trop user leurs semelles.

Par ailleurs, ils n'étaient guère conscients du peu d'affection dont ils jouissaient parmi la population. Paradoxalement, dans une société de la passion égalitaire, les privilèges du mérite sont plus rudement ressentis que ceux de la nature. Qu'un individu soit beau ou né d'un père riche, ce sont des données de fait contre lesquelles on ne peut rien. Mais qu'il ait conquis un statut par la volonté ou le travail souligne cruellement l'incapacité où l'on s'est soi-même trouvé d'en faire autant. C'est pourquoi les serviteurs de l'intérêt général vivent souvent entourés de haine démocratique.

Le modèle physique du jeune énarque est le capitaine d'artillerie en tenue de ville. Ils le respectaient. Costumes achetés chez de bons faiseurs du VIe arrondissement, qui pouvaient ressembler à du Lassance, mais en moins cher, mocassins Weston accessoirisés aux cheveux de leurs épouses, qui étaient généralement brunes et affichaient un air ébloui. Logés en location dans des appartements du XVe ou du XVIIe arrondissement, ils gagnaient tôt les bureaux des ministères où l'avenir n'attendait pas. Une entité nommée « le ministre », qui se rendait plus volontiers visible aux journalistes qu'à ses subordonnés, dominait leur existence faite d'espoir. Pour le ministre, ils étaient prêts à professer des opinions progressistes acquises dès le berceau, à se tuer sur des notes ronéotées, à fréquenter au garde-à-vous des réunions s'achevant à l'heure où rêvent les poules. Leur premier triomphe consistait à rejoindre comme conseiller le cabinet dudit ministre – l'un des mystères de la République restant de savoir pourquoi des hommes politiques quinquagénaires, madrés et rompus au métier, ont besoin de se faire conseiller par des godelureaux à peine sortis de la crèche. Là, ils comprennent que le pouvoir qu'exerce sur eux le ministre n'est que la réplique, à leur échelon, de celui qu'exerce sur le ministre une autre entité, nommée « le Président ». Cela devrait les rendre modestes : ils ne sont qu'une pierre de la pyramide. Mais cette pierre, contre toutes les lois de la pesanteur, se convainc qu'elle peut elle-même gravir la pyramide et, plus curieusement, y parvient parfois.

J'en ai vu assez, depuis la coulisse, pour ne pas avoir envie d'y mettre la patte. Le spectacle des soumissions moites, des avantages quémandés, le prix de la déception lourde. Qui arrivait en politique par l'antichambre devait d'abord rejoindre la légion des porte-serviettes et s'intoxiquer de travail pour le compte d'un maître. Tout un peuple de valets ambitieux rédigeait des notes, des motions, des projets de discours qu'un autre signerait. Que l'on appartienne à un cabinet ministériel ou à un groupe d'études, c'était toujours le mouvement du bon élève un peu cafard qui lève le doigt pour se faire remarquer. Autour de 1945, l'entrée en politique se décidait sur le caractère : qui avait tenu tête à la Gestapo méritait sa circonscription. Quarante ans plus tard, c'est l'aptitude à avaler des couleuvres qui vous valait la faveur des appareils.

Si, par extraordinaire, on décrochait au bout de quelques années une investiture, il fallait labourer une terre de mission, distribuer des tracts sur les marchés, convaincre les électeurs de votre aptitude à les représenter, ce qui est aventureux autant qu'immodeste. Exposé à la vindicte de l'opposition locale, à la suspicion de la presse, aux mauvais coups de vos camarades de parti et à la lassitude de votre conjoint, vous couriez le risque d'être battu par les électeurs, vilipendé par les gazettes, lâché par votre camp et plaqué par votre femme.

Qu'il y ait eu un certain grippage du renouvellement des élites politiques françaises à partir des années 1980 n'étonnera que ceux qui n'ont pas vu jouer, même de loin, les mécanismes d'équarrissage par lesquels nombre de jeunes gens ardents se sont transformés en sceptiques dégoûtés, avant d'aller jouer leur partie ailleurs, rencontrant souvent un succès sans proportion avec ce que la politique leur refusait.

KARINE

Et me voilà en Espagne, loin d'Edouard le camé, contractuelle à l'Institut français de Madrid, rue Marques de la Enseñada. Je donnais des cours de français à un public de bonne volonté. Des étudiants en perfectionnement, des bourgeoises voulant reprendre leurs études, des cadres commerciaux travaillant avec la France. Mal payée, mais assez pour louer un studio de 40 m^2 dans le quartier Alphonse-XII, près du parc du Retiro.

La première semaine, je flippe un peu, et me rends un soir dans la boîte dont tout le monde parlait à Madrid, le Pacha. Là, je crois avoir la berlue. Quatre ans après le Palace, le même théâtre transformé en night-club, avec lasers et fumigènes, cocktails bleu électrique et couples au balcon. Les danseurs s'agitent sous les pinceaux de lumière – c'était l'année de *Let's dance* (Bowie) et de *Lovecats* (Cure) – et j'ai pensé que l'oubli passait par le recommencement. « La seule vie qui vaille la peine d'être vécue, disait Edouard, c'est la nuit. »

A Madrid, j'étais dans la ville de la nuit.

Au Pacha, je rencontrai Enrique. Il était photographe, trente ans. Tout de suite, j'ai la tête tournée. La nuit, dans son atelier, une baise somptueuse.

Tout ce que j'ai à dire sur lui est affaire de baise.

C'était mon premier type vraiment velu. Une vraie baraque, un Picasso moins râblé et plus long, faisant tout en puissance. Grand nageur, aimant l'eau des rivières et de la mer, il me caressait comme il empoignait son Leica, délicatement et sûrement, car ses mains avaient le génie de la matière. Sa chose, c'était de s'arrimer à mon corps, se ficher en moi, nous river l'un à l'autre, comme s'il avait éprouvé plus que tout la volupté d'entrer, de pénétrer, de forer vitalement les chairs, de me tenir au bout de son sexe comme un poids que l'on va soulever. Pas de goût pour les préludes, les agaceries, mais la masse du corps, buste solide, sexe dressé, allant droit vers son assouvissement. Enrique voulait se ventouser entre les jambes d'une femme. Il fallait que sa queue – le mot est approprié – soit moulée, aspirée par une muqueuse et qu'elle joue de toute sa puissance. Dans ma bouche, elle bougeait comme un gros serpent. Pour tout dire, les plus belles couilles que j'ai vues, fermes, sans fanons, de vraies boules de billard régulières et soudées. On m'a dit plus tard qu'une Américaine de Madrid, qui avait connu Enrique, affirmait qu'il était *the best sex she ever had.* Je veux bien signer. Enrique vous bourrait avec une fougue vitale, explosante, totale. Pour moi, il était un Minotaure, un dieu ithyphallique, le genre d'effigie que Claire et ses pareilles étudiaient sur des frises de vases grecs, et que j'avais plus simplement dans mon lit. L'influx était là, une énergie de taureau concentré.

Je maîtrisais assez bien l'espagnol, mais lui ne connaissait que quelques mots de français. Au début, je me demandais si nous parlions de la même chose. Enrique m'expliquait des mots, des tournures de l'argot madrilène, le *cheli*. Je sentais pourtant que leur saveur, l'effet que ces expressions produisaient sur un Espagnol m'échappaient. Peut-être la condition de notre bonne entente était-elle cette incompréhension. Je pouvais mettre sur le compte des mœurs espagnoles telle particularité qui, en fait, n'appartenait qu'à lui. Et réciproquement : il devait penser, quand l'une de mes réactions le désarçonnait, que toutes les Françaises étaient comme moi.

Sur les photos d'Enrique, il y avait un jeu entre le grain du tirage, pointilliste, grenu, et le corps des modèles, luisant, musculeux. J'ai fait pas mal de séances de pose pour lui, qui donnaient la clé de cet effet : il m'enduisait tout le corps d'une huile de monoï afin d'obtenir une texture de surface à la fois nappée et brillante. J'avais l'air d'un mécanicien suant dans un film d'Eisenstein. Mais avec les seins ronds et pointés, la mèche de cheveux sur les yeux, la tête baissée.

En esclave.

Objets d'Enrique, dans son atelier-appartement : disques d'Antonio Machín. Vieux numéros d'*ABC* (1939) achetés au Rastro. Album-compilation sur

Betty Page. Vierge luminescente (boutique de souvenirs à Séville). Catalogue d'une exposition de Keith Haring. Eventails peints. Noix de coco. Traduction espagnole du *Festin nu* de William Burroughs. Maxi-45 tours du groupe Alaska y los Pegamoides. Boîte de préservatifs.

Par Enrique, je connus ses copains. Ceux de la *Movida*. Ils rêvaient de Paris sans savoir que Paris rêverait d'eux. Candides jusque dans leurs excès, avec cette façon abrupte et saine de dire *follar*, baiser, comme l'on court se jeter dans une piscine rafraîchissante. Ils se distinguaient entre eux par leur province d'origine. Tel était galicien, tel autre andalou. Assez incultes, mais pleins d'appétit pour la vie, le sexe, l'outrage amusant. Ils promenaient leurs silhouettes aux terrasses de l'avenue de la Castellana. Les couturiers dominaient. Manuel Piña, vêtements de lin et canne de prêtre, paraissait conduire un troupeau de moutons invisibles. Enrique P (il se nommait Perez, je crois, mais avait fait de son initiale un sigle) descendait la rue Almirante comme on tombe du lit, les yeux vagues, la parole pâteuse; il se suiciderait plus tard dans d'horribles conditions. Elisa Bracci, énorme et truculente, agitait son éventail à la façon d'une duègne gourmande. Chus Bures, créateur de bijoux, avait décidé d'être son meilleur présentoir : il se promenait couvert de breloques.

Entre eux, c'était petites perfidies et grandes amours. Ils se traitaient de tailleurs de quartier, s'accusaient de plagiat (ils copiaient, en effet, les modes italienne et japonaise), traînant le dimanche au Rastro pour chiner des étoffes, se lançant parfois l'insulte suprême, « no sabe cortar » – celui-là ne sait pas couper. Assez insulaires d'esprit, rarement polyglottes, cultivant une sorte de nationalisme madrilène, car ils adoraient *la ciudad de los gatos*, la cité des chats, ils étaient ceux qui griffent et sautent de toit en toit, les félins de la nuit qui ne dorment jamais.

Travaillant le jour dans leurs ateliers, pratiquant le *paseo* nocturne telles des duchesses à la saison des corridas. Les joints circulaient beaucoup, des *porros* de hasch marocain, un peu de coke, mais pas d'héro, ils laissaient la blanche aux épaves de Malasaña, le quartier des seringues. Conversations presque enfantines, sexuées, obscènes avec santé ; fascination pour les travelos, surtout les travelos opérés, sur lesquels circulaient les histoires les plus crues. Mains d'artisans que je regardais à la dérobée, mains qui travaillaient les peaux, taillaient les tissus, tordaient le métal. Le cinéma d'Almodovar a restitué cela avec un écho mondial, et c'est aussi un cinéma d'artisan, d'anecdotes élémentaires et tactiles, d'émotions odorantes comme un cuir d'atelier.

Je respirais dans cette ville par ce qu'elle avait pour moi d'anonyme, d'éloigné de la vie française. On ne me demandait rien, ni titre ni performance. Les calculs, les rivalités pouvaient exister, mais j'y étais étrangère. De façon générale, chaque Madrilène prenait l'hiver pour une offense personnelle. On vivait dans l'espoir de l'été. Même leurs punks, victimes de la cuisine à l'huile et des rayons solaires, ne parvenaient pas à obtenir le teint blême que leurs pareils arboraient dans le reste de l'Europe. Dès le mois de juin, une chaleur africaine tombait sur la ville. Il y avait l'éblouissement du soleil matinal, une fraîcheur qui montait du sol fraîchement arrosé, le parfum des plantes du Jardin botanique flottant sur le quartier Alphonse-XII. J'allais marcher dans le parc du Retiro, avec au loin la rumeur des klaxons, le bourdonnement de la ville. Des jeunes gens se lançaient ce compliment de courtoisie que les Espagnols nomment le *piropo*. Ils m'appelaient *chica, guapa, bonita*, et je sentais que ma jupe volait mieux sur mes jambes, que mes talons claquaient clair sur l'asphalte.

Enrique aimait que je sorte nue sous ma robe, l'étoffe moulant l'arrondi et la pointe des seins. Plusieurs fois, il me dirigea vers le couloir d'entrée d'un immeuble, la nuit. La minuterie coupée, il soulevait sans un mot le vêtement et me prenait contre la cage d'escalier. Je me mordais les lèvres au sang pour ne pas crier. Ou bien il m'emmenait près de San Antonio de la Florida, au bord de la piscine El Lago, un temple à ciel ouvert de la Movida. Là, des danseuses, des travestis, des filles délurées, quelques mères de famille placides. Les femmes étaient en string, moi incluse. Enrique me regardait, offerte aux yeux de tous, avec une sorte de fierté. « Tu es glorieuse », me disait-il.

En juillet, avion pour Ibiza, séjour dans une villa proche de la plage Es Cavallets, liqueurs mexicaines et *porros*. Le temps passait lentement. Je regardais le soleil surgir à l'horizon comme un gong rouge. Après-midi avec les cigales bruissant dans les oliviers, la mer d'un azur éblouissant. Moi, allongée sur les rochers, la peau cuite de sel.

Mon look Madrid, je peux le refaire : bien qu'en Espagne, influence japonaise, du noir architecturé et souple. Cheveux en huppe de pivert, maquillages gothiques (la star locale, Olvido Alaska, imitait Siouxsee and the Banshees avec pas mal de retard, mais ça m'amusait à mon tour d'imiter ce retard) ; grosses boucles d'oreilles géométriques, triangles, cercles, un côté prêtresse maya en période zénithale. Puis, quand Agata Ruiz de la Prada est arrivée, le genre couleurs du village des schtroumpfs, des imprimés fruités, le retour du Pop Art acidulé, jamais je n'aurais pensé porter, *en 1985*, des robes façon Mary Quant en visite chez le marchand de couleurs.

Trois années où je n'ai pas cessé de donner mes cours à l'Institut français. En leur lisant des pages de Victor Hugo, ma robe collait à la peau, je sentais en moi l'envie d'Enrique, il me suffisait de croiser un homme qui lui ressemble pour être physiquement liquéfiée. Il aurait pu me gifler, me balancer contre un mur, n'importe quoi, tant il me tenait.

Je me rendis une fois à une réception de l'ambassade de France. Là, des représentants des grandes firmes, des directeurs de bureaux d'export, avec leurs femmes. Tailleurs serrés, sourires coincés, de méchantes pestouilles emperlouzées. Une réserve d'Indiens crispés au milieu du pays du bonheur.

Ils m'appelaient la *Francesita*. J'avais fini par me fondre dans le paysage, et même par rendre des services, tenant parfois le comptoir d'une boutique de mode de la rue Conde de Xiquena, ou aidant Marta Moriarty, qui éditait la revue *La luna de Madrid*, dans sa librairie proche de la place d'Orient. En fait, j'étais protégée par mon intimité avec Enrique. Une bonne partie des gens de la Movida passait devant sa caméra, il les photographiait en noir et blanc avec des tirages charbonneux, des lisérés calcinés, ce qui leur donnait un air archaïque et fatal – un côté « Je vais prendre le paquebot avec Ramon Novarro ». Enrique imitait les avant-gardes d'autrefois, il chérissait un album de Manuel Alvarez Bravo, photographe de la révolution mexicaine, dont il cherchait à reproduire les cadrages et la lumière.

Je suis embêtée d'avoir à raconter tout cela à l'imparfait. Rien n'est plus beau que le présent, les souvenirs dans son sac, le futur à croquer. Je suis embêtée, parce que le miroir me dit que je ne serai plus celle dont je parle.

Ces longs mois de vie avec Enrique ne promettaient rien, sinon leur propre durée. C'était du pur présent. Je retournais chez lui chaque soir, en prenant ma place dans le tableau. Nous pouvions rester des heures sans parler. Rien ne décrirait plus mal mon intimité avec lui que le mot « couple ». Nous vivions tels des chiots pelotonnés dans un panier, avec cette sorte d'appétit animal qui nous jetait l'un vers l'autre. Dans mon souvenir, Enrique apparaît comme le sujet de l'une de ses photographies. Il est en noir et blanc, immobile, image prisonnière d'une chambre obscure. Je le vois comme un personnage de film muet. Et c'est bien selon le rythme à la fois accéléré et irréel d'une histoire sans paroles que cette aventure-là prit fin.

Un après-midi où j'aidais Marta Moriarty à tenir sa librairie, j'eus une sorte de malaise. On m'apporta une chaise et un verre d'eau. Les vertiges persistaient. Je décidai d'aller prendre un peu de repos dans l'atelier d'Enrique, situé à deux pas. Je n'avais qu'une idée en tête : avaler de l'aspirine et m'allonger en attendant que ça passe. Ouvrant la porte, je tombai sur ce que je n'aurais pas dû voir. Enrique était couché sur la natte avec un homme. L'un et l'autre nus. Quand il me vit, Enrique se décomposa et tenta de ramener le drap sur eux. Jambes coupées, je gardai les yeux fixés sur la scène, pour me convaincre que je ne rêvais pas. Puis je tournai les talons, sidérée.

Je passai la nuit suivante chez Marta. Ce que j'ai fait, dès le lendemain, appelle les commentaires que l'on voudra. Je l'ai fait, c'est tout : un test HIV dans une clinique de Madrid. Il fallait attendre plusieurs jours avant d'en obtenir le résultat. J'étais ravagée d'angoisse. Lorsque j'allai chercher l'enveloppe, les nerfs à vif, je me sentais flotter dans un cauchemar glacé. Les résultats étaient négatifs.

Je ne vais pas épiloguer. Dans les jours qui ont suivi, j'ai pris l'avion pour Paris. Mon intention était d'y passer une semaine afin de prendre du champ et réfléchir. Au bout de quelques jours, j'ai su que je ne retournerais pas à Madrid. Une copine a récupéré mes affaires chez Enrique et me les a expédiées par le train.

Paris, septembre 1986. Je recommençais à zéro.

CLAIRE

Moi aussi, je suis revenue en France à cette époque-là, quelques mois avant Karine. Supportant mal de vivre dans l'environnement où j'avais tant de fois ri avec Peter Dawson, mon studio, le campus, les fenêtres de son appartement, vide désormais. J'aurais pu renouveler le contrat me liant à l'université de Berkeley, mais, défaite et déprimée, je choisis de changer d'air en retrouvant le mien. Depuis la Californie, je pus négocier avec Paris VII l'obtention d'un poste d'assistant. Le point de chute était assuré, il fallait rentrer.

Dans les jours qui ont précédé mon départ, je me suis interrogée sur ce que j'allais trouver. Et aussi sur les raisons de ma vocation, les motifs pour lesquels, avant de le devenir moi-même, j'avais adoré des professeurs. A l'époque où je quittais Paris, il existait une certaine érotisation du savoir et de la chaire, focalisée sur des figures de maîtres. Je revoyais Michel Foucault au Collège de France, crâne rasé, col roulé à la façon des cadres des années 1960, et cette diction impérieuse, ce discours qui à certains égards évoquait celui d'un grand technocrate – une rigueur ornée de coquetteries très Ve Plan, même si c'était pour dénoncer les prisons de la République. Lacan, chemise de clergyman, veste en épaisse laine vert d'eau, soupirant tel un vieux dragon sorti de sa grotte de conte, avait l'air de guerroyer contre une nébuleuse de démons invisibles. Althusser, costume de velours, regard bleu délavé, donnait une impression de bonté effondrée.

J'avais voulu entendre ces hommes. Tous, ils tenaient séminaire ou assuraient des cours magistraux : il me fallait la prédication, le verbe, la présence. Eduquée dans les années 1960 par le catéchisme paroissial, j'avais eu besoin d'une nouvelle foi. Cela peut s'appeler le désir de maître, ou de dogme.

Que me disait ce dogme ? En substance, que je n'étais pas celle que je croyais. Là où l'état civil indiquait, et paraissait certifier l'existence d'une Française prénommée Claire, il y avait pour moi autre chose : l'effet de rapports sociaux, un jeu de forces, une illusion d'identité qui n'était qu'une trame de mots, un texte de rêves. Si je considérais dans le miroir celle qui portait mon nom, je trouvais le résultat d'une histoire, un corps dessiné par le langage. J'étais moins une femme qu'une question, et plus une énigme qu'un sujet. Cela n'est pas dénué de conséquences concrètes. Je m'habituais à voir dans mes humeurs un agencement de molécules, dans mes préférences le produit d'une éducation. Les interdits communs, même ceux du milieu où je vivais, m'apparaissaient frappés du plus grand relativisme. Là où d'autres décrivaient une nature, je déchiffrais des codes ; quand on m'opposait l'évidence, j'en appelais à la généalogie des usages.

Cela valait pour toutes sortes d'aspects de la vie courante, même les plus anodins. Le fait, par exemple, qu'arborer une cravate soit considéré comme une obligation vestimentaire pour les cadres masculins des entreprises ou des administrations, au risque de voir exclus du système ceux qui s'y seraient dérobés, était anthropologiquement discutable ; pourquoi fallait-il que le port par les hommes d'un morceau d'étoffe colorée autour du cou soit le gage de leur sérieux professionnel ? On aurait aussi bien pu décréter que cet accessoire était un comble de futilité, et poursuivre comme muscadins tous ceux qui le cultivaient.

Evidemment, on pouvait s'appliquer à soi-même ce relativisme culturel. Le fait que je me retrouve locataire d'un 75 m^2 à 6 500 francs mensuels dans un immeuble de la rue Buffon, orné de pièces d'ameublement achetées en kit chez Ikéa, avec une garde-robe constituée au moment des soldes dans quelques boutiques de prêt-à-porter, et un nombre de livres dépassant de beaucoup celui des produits d'entretien, aurait indiqué sans difficulté excessive pour l'observateur moyen que j'appartenais à la frange juvénile et surdiplômée de la petite bourgeoisie intellectuelle en quête de mandarinat. La nature de mes fréquentations, les cafés où je reprenais mes habitudes, le budget que je pouvais allouer à mes vacances, le quotidien que je lisais, tout était en proportion du traitement que me versait mensuellement l'université.

Quelque chose avait pourtant changé. Au début des années 1980, j'avais vécu sur la rive gauche de Paris comme dans un laboratoire heureux. Il y avait ces quelques hectares qui représentaient pour moi l'agora suprême, entre l'ENS et le Collège de France, les Hautes Etudes et Paris VII, la Sorbonne et le Balzar. Nul autre quartier au monde ne possédait une telle concentration de cinémas et de penseurs. On pouvait y habiter comme dans une abbaye de Thélème, avec le sentiment qu'il existait un honneur du savoir. Le plaisir doctorant et libre du verbe, les merveilleuses bibliothèques, les arbres du Luxembourg, cette trame ligneuse qui reliait l'écorce des marronniers au papier des in-quarto. Le monde se découvrait à travers la clairière des livres, intelligible, adouci, riche de tous les temps, hospitalier à ma ferveur. L'argent n'était rien, presque tous les trésors gratuits, un livre de poche, un stylo, des feuillets mobiles, une place de cinéma, une conversation. J'avais vécu dans ce jardin avec l'espoir de laisser un jour des livres qui témoigneraient de mon passage.

Lorsque je reviens à Paris en 1986, les grandes chaires sont peuplées de fantômes. Lacan, Barthes et Foucault ont disparu, Althusser est passé de l'autre côté du miroir. Je connais tous les actes d'accusation que l'on peut instruire contre cette génération de penseurs. Mais ils avaient tenté de voler le feu aux dieux dont ils descellaient le piédestal, et le feu même du dernier dieu dont ils annonçaient la mort, qui était l'homme. Il existe un héroïsme de la pensée poussée à ses confins, sur ces lisières où le sens devient non-sens, où le masque du sage se délie sur le visage du fou. On les suivait comme des acrobates marchant sur le fil. J'étais une *disciple.* Il y en avait d'autres.

Plus tard, je me suis souvenue de Sylviane Agacinski, jeune agrégée de philosophie assistant autour de 1979 au séminaire de Jacques Derrida à l'Ecole normale supérieure. Mon étonnement, alors, de constater que la salle de cours de la rue d'Ulm n'était que moyennement pleine, une quarantaine d'auditeurs peut-être, quand Lacan, à la même époque, remplissait un auditorium entier de la faculté de droit. Mais l'on était, rue d'Ulm, entre horlogers suisses de la philosophie allemande : peu de monde, un recueillement abrité, des chatteries de grands gourmets décortiquant une succulente pince de crabe.

Les pinces de crabe, en l'occurrence, étaient des concepts. Derrida tenait les fourneaux dans le rôle du maître queux, retournant le *Dasein* comme une crêpe, repérant dans les grands textes le principe viral qui en corroderait l'assise, appliquant dans le sillage de Nietzsche et Heidegger un principe de soupçon à toute pensée de l'identité et du Logos. Il philosophait comme un Indien sur le sentier de la guerre efface ses propres traces à l'aide d'un faisceau de branchages ; cela tenait de l'arrachage d'ailes de mouche et du grand discours proféré au péril de soi-même. Une maîtrise se dessinait à contre-fil, d'où il résultait toutefois ceci : Derrida parlait et les autres écoutaient.

Les autres, c'était les servants de cette batterie conceptuelle, les as de la déconstruction, les conjurés de la différance (que Derrida écrit avec un a), les laborantins de la pharmacie de Platon. Jeunes agrégés de philosophie portés par l'illusion lyrique des années 1970, hérissés par les lenteurs chéloniennes des inspecteurs généraux, peu enclins à sacrifier aux rigueurs d'une carrière en lycée, ayant envie d'en découdre, de se brûler, de prévaloir. On retrouvait leurs noms sur les livres cosignés avec le maître, Jean-Luc Nancy ou Philippe Lacoue-Labarthe, Bernard Pautrat ou Patrick Tort. Il y avait deux vestales au séminaire de Derrida, Sarah Kofman, qui écrirait de beaux livres avant de s'effacer tragiquement. Et Sylviane Agacinski, dont la silhouette me revient, lunettes et cheveux sur les épaules, bottes et longues robes gitanes, assez liane, studieuse, le nez au vent, suivant la cérémonie. Intervenant peu, une forme de dignité sensible. Elle semblait toujours placer la question avant l'acte, parce que la question est acte. A la regarder face à Jacques Derrida qui étudiait, mettons, le thème de la tête de Méduse dans la philosophie grecque, qui aurait pu imaginer la suite ?

Ce qui avait changé en 1986, c'est peut-être que la gauche tenait les ministères, pour quelques mois encore. Aussi longtemps qu'elle avait été interdite de pouvoir, pas loin de vingt-cinq ans d'opposition, elle avait excellé dans le magistère programmatique, l'utopie des idéaux, le brassage effervescent des idées. Une république de la pensée, beaucoup plus brillante que celle des antichambres, avait déployé ses charmes sur un territoire immatériel, qui était celui du débat, du laboratoire, de l'espoir. De Cuernavaca à Vincennes, de Milan à Berkeley, une internationale de l'intelligence dessinait pour des milliers d'esprits la carte d'un autre royaume, dont les chefs-lieux pouvaient s'appeler Marcuse ou Ivan Illich, Basaglia ou Adorno, Deleuze ou Chomsky. Moi aussi, j'avais vécu dans ce pays-là, dont les ministres auraient été des professeurs au Collège de France, et les préfets des antipsychiatres italiens.

En revenant à Paris, je sentis très vite que les polarités s'étaient déplacées. L'enjeu n'était plus la construction de châteaux dans les nuages, mais l'exercice du pouvoir concret. Tel maître assistant, qui aurait mis cinq ans plus tôt son orgueil dans la rédaction d'une communication pour un colloque de Cerisy-la-Salle, se dépensait désormais pour devenir conseiller culturel à Bogota ou rédacteur de discours au cabinet du ministre de l'Equipement. Et quand il y parvenait, on commentait son succès avec beaucoup plus de considération que s'il avait signé un ouvrage remarquable sur les logiciens d'Oxford. Je n'avais jamais imaginé que l'attrait des cortèges avec motards pût à ce point l'emporter sur la séduction du savoir. On trouvait un normalien à Matignon, des écrivains dans les ambassades, nombre d'agrégés au Parlement, beaucoup d'universitaires dans les cabinets ministériels, où ils prenaient le risque d'être écrasés par des énarques moins lettrés mais plus brutalement avides.

Je crus en mesurer l'effet chez mes collègues : ceux qui étaient partis dans l'appareil d'Etat manquaient à leur place mais paraissaient enchantés de celles qu'ils s'étaient récemment taillées. Ceux qui restaient dans l'université, par choix ou défiance, n'osaient trop manifester leur désarroi devant cette nouvelle hiérarchie des valeurs qui faisait prévaloir l'hôtel ministériel sur la chaire de faculté. Il s'y ajoutait, mais la Californie m'y avait préparée, un glissement de paysage qui en laissa plus d'un désarçonné. La montée en régime des économistes, l'avènement de la Bourse, la fascination que la presse affichait pour les jeunes princes du marché, le récit des OPA à la façon d'un chapitre inédit de *L'Iliade*, les positions atlantistes auxquelles la France se rangeait, tout cela se déchiffrait en perplexité sur les visages des habitués du Balzar à l'heure de la lecture du *Monde*.

J'appris que Pierre avait bénéficié de l'une de ces prébendes, se mettant à l'abri du lycée de province. Cela ne m'étonna qu'à moitié. Il était incapable de passer dix ans sur la même thèse ou avec la même femme. Est-ce qu'il allait continuer à tricher, à sauter de branche en branche, traversant des péripéties dont il se félicitait de sortir indemne ?

S'il m'avait blessée, c'était ma faute. Avec plus de perspicacité, j'aurais évité de m'attacher à un type comme lui, le modèle du joli cœur un peu salaud. En même temps, j'entretenais encore le chagrin qu'il m'avait causé, peut-être parce qu'il se mêlait au souvenir d'une époque déjà révolue. Il y a un âge, entre seize et dix-neuf ans, où les saveurs sont plus fortes et les aubes plus belles. Pierre avait gâché un moment de ma vie qui me restait précieux par l'amertume même qu'il y avait suscitée. Pierre était associé à des choses de ces années-là, une chanson idiote qui s'intitulait *Sugar baby love*, un film de Bertolucci que nous avions vu ensemble et sur lequel nous n'étions pas d'accord. Même si les années passaient, je sentais que le temps où j'avais été son amour tenait dans mon souvenir une place sans proportion avec sa durée.

PIERRE

J'ai rencontré Isabelle dans un de ces dîners de jeunes gens comme il s'en donne quand on a vingt-sept ou vingt-huit ans ; une façon de jouer aux adultes qui n'est pas dénuée d'une certaine nostalgie des bandes adolescentes. Moi qui suis plutôt un homme de brunes, je tombai ce soir-là sous le charme d'une blonde. Elle avait quelque chose d'adorable, d'un peu excité ; la silhouette d'une fille qui sait s'arranger, mèche sur l'œil, pull-over épousant la forme des seins. Longues jambes, *a slender girl*, aurait dit un Américain.

Elle travaillait pour une agence de publicité des Champs-Elysées et s'amusa à en parodier les derniers slogans. Cette fille m'excitait et j'ai senti que ça pouvait être réciproque. Son œil brillait. Plus tard, elle m'a dit que le truc avec moi avait d'abord été « purement sexuel », mais Isabelle mettait toujours sa dose de romantisme dans le sexe. En un sens, c'était une fille de la première fois, elle adorait l'engouement des débuts. J'aurais dû me méfier, mais elle me faisait vraiment envie.

Je l'invitai à dîner trois jours plus tard dans un restaurant du Palais-Royal. Lorsque nous sommes sortis, la lumière des lanternes brillait entre les frondaisons d'avril. C'est là que je l'ai embrassée pour la première fois, sous la galerie de Valois, et elle a répondu avec une sorte d'avidité gracieuse et sensuelle. Je l'ai accompagnée chez elle, un deux-pièces de la rue Duret, plein de moulures et d'arums blancs. Je n'avais jamais, dès la première nuit, trouvé avec une telle évidence tout ce que l'on peut espérer, l'abandon, la connaissance des corps, l'impudeur calme et folle.

Si j'y repense, le début de mon histoire avec Isabelle a été affaire de peau. La respiration, la fraîcheur, une façon diabolique d'être toujours nette, avec en plus l'ardeur d'une fille qui aimait vraiment faire l'amour. Lorsqu'elle refermait ses jambes autour de moi, Isabelle trouvait naturellement l'angle légèrement exhaussé qui convenait à son plaisir. Une merveille de feu léger, un bonheur de fluidité brûlante. Elle embrassait comme une brune et jouissait comme une femme.

Je suis tombé amoureux d'elle par addiction. Les premières semaines, c'était coup de téléphone sur coup de téléphone, déjeuners volés entre Louvre et Champs-Elysées, toutes les nuits avec Isabelle comme si le monde extérieur n'existait plus. Elle sortait d'une assez longue liaison avec un homme marié. Sans que je le mesure alors, cela m'expliquerait plus tard la détermination avec laquelle Isabelle s'était lancée vers moi : j'étais pressenti pour guérir une blessure que je ne connaissais pas. Elle me disait que c'était bon d'aimer un homme de son âge.

Peut-être ne correspondait-elle pas tout à fait à mon genre. Ancienne élève d'une école de commerce, elle appréciait les films à éclairages fluo réalisés par des publicitaires reconvertis, tenait Boris Vian pour un classique et pensait que le mensuel *Globe* donnait le ton à Paris. Une façon, aussi, de s'exprimer par phrases segmentées, en y insérant des mots anglo-saxons qui respiraient le crépitement hâtif des réunions de marketing. Mais ce qui m'aurait inspiré de l'ironie chez une autre me plut en Isabelle. Je devais être pris par le climat d'enchantement moderne dont on se parfumait alors, avec éloges du CAC 40 et lyrisme high-tech : l'époque m'intimida à travers elle. On sentait aussi chez Isabelle la bonne éducation, ce qui est toujours érotique au second degré, relevée par la foi dans le monde qui venait. Son élégance remuante de jeune femme de bureau contrastait avec les demi-vierges à tissus Liberty que j'avais naguère connues.

De toute façon, rien à dire : on a aimé ceux qu'on a aimés. Les semaines du premier été avec Isabelle furent pleines d'une lumière solaire. Je l'avais rencontrée en avril ; le mois d'août nous trouva à Hydra. Quand elle sortait de la mer, ses cheveux baignés d'iode et de sel brillaient au soleil. Isabelle nouait un bandana autour de sa tête, à la pirate ; ses longues jambes drapées par le paréo affleuraient sous le tissu. J'aimais son rire à mon oreille, son rire d'enfance et de sexe. Isabelle, qui avait vingt-six ans et parlait déjà du temps qui fuit, se jetait dans mes bras comme on veut oublier. « Cette fille te faisait terriblement bander », m'a dit récemment un témoin de cette époque. Je lui ai demandé comment il pouvait le savoir. « Ça se voyait, a-t-il répondu. A l'œil nu. Isabelle était sacrément bien balancée, tu ne la quittais pas du regard, on sentait un truc magique entre vous. »

En septembre, j'ai quasiment emménagé chez Isabelle. Cette année-là, l'été indien fut somptueux à Paris. La ville nous appartenait. Beaucoup de sorties seul à seule, des séances de cinéma, les restaurants, mais aussi les dîners où nous mélangions des jeunes gens avantageux et contents d'eux – comme nous. Isabelle commença à m'expliquer l'origine de telle relation, l'histoire de telle amie, comme si elle avait voulu m'inscrire dans son passé. Un jour, elle me proposa d'aller dîner chez ses parents. Ils résidaient dans un immeuble 1930 de la rue Raynouard. Son père, ingénieur des Mines, travaillait pour une société pétrolière. La cinquantaine énergique, il me parut regarder avec sympathie le normalien que j'étais, mû sans doute par cette estime de principe que les anciens élèves de grandes écoles portent à celles qu'ils n'ont pas faites. Sa mère, qui se déclarait « femme au foyer », avait tout de l'épouse de lieutenant-colonel. Il ressortait de ses propos qu'Isabelle leur avait donné des soucis, mais que son métier la stabilisait désormais, même s'il était regrettable qu'elle vive seule. Pour ma part, je me vis gratifier d'une remarque favorable sur la cravate que je portais.

En sortant de ce dîner, somme toute banal, Isabelle eut à cœur d'en effacer ce qu'il avait pu avoir de pesant en m'offrant une nuit mémorable. Mais cet épisode avait son importance. Isabelle, dans les temps qui suivirent, prit soin de m'associer aux menues démarches de la vie courante. Aux Puces, je choisis avec elle des gravures pour orner sa cuisine. Elle me demandait de l'accompagner les samedis après-midi quand elle courait les soldes de la rive gauche. (J'ai toujours aimé le spectacle des femmes en collants passant la tête hors de la cabine pour rendre une robe et en demander une autre, le côté grenouilles adorables de la chose.) Elle commençait à dire « nous » en parlant d'elle et de moi. Mes occupations de la journée à l'Agence, qui ne l'avaient pas vraiment retenue jusqu'alors, firent l'objet de questions plus précises. J'expliquais à Isabelle ce que j'avais moi-même appris de fraîche date, et elle s'appliquait à trouver de l'intérêt à la conservation des daguerréotypes ou aux photographes pictorialistes des années 1920.

Rien de cela ne m'effraya. Au contraire, je découvrais que l'on peut vivre continûment avec une femme sans renoncer à la fantaisie des choses. On va dans la vie comme des orphelins, les années se consument, et puis un accord se fait, éblouissant ou heureux. Autour de nous, il n'y avait alors que des cohabitants satisfaits, certains mariés, d'autres non. Notre prétention commune, fût-elle implicite, était que l'adolescence dessalée que ceux de notre âge avaient connue vaccinait chacun contre l'exemple souvent piteux que donnait la vie conjugale de nos parents. Ayant commencé à leur administrer des leçons sur bien des points, il n'était pas douteux que nous aurions également raison sur celui-là. On inventerait de nouvelles façons d'être, des alliances inédites, des unions aussi souples et confortables que les vêtements déstructurés désormais à la mode. Nombre de mariages ont eu lieu à ce moment-là sous le signe non de l'assagissement, mais de l'invention. On emprunterait la coquille en changeant la substance. Cela explique la légèreté avec laquelle beaucoup marchaient vers l'autel : une bonne blague en costumes qui ferait plaisir aux parents, lesquels allaient voir ce qu'ils allaient voir.

Lorsque Isabelle prononça un jour le mot de « mariage », en guettant ma réaction, je m'entendis répondre : « Pourquoi pas ? » J'étais, à son endroit, dans un état de fixation amoureuse et de nécessité sexuelle. Signer une feuille de papier ne me paraissait qu'une péripétie sociale, en deçà de la réalité de ma vie avec elle. Notre mariage s'est décidé, comme tant d'autres, sur un malentendu euphorique. J'aurais pu comprendre qu'Isabelle y mettait une autre gravité que moi, une nuance de salut, l'accomplissement d'idéaux anciennement transmis, la perspective d'avoir rapidement des enfants. En un sens, c'est l'un des actes les plus indéchiffrables d'une vie humaine, l'un des plus fous aussi. Autant apparier durablement une enclume et un cormoran.

Nous avons voulu une cérémonie délestée de tous les grelots qu'il est convenu d'agiter en pareille occasion. Moi qui ai plutôt une bonne mémoire, je ne conserve pas un souvenir très précis de ce jour-là. J'ai dû monter les marches de la mairie comme l'on entre dans un casino. Il me reste l'image de nos parents, l'expression de leurs visages. Nous laissions derrière nous le temps où ils avaient été notre seule famille ; ils nous regardaient, un peu incrédules, marcher vers un destin conjugal qu'ils avaient désespéré de nous voir accepter un jour.

Le soir, Isabelle fondit en larmes, disant entre deux sanglots qu'elle n'avait jamais été aussi heureuse.

KARINE ——————

Je me suis retrouvée sur le pavé de Paris, assez paumée, avec dans mon havresac une bonne connaissance de la langue espagnole, quelques peaux d'âne dévaluées et le cœur gros. Plus question de faire la maligne. Adieu Madrid. Est-ce que j'allais retourner à Lyon, prendre le thé rue du Plat et me faire épouser par un fils d'industriel qui m'installerait dans une villa sinistre de Dardilly ? J'ai eu deux entrevues orageuses avec mes parents, qui une dernière fois m'ont cédé : enfant gâtée. Ils acceptaient de m'entretenir pendant six mois à Paris, le temps de trouver une situation stable – ma mère pensait à un mari plus qu'à un emploi, sans y croire. Quand ils disaient six mois, je pouvais compter un an. Ensuite, à moi de me débrouiller.

Je savais que Claire était partie aux Etats-Unis. Pierre, aucune nouvelle, mais je n'ai rien fait pour en savoir plus. Manque de curiosité ? Rien du tout. Est-ce que vous revoyez, dix ans après, les gens avec lesquels vous étiez à l'université, surtout quand ils ont réussi leurs examens et que vous les avez ratés ? Et vingt ans après, combien ? Faites les comptes et tirez-en les conclusions.

J'ai déniché une location, un studio de la rue Chaptal un peu crapoteux, nécessité faisant loi. Et j'ai commencé à donner des coups de téléphone. Celle que j'aimais bien, c'était Valérie, ma complice des années Edouard. En écrivant ça, je réalise que je date les périodes de ma vie avec des hommes, comme on peut suivre l'histoire géologique de la terre à travers les traces des grandes catastrophes. Bref, j'appelle Valérie. Là, j'ai eu l'impression de monter dans un train fantôme : on n'y croit pas, mais ça fait quand même peur.

Valérie avait épousé un élève de HEC, plutôt beau mec, qui *performait* chez Procter & Gamble. Ils avaient retapé un 170 m^2 à Levallois et roulaient en Audi 80. Leur fils de dix ans, nursé par une Philippine non déclarée, dormait dans une chambrette pleine d'abécédaires et d'affreux lapins. Valérie ne portait que des tailleurs Arthur & Fox et donnait des dîners pour ses amis en leur servant invariablement des tagliatelles au saumon et à l'aneth. Après le dîner, on jouait au Trivial Pursuit ou au Pictionary. L'hiver, ils skiaient aux Arcs, hébergés dans le chalet des beaux-parents de Valérie. L'été, ils louaient à plusieurs couples un voilier pour naviguer là où l'on était certain qu'il n'y aurait pas de vent. Valérie avait quelques problèmes concrets. Comment inscrire un jour les enfants à l'Ecole alsacienne ou à Saint-Jean-de-Passy quand on habite à Levallois ? Devait-elle virer la Philippine non déclarée pour une Portugaise en situation régulière ? Elle que j'avais connue dansant jusqu'à l'aube ne parlait plus que de cours d'éveil au piano et de goûters d'anniversaire avec prestidigitateur et pêche aux cadeaux.

Tout cela m'a sidérée. En même temps, j'étais tellement déstabilisée, financièrement aux abois, que je me suis raconté que le salut ne viendrait que du compte en banque de l'un de ces jeunes junkers de HEC à mâchoires bleues et chemises Hilditch & Key. C'est peut-être le seul moment de ma vie où j'ai fait du suivisme d'urgence, à mon corps défendant, mais les tagliatelles à l'aneth et les Audi 80 faisaient loi.

Un soir, dans l'un de ces restaurants suédois à boiseries où l'on accompagnait le poisson cru de liqueurs nordiques à décoiffer un élan, on me présenta Rémy. Blond viril aux chaussures cirées, *trader* dans une officine anglo-saxonne. Il pèse tant de KF, me glissa une fille de la tablée. J'ai oublié le chiffre, mais il brillait dans les yeux de ma commensale. Après avoir fait mine de m'ignorer pendant la soirée, ou du moins d'afficher cette réserve que les maîtres de conférences à Sciences Po opposent aux plus décolletées de leurs jeunes élèves, Rémy me demanda mon numéro de téléphone. Moi, je n'avais pas de KF, juste un numéro dans l'annuaire avec une femme au bout.

Rémy était assez joli garçon pour me faire envie, trop convenable pour me faire rêver. Je me trouvais, pour la première fois de ma vie, dans l'un de ces états moyens où, pour avoir été échaudée ou s'être trop ennuyée, on peut envisager une liaison de curiosité (je n'ai pas dit d'intérêt). Rémy me rappela dès le lendemain. Lors du dîner qui suivit, cette fois en tête-à-tête, il se dévoila avec une franchise dans l'attaque que je ne lui aurais pas soupçonnée. Ce type cachait sous le costume boutonné une sorte d'allant, de brutal pouvoir d'affirmation. Une fois gratté le vernis, il y avait dans son attitude quelque chose d'impérieux, une façon corsaire d'exprimer son désir. J'ai rencontré cette disposition chez d'autres : elle signale souvent les anciens élèves des écoles chrétiennes travaillant dans l'économie libérale. Rémy, qui avait alors trente-deux ans, ne fit aucune difficulté pour me laisser découvrir cette nuit-là la couleur de ses draps.

En quelques semaines, je cernai mieux les contours de ce prototype inconnu. Pour émoustiller Rémy, il fallait se composer une allure qui tenait de la communiante émancipée et de l'aile Delta. Un côté BCBG au poivre, serrée dans des tailleurs anguleux, ralliée de bonne grâce aux porte-jarretelles et aux outrages obligés. Le modèle en était Kim Basinger dans *Neuf Semaines et demie* : la socioprofessionnelle de Manhattan qui se tortille à contre-jour devant des stores en titane, avec des ondulations de houri dopée au gingembre. On pouvait y ajouter une certaine aptitude au soupir en stéréo, le genre « je jette la tête en arrière pour reprendre mon souffle tant tu m'as tuée », et des promenades romantiques le samedi matin en longs manteaux Armani parmi les étals d'un marché de primeurs (« Respire ce melon, c'est la vie »), avant d'aller bruncher en tête-à-tête dans un restaurant plein de hublots et de tranches de pain au seigle. Dans la tête de Rémy et de ses pairs, c'était à peu près ceci :

1) Je travaille en haut d'un immeuble hausmannien de la rive droite à l'heure de Wall Street et de Tokyo, conduisant mes offensives quotidiennes sur les marchés. J'engrange un bonus qui me propulse

dans la catégorie des nouveaux Übermenschen. Je n'adore pas le Veau d'or, je fais de l'or au milieu des veaux.

2) Quand je monte dans le Falcon de mon patron pour aller faire un *deal* à Londres, j'éprouve une ivresse icarienne sans que le soleil me brûle les ailes. Les accoudoirs sont en cuir, mon avenir est en platine.

3) Les femmes sont une sorte de cocaïne naturelle. L'hiver, elles ont de longues jambes satinées. L'été, de petites oreilles bronzées. On les sniffe comme une poudre. Leur amour est un encens à la portée de mes moyens.

Il serait erroné de dire que Rémy achetait les femmes : obtenir leurs faveurs contre des francs aurait amoindri l'idée qu'il se faisait de lui-même. Gagner de l'argent était plutôt une forme d'exercice de sa sexualité, une annexe foutrale de sa remarquable énergie. L'aisance permettait d'accéder aux meilleurs restaurants, aux plus belles voitures, aux villégiatures les plus lointaines. En rendant subalternes les servitudes de la vie, elle installait ses affaires sentimentales dans un domaine enchanté, où il pouvait partager avec de jolies filles le sentiment de supériorité qu'il chérissait au fond de son cœur.

Rémy me donnait du plaisir, ça n'est pas la question. Je veux dire qu'un type, contrairement à ce que la plupart pensent en se tortillant de peur, est toujours capable de vous faire frissonner, même s'il ne le sait pas, même s'il ne fait rien pour ça, parce que le truc est mental et qu'en fermant les yeux on peut se faire toutes sortes de films. Au demeurant, il y a des plans assez simples. J'ai recopié ça dans mon carnet, tiré de ne je sais quel livre : *Je voulais qu'il me monte dessus, qu'il pèse le plus lourdement sur moi, qu'il m'enfile très profond, et qu'il me manipule violemment dans le spasme.* Très bien.

Pour le reste, Rémy pouvait m'amuser ou m'agacer. Le reste ? Ses manies. Ses marottes d'enfant. Le jogging au Bois avec des copains, en se donnant des bourrades, leur petit manège homo inconscient qui consiste à se mettre collectivement en sueur au milieu de l'hiver, vapeur d'eau sortant de la bouche des jeunes champions, virils sudoripares, le monde appartient à ceux qui courent le matin. Ou bien la fierté de Rémy devant le magnétoscope ramené en détaxe de Hong Kong, boîtier argenté avec télécommande, très important, la télécommande, démiurgie à distance, volonté transmise par les ondes, j'appuie sur un bouton et les images m'obéissent, *rewind, forward,* les pornos qu'il passait en accéléré... et ses cartes de crédit, le linge qu'il donnait à laver à sa mère – le lien avec maman passant par le tambour vrombissant, la chasse à la tache, programme ultra-blanc, le tissu maculé rendu à la virginité par Mother...

Je vais dire une chose horrible, mais je m'aperçois que certains hommes ont été pour moi comme des grenouilles dans leur bocal, avec leur petite échelle. La grenouille monte, la grenouille descend, on a la prévision météo. Il faut toujours tâter le pouls des mâles autour de la trentaine, c'est l'âge de la cruauté, celui où ils veulent prendre date, trouver leur signature, exister dans la jungle. Avec des variantes qui donnent la note. Dès 1987, Rémy et ses copains m'indiquaient le cap. L'ego serait gagé sur la surface professionnelle, la guerre des fiches de salaires, les plumes de coq. Les filles qui essaieraient d'être aussi dures qu'eux ne s'en sortiraient pas – on ne me fera pas croire qu'une femme qui joue durablement à ce petit jeu ne finit pas en pleurant devant son miroir, le soir. Seule.

Moi, j'ai pris le tournant à ma façon. Je suis une collabo de la vie. Les shiteux à la Edouard étaient totalement hors jeu, j'avais assez fait la Carmen avec mon espagnol bifide. Si je rentrais à Paris, mais ce serait pareil à Londres ou à New York, j'allais devoir me fader des super-comptables tombant la chemise devant les écrans d'ordinateur à l'heure des marchés. Des types qui placent leur virilité dans des calculettes, est-ce que ça peut nous faire rêver ? Oui, si le rêve se compte en nuits de grands hôtels avec jacarandas au bord de la piscine, belles bagnoles à la sortie du restaurant, jolies robes magiquement sorties d'une carte Visa Gold. Mais l'amour des cocotiers suffit-il à remplir une existence ? Etais-je partie pour une vie de femme de colon en ville, l'équivalent des épouses de planteurs qui s'emmerdaient en 1952 au bord de la piscine du Club sportif de Saïgon, en version revue et corrigée par les petits *brokers* de JP Morgan ? Ces vies où l'homme gagne par ambition de l'argent que la femme dépense par désespoir ? Merci bien. Au fond, ce que je vais raconter à partir de maintenant, c'est l'exercice de voltige d'une survivaliste en milieu matérialiste.

Un mot, tout de même, avant la suite. On dit que les femmes décident. Elles ont leurs pilules, leur salaire, leurs idées fixes. C'est vrai jusqu'à un certain point. Moi, par exemple, j'aurais été ravie de ne pas décider. De me laisser porter par des mecs qui m'auraient bluffée, modelée, pliée à leur convenance. On est largement des miroirs, il faut voir quels hommes se présentent en face.

A dix-huit ans, j'étais prête à jouer le rôle de la muse. J'avais lu. Imaginons que je rencontre entre 1975 et 1980 un type, on peut toujours rêver, qui regarde les femmes comme Louis Aragon, le vieil homme que j'avais croisé un soir au restaurant, regardait les femmes en 1924. C'est-à-dire des chimères avançant, dans un paysage de tempête et de nuées, au milieu des fontaines pétrifiées du parc des Buttes-Chaumont. J'aurais fait la chimère, avec ce qu'il faut de voilettes et de vertiges. Evidemment, un homme qui joue avec l'absolu, ça requiert une certaine résistance nerveuse en face, mais on reçoit des lettres sublimes, on vit sur le fil, les nuits flambent... J'ai cru que ces choses-là existaient encore, qu'il se trouverait un type pour me faire danser le tango dans les nuages. J'aurais joué la futile, l'attentive, la débridée, la mystérieuse, l'inatteignable, la fille aux bas noirs, la promeneuse des boulevards, l'étoile du hasard objectif. Mais quand on commence à compter partout en KF, ça devient difficile. Personne ne m'a jamais dit : « Les hommes vont les yeux fermés au milieu des précipices magiques. » Ou bien : « Un jour viendra où des hommes nouveaux liront mes œuvres avec des yeux dessillés. Ils verront combien j'ai haï le navire qui m'emporte et comme dans la voilure j'appelais le naufrage, et comme les feux des diamants ne m'ont jamais distrait des étoiles. » Personne. Alors j'ai refermé les livres pour accepter le spectacle. Me disant que je ne serais jamais regardée comme d'autres l'avaient été, que ces hommes-là étaient morts. Puisque je n'ai pas la passion du regret, et que la nostalgie est le premier des péchés, j'ai fait le miroir sans arrière-pensées : qu'il décide pour moi.

Le miroir. Qu'est-ce qu'ils voulaient, les types ? Surtout ne pas avoir d'enfants. Là-dessus, j'étais providentielle pour eux, ce n'était pas au programme. Ensuite être respectés pour l'argent qu'ils gagnent. Je n'ai aucun respect pour l'argent, je préfère le luxe, c'est-à-dire sa dilapidation. Or, ils n'étaient pas prêts non plus à se ruiner. On avait même forgé cette expression impayable, « gestionnaire de patrimoine ». J'adore ; on dirait que tous ces gens ne savent pas qu'ils vont mourir. Voulaient-ils du sexe ? Oui, indiscutablement, mais pas au point de se démener mentalement pour le rendre encore plus excitant ; les vrais tordus intéressants, ceux qui jouent sur la volonté et l'emprise, sont assez rares.

Il faut dire qu'en face, ils trouvent plus souvent qu'à leur tour des cruches insensibles. L'un des moments où j'ai cru comprendre quelque chose du monde où l'on entrait, ma percée conceptuelle, mon Eurêka, c'est lorsque j'ai réalisé que des filles qui allaient maquillées au bureau, avec des tailleurs impeccables, avaient l'habitude en retrouvant leur mari le soir de se « mettre à l'aise », comme elles disaient, c'est-à-dire d'enfiler des baskets et un survêtement. *Alors qu'il aurait évidemment fallu faire l'inverse.* Tenue informelle dans la journée pour vendre sa force de travail à l'employeur, décolleté et champagne pour la soirée. Là-dessus, je suis la reine du contre-pied, on peut compter sur moi pour la jouer grand soir dès que la nuit tombe.

Question suivante : veulent-ils des salopes ? Cela se discute. La faucheuse des prés, la riveteuse de clous, la Marlène à la voix rauque les effraie manifestement. Pas trop d'indépendance, pas trop d'ascendant, pas trop de plumes d'autruche. Ce qu'ils aiment assez, c'est la petite commode à leur main, le genre soumise de bureau. Heureusement pour elles, on a voté depuis des lois anti-harcèlement. Dans l'ensemble, ils sont assez prévisibles. Si l'on veut faire sa salope, il faut sortir quelques trucs minimaux. Ils se méfient des traînées ostensibles. Le bon profil, c'est la blonde à serre-tête qui cache la braise sous la soie. Une allure de présentatrice de journal télévisé, juste assez stricte pour faire chic, mais donnant des signes de malice délicieusement dévoyée. La façade claire doit comporter des fenêtres ouvrant sur des chambres prometteuses. Lumière dans l'œil, réserve dans la conversation, mais seins entrevus à l'échancrure de la veste. Robe noire à bretelles, avec un détail, mais un seul, qui suggère autre chose. Deux centimètres de talons en trop, ou trois centimètres d'ourlet en moins, une broche *flashy*, ou des boucles d'oreilles légèrement Esméralda. Le détail doit clignoter comme une lumière rouge dans la rue borgne d'une ville hanséatique. Ils perçoivent la loupiote allumée, leur paupière de mammouth se soulève, le mécanisme de leur machine à testostérone se dérouille.

Un petit geste n'est jamais malvenu. Sortir le bâton de rouge et le promener sur ses lèvres, ou souffler sur sa mèche, ou tirer discrètement sur sa jupe, ou balancer négligemment l'escarpin au bout du pied. Déclarer que l'on a chaud. Soupirer d'un air attentiste et rêveur.

Mais le meilleur accessoire de votre beauté, c'est encore leur vanité. Il n'y a pas un mâle qui résiste à un éloge lyrique de ses qualités. Dites-lui combien il est exceptionnel, unique, magique. Apprenez à occuper avec des arrière-pensées sexuelles la place de la mère approbatrice. Vous le verrez se rengorger, danser sur sa chaise, s'épanouir comme un pétunia en période de floraison. Gardez comme botte secrète l'usage de la douceur. Ils sont tellement habitués à traiter avec des viragos que leur salut réside dans la quête de la suavité et de l'exotisme, les deux pouvant se combiner en une seule personne. Soyez cette personne, c'est-à-dire l'équivalent d'une Orientale intelligente. Préparez-vous à l'attaque des Chinoises en devenant l'une d'entre elles. Epiez, à l'occasion, les conversations des hommes entre eux. Vous constaterez qu'ils ne se plaignent jamais des imperfections des femmes. Au contraire, ils sont touchés par leur faillibilité, par ce qui les rend humaines.

Soyez humaines.

PIERRE

Pendant la première année de notre mariage, Isabelle fut sujette à des extases ménagères se traduisant par des poussées de fièvre déco : rayonnages dans le couloir, table basse du Comptoir de la Chine, tableautins achetés aux Puces, plantes grasses du Marché aux Fleurs. Elle prenait plaisir à organiser des dînettes pour nos amis. Nous étions jeunes et mariés, partageant cette condition enviable avec d'autres couples dopés à la liste de mariage et à la feuille d'imposition commune. Je lui apportais le café au lit dans un service donné par sa tante, nous dormions dans des draps offerts par mon oncle. De façon générale, Isabelle se comportait comme Marie-Antoinette aménageant le Hameau de la Reine pour ses moutons. Prête à applaudir aux petites surprises de la vie et adorant défaire les nœuds des paquets-cadeaux.

Je ne pus que remarquer, en revanche, une certaine baisse de tension sexuelle. Comme si les démonstrations expertes auxquelles Isabelle se livrait dans les mois précédant le mariage avaient porté leurs fruits. Le dimanche matin, elle se réveillait tard et passait plus de temps dans son bain que dans son lit. Le soir, elle avait souvent sommeil. Isabelle était mariée, plus besoin de s'exciter ? Il serait pourtant injuste de dire qu'elle me délaissait, car elle partageait avec ses copines l'opinion selon laquelle le sexe doit être impérativement réussi, sous peine de voir le mariage filer à vau-l'eau. Mais j'avais le sentiment, de plus en plus net, que cette réussite-là prenait place dans la panoplie des performances de la nouvelle épouse modèle, indépendante financièrement, dessalée sensuellement, parfumée en toute circonstance, régnant sur un parc électroménager qui assurait à coups de programmations, de pyrolyses et de prélavages la concorde dans la penderie, la cuisine et le couple. Nous avions embauché une femme de ménage. Isabelle lui donnait des instructions avec les intonations sucrées mais fermes d'une jeune marquise ravie de sa nouvelle suivante.

C'était l'époque, je parle de 1988, où il fallait devenir américain. Des restaurants high tech sur la rive droite et l'île de la Jatte, des lofts du côté de la Bastille, des vestes Donna Karan, les premiers téléphones portables. Mais il se passait aussi des choses en France. Au mois d'avril, je fus temporairement détaché auprès de la CNCL, avec d'autres jeunes fonctionnaires de la Culture, pour aider à la supervision des enregistrements télévisés de la campagne officielle des présidentielles. Plusieurs studios de la Maison de la Radio avaient été aménagés à l'identique, car le principe d'égalité devait être strictement respecté : les mêmes tables, les mêmes chaises, le même temps d'antenne. Un membre de la CNCL se tenait en régie, secondé par son assistant temporaire.

Les candidats qui n'iraient pas au second tour prenaient un certain plaisir à jouer avec le règlement, comme on poserait des boules puantes. Parfois au sens propre. Antoine Waechter, l'écologiste, se présenta à l'enregistrement flanqué d'une petite équipe dévouée qui transportait deux boîtes. « Regardez, me dit le technicien qui suivait leur arrivée depuis la régie, c'est comme Guy Lux. » Je lui demandai ce qu'il entendait par là. « La perruque », précisa-t-il. Les écologistes, cependant, installaient leurs accessoires sur la table du studio, ainsi qu'il leur était permis de le faire : en l'espèce, placés côte à côte, un plateau de fromages et un hamburger posé sur une assiette. Les fromages étaient variés, frais, onctueux. Le hamburger, lui, particulièrement spongieux : un assistant de Waechter prit la peine d'en faire saillir une feuille de salade d'un vert douteux. Le propos du candidat était d'affirmer que la France ressemblait aujourd'hui à ce plateau de fromages – riche, naturelle et diverse –, mais qu'elle menaçait de devenir demain ce hamburger répugnant. Le facteur imprévu, c'est que le temps où le studio était à disposition pour plusieurs prises, une heure d'horloge, combiné avec la chaleur des spots lumineux frappant un plateau exigu, eut pour effet en fin de tournage de ramollir, puis de faire fondre les fromages, lesquels dégageaient une odeur qui fut d'abord pittoresque, puis désagréable, enfin pestilentielle. La grille de rotation des enregistrements faisait succéder à Waechter, dans ce même studio, le candidat communiste André Lajoinie. Lorsqu'il y pénétra, entouré de ses conseillers, ce fut pour en ressortir aussitôt, le nez pincé, proprement écœuré par les miasmes fromagers que les écologistes avaient laissés derrière eux. Il fallut solliciter une pause, que des agents d'entretien munis de sprays désinfectants mirent à profit pour rafraîchir l'atmosphère. C'est la seule fois de ma vie où j'ai assisté à la tentative d'intoxication d'un hiérarque communiste par de petits hommes verts.

Jean-Marie Le Pen aimait, à la télévision comme ailleurs, se tenir sur le fil de la légalité. Le règlement de la CNCL autorisait les candidats à s'entourer d'invités de plateau, dans la limite de cinq personnes. Le Pen fit donc installer au milieu du studio un écran vidéo sur lequel apparaissaient l'un après l'autre six comparses qui avaient préenregistré leurs questions, auxquelles il répondait. Comme ces personnes n'étaient pas physiquement présentes sur le plateau, la limite de cinq invités ne lui était pas opposable. De même, le règlement interdisait aux candidats d'installer derrière eux un drapeau tricolore. Le candidat du Front National fit disposer devant lui des roses rouges et blanches, et apparut en complet bleu. Les couleurs nationales étaient chromatiquement présentes à l'écran, mais pas sous forme de drapeau : on ne pouvait rien lui objecter. En revanche, il fallut visionner image par image le clip qui ouvrait, par enchaînement hyper-accéléré d'images fixes, chaque intervention de François Mitterrand. On y détecta un drapeau tricolore : celui que tient à bout de bras la Liberté guidant le peuple dans le célèbre tableau de Delacroix, dont une reproduction était insérée au milieu du clip. L'image fut ôtée, de même qu'une photographie du général de Gaulle, utilisée sans l'accord des ayants droit.

Je vis à deux reprises François Mitterrand en action. Lors de sa première intervention, il avait choisi d'être interrogé par Patrick Poivre d'Arvor. Le Président arriva à la Maison de la Radio suivi d'un petit groupe qui rassemblait Jack Lang, Jacques Attali, le juriste Jean-Claude Colliard, les conseillers en image Colé et Pilhan, une ou deux attachées de presse. Dispositif minimal. Comme il s'installait en face du journaliste en attendant les réglages techniques, Mitterrand toisa dédaigneusement la table devant laquelle on l'avait assis.

— Elle est moche, cette table, hein ?

— C'est la même pour tous les candidats, lui indiqua Patrick Poivre d'Arvor.

Pendant quelques secondes, le quatrième président de la Ve République parut perdu dans ses pensées ; puis, tout à trac :

— Vous connaissez Ambroise Roux ?

Depuis la régie, micros branchés, on suivait leur dialogue.

— Oui, Monsieur le Président, dit le journaliste.

Mitterrand opina du chef, et reprit :

— Vous savez qu'il mobilise un laboratoire de la CGE pour étudier les tables tournantes ?

— Oui, Monsieur le Président.

François Mitterrand considéra avec un regard attentif la table médiocre devant laquelle on l'avait installé. Puis, clignant des yeux :

— Moi, je ne fais pas encore tourner les tables. Mais ça viendra...

La seconde séance fut plus étrange. Chaque candidat était autorisé à réaliser une séquence en extérieur, dans le site de son choix. Jacques Chirac, assez banalement, se fit filmer au cours d'un meeting. Mitterrand avait retenu la pyramide du Grand Louvre, encore en travaux. C'était un samedi matin. L'équipe technique avait installé ses caméras sous la verrière. Le Président sortant arriva, suivi de la même petite troupe et de ses agents de protection rapprochée, nuques rasées et oreillettes. Le thème de son intervention ? Les droits des femmes. Avec son meilleur air de chapelain qui cache la bonne dans le placard, le Président fit sa première prise. La condition des Françaises... Le progrès social... Le droit à la crèche et au salaire maternel garanti... les combats du second septennat. On coupa les caméras. Alors que le réalisateur et les techniciens se préparaient pour la deuxième prise, Mitterrand avisa le secrétaire général de l'établissement public du Grand Louvre, qui l'avait accueilli et se tenait respectueusement à l'écart, muni d'un énorme trousseau de clés, tel un geôlier médiéval garant de la sécurité des cachots. François Mitterrand se tourna vers Jack Lang :

— On a le temps d'y aller, non ?

Lang approuva.

Aussitôt, le Président se dirige vers l'escalier qui conduit au hall central. Une troupe se coagule à sa suite, Lang, Colé et Pilhan, le secrétaire général du Grand Louvre, les attachées de presse, les gardes du corps, le membre de la CNCL présent ce jour-là, qui se trouvait être Catherine Tasca. Je leur emboîtai le pas, curieux de la suite. On traversa l'excavation aménagée par l'architecte Pei, déjà carrelée mais encore jonchée de gravats. Le Président avançait d'un bon pas, comme s'il était magnétisé par le point vers lequel il se dirigeait. On gravit un escalier au bout duquel se profile un large couloir, presque une galerie. La lumière du jour se raréfie, des appliques murales laissent tomber une faible lueur. Les lampes-torches sont apparues dans les mains des officiers de sécurité, elles balayent le sol devant les pas du Président, qui avance en foulant aux pieds des rais de lumière. Des ombres se découpent sur le sol, on marche soudain sur un plancher de bois. La scène paraît se transporter très en arrière dans le temps. Galeries de la tour de Nesle conduisant vers des embarcadères discrets... Louis XI visitant ses prisonniers encagés... Gueux et courtisans... Lansquenets et condamnés...

Au détour d'une porte, Mitterrand pile, puis fait encore quelques pas avant de s'immobiliser. Un immense espace sombre s'ouvre devant nous, où l'on devine les fondations d'une muraille perdue dans l'obscurité. La lumière est devenue si rare que l'on ne distingue pas de plafond, c'est comme si nous étions au pied d'une forteresse sans pouvoir distinguer le faîte des tours. Il me revient que Paul Féval fait débuter ainsi *Le Bossu*, dans les fossés d'un château par une nuit sans lune...

La petite troupe s'est figée. Les officiers de sécurité, munis de leurs lampes-torches, paraissent porter les flambeaux d'un cortège secret. C'est que la voix de François Mitterrand vient de s'élever au milieu d'un silence de crypte. « Le Louvre de Philippe Auguste », lâche-t-il avec recueillement.

Tel un guide qui serait à la fois le monarque et son chroniqueur, François Mitterrand commence à parler. Les murailles autour de la Grosse Tour... Les transformations de Charles V... Pierre Lescot et les Valois... L'axe de la galerie au bord de l'eau... La colonnade et les jardins de Le Nôtre. Cela dure cinq ou six minutes, sans que personne ne se risque à l'interrompre. La voix n'est plus celle qui parlait du salaire maternel garanti et des places de crèche. C'est une voix chamanique, hantée, vibrante, qui paraît émaner d'un homme s'adressant au fantôme de la femme aimée. Dans la pénombre, le visage de Mitterrand, sculpté par les ténèbres et les lueurs, a pris un relief de médaille. Il parle aux ombres, il se recharge à la pile atomique du passé, là, dans ce champ d'ondes royales, ce sanctuaire chtonien, ces pierres irradiantes. Les âges l'appellent, l'entraînent, galerie, ossements, trésors, il est le prêtre d'Horus dans le mastaba, le pharaon descendu dans sa chambre mortuaire, au cœur de la pyramide...

Demain, vers dix-neuf heures, lorsque la France verra le candidat-président s'exprimer sous la verrière du Grand Louvre, bien peu percevront l'ironie qui consiste à parler des droits des femmes au milieu d'un musée, et personne ne saura que l'enregistrement de son homélie a été accompagné d'une séance de spiritisme dans le palais des monarques, au milieu de la vallée des rois. Le salaire maternel garanti? Mitterrand parle d'acquis sociaux, mais les femmes lui sont autres... Ici, au Louvre, les orantes mésopotamiennes, les géantes de Khorssabad, les stèles d'Hatchepsout, l'*Athéna* de Phidias et l'*Aphrodite* de Callimaque... Icônes de marbre... Reines de pierre... Idoles aveugles pétrifiant les chairs vives... Grande

Mère primitive installée dans le sépulcre, attendant le sacrifice sanglant des fils. A l'extérieur, les agences de presse, les rotatives des journaux espèrent la dernière petite phrase, la nouvelle péripétie de campagne. Qui sera élu, Mitterrand ou Chirac ? Et qui ira à Matignon ? Rocard, enfin ? Les futurs ministres piaffent, les spéculations tournent. François Mitterrand est là, au cœur de la crypte, abîmé dans la contemplation des siècles, consultant les aruspices de marbre, les entrailles de l'Histoire, guettant les intersignes de la mort... « Je ne fais pas encore tourner les tables, mais ça viendra... »

KARINE

J'affirme que l'on peut quitter un homme à cause de François Léotard. Rémy, mon *golden boy* mirifique, nourrissait pour le personnage, alors ministre de la Culture, mais plus pour très longtemps, une admiration qu'il manifestait à toute occasion.

A l'entendre, Léotard était le cheval de Troie qui dynamiterait de l'intérieur un Etat archaïque, malade du cholestérol de ses fonctionnaires. Lui et ses amis représentaient l'avant-garde politique qui manquait à la France, avançant avec un livre de Hayek dans la main et une liasse d'obligations convertibles dans l'autre (ils me prenaient pour une pomme, mais je savais situer Hayek). Rémy me traîna à plusieurs dîners où des jeunes gens de son âge se gargarisaient de théories champagnisées sur la dérégulation des télécoms, des transports et des services. En réalité, je devinais qu'ils auraient plutôt dérégulé mon serre-tête de velours et mes bas couture. Les filles qui les accompagnaient se partageaient entre des chargées de communication, affichant l'air béat de l'hôtesse de l'air qui couche avec le commandant de bord, et des jeunettes des beaux quartiers qui oubliaient de prendre leur pilule au moment choisi – c'est même étonnant, le nombre de mariages précipités qui ont eu lieu du côté de Neuilly à la fin des années 1980, avec les petites Sybille et les petits Thomas qui naissaient six mois après la cérémonie. Bref, tout ce monde-là voguait vers l'aube d'un temps nouveau, où le *líder maximo* Léotard offrirait des pervenches à Nancy Reagan en dansant la carmagnole avec des millionnaires chinois de Hong Kong, des tycoons de la télé et des experts thatchériens de la déréglementation ferroviaire.

J'affirme donc, d'expérience, que le léotardisme a pu avoir une influence néfaste sur la vie sexuelle de certains de ses adeptes. Tous ces prêches de curés mangeant leur missel ont commencé à me défriser. J'avais connu les cocktails Aristote-Supradyne, j'en étais arrivée au Madelin-Roederer. Rémy avait beau adorer les KF et porter des manteaux Armani, il commençait à me gonfler. Je ne me suis pas posé trop de questions, mais j'aurais pu le faire. Si je récapitulais mes histoires, Edouard me trompait avec une seringue, Enrique avec un homme et Rémy avec des cours de Bourse. Il était temps de tirer le rideau. Le plantage de Rémy a été le moins douloureux des trois. Quelques coups de téléphone, une bonne scène où je l'ai insulté sous je ne sais quel prétexte, il n'a pas insisté. Quelque temps plus tard, il est réapparu avec à son bras une certaine Françoise, une petite brune portant des robes volantées qui la transformaient en abat-jour. Pour un homme qui aimait actionner les femmes comme un commutateur électrique, c'était opportun. Bon vent.

C'est alors que je me suis providentiellement stabilisée. Comme l'écho de la Movida madrilène arrivait en France avec plusieurs années de retard, une copine me demanda d'écrire une chronique dans le grand mensuel de mode où elle travaillait. Il m'a suffi de rassembler quelques souvenirs pour trousser ce papier, le premier que j'aie jamais rédigé. On me trouva des qualités d'*insider*. J'en écrivis un autre, puis un autre. L'époque était faste, avec une explosion des budgets de pub sans précédent dans la presse. Quelques mois plus tard, je fus engagée comme rédactrice pour ce magazine. J'avais enfin des ressources et une carte de visite professionnelle.

On me colla dans un petit bureau que je partageais avec Arielle, une adorable rousse qui couvrait les arts et les spectacles. Elle professait que la rédaction d'un magazine féminin ressemble au Club Méditerranée . il suffit d'être volontaire pour participer aux activités. En sachant ménager quelques susceptibilités, on pouvait passer de l'atelier mode à l'atelier voyages, et de l'atelier voyages à l'atelier vanités. Etant compétentes sur tout et instruites de rien, continuait-elle, la voie est large.

Pendant les premiers mois, j'enchaînai un entretien avec Jacqueline Bisset (chambre de l'hôtel de la Trémoïlle, l'actrice couchée sur le lit, en appui sur un bras, et moi assise sur la moquette, le magnétophone entre nous), un reportage sur les plages de Phuket (avec en back-up des photos insistantes du luxueux hôtel-resort qui offrait les nuitées), un portrait d'Emanuel Ungaro (atelier de l'avenue Montaigne, éloge d'Anouk Aimée et de sa femme, passion pour Richard Wagner), une visite guidée du château de Belœil (légende du prince de Ligne, « la vie est un rondeau », feuilles d'acanthes et trumeaux). Tout cela était plaisant et obéissait à une sorte de loi du marché. Comme le nombre de personnages s'estimant dignes de remplir les pages des journaux en excède le volume, la demande est constante. Mais comme le nombre de ceux susceptibles d'intéresser les lectrices ou de drainer de la publicité est moindre, le choix se concentre sur la crème de la crème. Si vous êtes une rédactrice inconnue s'autorisant d'un magazine réputé, vous avez accès aux stars. Au bout d'un certain temps, lorsque vous êtes bonne et que votre réputation croît, c'est l'entourage de la star (son attachée de presse) qui sollicite votre signature. Vous avez alors l'illusion de dialoguer de puissance à puissance, ce qui est excellent pour la vanité et profitable à la carrière.

Dès le début, j'ai eu le sentiment d'avoir trouvé ma chose. Mon maître est un homme : Addison de Witt, le personnage incarné par George Sanders dans *All about Eve*. Un chroniqueur de théâtre new-yorkais qui promène son fume-cigarette au milieu des avidités, des engouements, des triomphes et des faillites. Toujours au sec, il peut disserter élégamment sur la cruauté du destin en occupant les meilleurs fauteuils.

J'avais trouvé mon fauteuil.

Pour l'argent, j'ai appris à me débrouiller seule. Si l'on peut dire. Un salaire de journaliste de mode, quelques piges rédactionnelles ici et là, des textes de catalogues non signés. Mais je bénéficie d'une assez active économie de transfert avec le concours de deux financeurs :

1) Les hommes : je n'insisterai pas, mais il s'en trouve toujours selon les saisons pour avoir la cour-

toisie de sortir leur carte de crédit. On ne va tout de même pas leur reprocher leur bonne éducation. Sans compter le bénéfice psychique non négligeable qu'ils tirent de l'acte de payer. Il est même étonnant de voir combien certains d'entre eux tiennent à se comporter comme le service de communication d'une grande entreprise en période de vœux. De sorte qu'il n'est pas absurde de les considérer comme un sous-ensemble de l'industrie des loisirs, fournissant des prestations chiffrables en billets d'avion, nuits d'hôtel et petites étoles de cachemire. Une clause de réserve pour moi : Rémy m'ayant immunisée contre les KF, je ne marche pas aux signes extérieurs de richesse. C'est plus compliqué, mais j'aurai le temps de m'expliquer.

2) L'industrie du luxe : le luxe se chiffre cumulativement par envoi de parfums, de sacs, d'échantillons promotionnels de toutes sortes. Des soldes de presse, des fringues bradées, des petits cadeaux obligeants. Plus une kyrielle de déjeuners et soirées dans les meilleurs endroits, des séjours au bout du monde pour tester le nouveau spa ou le dernier hôtel tropical. C'est normal. Il faut palper l'étoffe pour la connaître, respirer le flacon pour apprécier la fragrance. Tout de même, au début, j'ai été estomaquée. Au moment des collections ou de la présentation printanière de nouveaux parfums, j'aurais pu installer une réceptionniste à l'entrée de mon appartement.

Plusieurs fois par jour, des coursiers livraient des paquets festonnés de nœuds charmants, des cartons assortis de bouquets de fleurs, une vraie noria de cadeaux pour la diva que vous étiez. Et le papier de soie, et la ficelle dorée... Mariage royal ! Puttin' on the Ritz ! Des kilos de cosmétiques, flacons en verre dépoli, foulards, exemplaires à votre taille du nouvel escarpin, petit gilet avec mot manuscrit du couturier. Et les lancements somptueux, voyage en Chine pour le nouveau jus oriental, gondole à Venise pour la senteur italianissime, hélicos au-dessus de la Loire pour une fête française – bouquets, bulles, parterres, fusées –, tout le pack cliquetant des rédactrices gâtées pourries se ruant sur la manne avec des mines avides et blasées, palpant, évaluant, dénigrant, roucoulant, adorant, haïssant, débordées, lassées, tutoyantes, saisies de terreur à l'idée que tout cela s'arrête un jour, repartant de plus belle, ruban, papier de soie, illusions, ficelle dorée, dévoilements, « Où est mon petit cadeau ? » – j'avais entendu une fille dire ça un jour, sans se rendre compte qu'elle parlait comme une pute.

En fait, j'adorais être la choyée de ces couturiers qui préfèrent les hommes et vous traitent *professionnellement* comme aucun homme ne traite plus une femme, coursier, porteur, dring-dring, une invitation, une boîte à nœud rouge, voyage de presse à Bali, caisse de champagne, taxi à votre porte, sans me soucier du fait que dans la même matinée soixante-dix rédactrices reçoivent à travers Paris les mêmes faveurs. Les maisons étaient en perpétuelle concurrence, en avant pour la surenchère et la paranoïa, le potlatch s'emballait, il fallait faire toujours plus fort, toujours plus haut, disposer les plus belles cornes d'abondance au-dessus de nos petites mains tendues. Ce n'était plus un métier, mais une drogue, une fête perpétuelle où vous deveniez le cobaye chéri de toutes les dépenses, de tous les luxes promis. Le pouvoir prescripteur de la presse, comme ils disent... Les rédactrices transformées en femmes-sandwiches, en paravents éloquents où l'on déchiffre les nouveaux diktats qui frappent au portefeuille. La tendance, les tendances, la terreur de rater le dernier oripeau qui s'ajoutera aux autres pour masquer l'avancée de l'espèce vers le trou... Le feston affolé, l'artifice qui voile, le règne de l'uniforme maquillé en éloge de l'unique, les magasins qui débitent, les groupes cotés à la Bourse, les rachats, que dit New York, est-ce que Milan suit, comment réagissent les marchés asiatiques ?

Qui travaille un peu sérieusement sur le thème sait que les tendances, puisque c'est le mot, servent à périmer dans les meilleurs délais la garde-robe antécédente pour convaincre, au-delà de tout besoin, les adeptes terrifiées qu'elles sont hors note, *has been*, pétrifiées de ringardise si elles ne deviennent pas le portemanteau de la nouvelle allure, du dernier fétiche : qu'elles refusent d'adhérer et le temps les clouera comme des chouettes à la porte d'une grange. Le parti de la tendance est le premier mouvement politique occidental, des millions d'adhérentes à l'affût des mots d'ordre, fanatisées par la peur de rater le dernier train, confiant sans barguigner leurs économies aux marchands de chiffons qui les culpabilisent avec la complicité permanente des miroirs. Une secte géante, en fait, une secte servie par des milliers de prosélytes actifs, agents de publicité, gourous des ondes, rubriques télévisées, actrices, icônes en vue.

Rien ne m'amusait plus que ces jeunes actrices professant des opinions progressistes qui, dans les cas les plus enflammés, auraient dû les vouer, si elles s'étaient vêtues en accord avec leurs convictions proclamées, à la toile rêche des uniformes nord-coréens, mais qui apparaissaient tout naturellement sur les marches de Cannes en robes de grands couturiers, scintillantes et endiamantées. Même regimbeuses, elles étaient des vestales de la secte, et pas les moins efficaces. Quant aux opinions dissidentes, elles se voyaient impitoyablement muselées. Que l'on se risque à démolir une collection, que l'on décrie une nouvelle poudre de perlimpinpin, et la réaction tombe aussitôt : asphyxie par blocus publicitaire. N'importe quelle recrutée est dans les vingt-quatre heures de son arrivée initiée à ce mystère d'Eleusis : si tu critiques les vaches sacrées, elles ne donnent plus de lait.

La conclusion que j'en tire ? J'adore cet univers, non seulement parce qu'il étouffe sous les dentelles ces mœurs de jungle qui rendent toute vie difficile à traverser, mais parce qu'il avoue jusqu'au nerf la part florentine, baroque et meurtrière de notre existence. J'ai trouvé plus de vérité dans ces mensonges que dans les proclamations des chevaliers du bien qui chevauchent notre époque comme une jument corvéable. Le regard de la jeune fille suivant des yeux la robe magnifique qui passe sur le podium, le visage nostalgique de la femme mûre qui sait qu'elle ne pourra plus la porter, tout cela dit quelque chose d'humain. Les fêtes de l'illusion et le moment où les lumières s'éteignent, la chanson de la vie comme elle va et vient...

CLAIRE

J'avais pris l'avion pour Lisbonne. La fondation Gulbenkian organisait un colloque sous le titre « Figures de l'hétéronymie ». On devait y débattre des écrivains qui ont utilisé différents noms d'auteur au cours de leur vie, en confrontant les raisons pour lesquelles ils y ont eu recours. Ruse avec l'état civil ? Vertige des identités multiples ? Schizophrénie expérimentale ? Canulars vengeurs ? Résistance à une dictature ? Jeux de masques et de faux-semblants ? En réalité, l'opération visait, du côté portugais, à conforter la stature du grand écrivain national, Fernando Pessoa, qui avait signé des ouvrages sous les pseudonymes d'Alberto Caeiro, Alvaro de Campos ou Ricardo Reis.

J'étais invitée, au titre de l'université Paris VII, à prononcer une communication sur les différents noms de plume de Henri Beyle, Stendhal n'étant que le plus connu. J'intervins en fin de matinée, le premier jour du colloque. Pour le dire vite, je m'efforçais de montrer que l'usage de l'hétéronymie, venue d'un XVIIIe siècle libertinant, et protégeant à l'occasion sa respectabilité de haut fonctionnaire, prenait chez Stendhal l'aspect d'une indécision des possibles, particulièrement enivrante pour un écrivain du bonheur fugace et des commencements réitérés. Il me semble que mon propos fut bien reçu.

Dans l'après-midi du deuxième jour, un autre intervenant français présenta un exposé sur les hétéronymes de Romain Gary, né Roman Kacew, qui signa des livres sous les identités postiches de Shatan Bogat, Fosco Sinibaldi ou Emile Ajar. L'orateur rappela que Gary avait confondu ses détracteurs en rusant avec eux, mais il développa aussi l'idée qu'un homme du grand voyage peut traverser les identités comme autant de paysages intérieurs, cherchant en lui-même les imprononçables noms de la divinité perdue. Je fus frappée par l'implication, la subtilité, la présence de Daniel Herrmann. Pour moi, son nom n'était qu'un nom. Je savais qu'il avait publié chez Gallimard plusieurs micro-analyses biographiques, dans lesquelles il mettait en relief les profils méconnus d'auteurs tels que Walter Benjamin et T.S. Eliot, Paul Celan ou Alejo Carpentier. L'homme qui était apparu à la tribune paraissait trentenaire (il avait trente-sept ans). Brun, une barbe de trois jours, Daniel Herrmann s'exprimait avec une précision calme, tout à son sujet. Il émanait de lui ce qui m'a toujours séduite chez les autres : une forme d'engagement romantique dans le savoir.

Le soir même, une réception était donnée par le ministre de la Culture dans un vieux palais lisboète. A travers les salons aux plafonds caissonnés, aux murs couverts de tapisseries, la foule des colloques vaquait : pères nobles, pasionarias de service, chauves chevelus, jeune garde à l'affût. Je m'étais faite plus pimpante qu'à l'habitude, avec une robe cintrée, des escarpins à hauts talons. Lorsque je repérai Daniel Herrmann, l'air désœuvré près d'une table de buffet, je sentis mon cœur battre plus fort. Contre toutes mes habitudes, j'ai marché vers lui et je l'ai abordé.

Il me parla aussitôt de ma communication de la veille ; il ignorait que Stendhal eût signé en langue anglaise dans le *London Magazine* sous les initiales de PNDG, ce qui voulait dire « le petit neveu de Grimm ». En même temps que Daniel Herrmann évoquait ce point, je le dévisageais. De beaux traits légèrement creusés, quelques ridules près des pommettes, voix grave, un œil qui paraissait vous regarder du fond de l'expérience. Il me sembla que Daniel m'avait tout de suite photographiée, fixée, et je restais là, devant lui, avec la certitude que cet homme était fait pour moi.

Il m'a simplement dit, comme si ces mots avaient déjà été prononcés, cette scène déjà vécue :

— Nous n'allons pas rester là, n'est-ce pas ?

J'ai compris autre chose, j'ai cru qu'il avait dit « Nous n'allons pas *en* rester là ? », et c'est exactement ce que je voulais entendre. Et puis j'ai eu peur qu'il tourne les talons et me laisse, seule à nouveau, alors j'ai simplement dit cette chose aussi vraie que le désir que j'en avais :

— Non, on ne va pas en rester là. Emmenez-moi avec vous.

Une fois dans la rue, Daniel a hélé un taxi. Je ne savais où il me conduisait, et peu m'importait dès lors que j'étais avec lui. Le véhicule nous a laissés à l'entrée d'une ruelle du Bairro Alto.

— Vous voulez marcher un peu ? a-t-il demandé.

J'étais prête à faire tout ce qu'il voulait.

Nous avons suivi la rue. Des odeurs de sardine grillée flottaient dans l'air. La nuit était tiède.

— C'est curieux, a dit Daniel, il faut venir ici pour faire des choses que l'on ne fait pas à Paris.

— Par exemple ?

— Vous rencontrer, a-t-il répondu comme si cela allait de soi.

Daniel a proposé de prendre un café. Nous sommes entrés dans un bar. Les murs étaient recouverts de céramique bleue, une radio jouait des airs de fado.

Assis à une table, nous avons commencé à parler. Je ne sais plus ce dont Daniel m'entretenait, peu importe, je ne voyais que ses yeux très noirs, ce visage d'homme, avec en moi l'envie d'être serrée entre ses bras, j'avais traversé des années de désert pour tomber sur lui, il me regardait, et sa virilité me donnait le sentiment d'être belle.

Nous sommes ressortis dans la rue. J'ai pensé que Daniel devait résider à l'hôtel où les participants du colloque étaient accueillis, mais je n'en étais pas sûre.

Une volée d'escaliers descendait vers la ville basse. Au loin, on voyait scintiller les lumières du port. La brise atlantique amenait avec elle un parfum d'océan.

Nous avons commencé à descendre les marches, et j'ai trébuché. Daniel m'a rattrapée par la main, mais ne l'a pas relâchée. Nous avons fait quelques pas, la main dans la main, et c'était pour moi comme l'enchantement d'un premier matin. Puis il s'est arrêté et m'a tout de suite embrassée. Mes mains ont trouvé sa nuque, je lui rendais passionnément son baiser, les jambes flageolantes. Je ne pouvais croire qu'un amour me soit rendu, que ce soit le sien, et plus que tout j'avais envie de cet homme, qu'il me prenne comme je ne l'étais plus, je crois que je le lui aurais dit avant la fin de la soirée s'il ne m'avait prise dans ses bras.

Nous avons encore marché, presque sans parler, jusqu'à la place du Rossio. L'hôtel était situé dans une rue adjacente. J'ai suivi Daniel dans sa chambre, éperdue de pur désir. Il m'a doucement inclinée sur le lit et a commencé à me déshabiller.

Quinze jours plus tard, Daniel m'a dit qu'en me regardant parler lors du colloque, il avait pensé que j'étais exactement selon son désir. Brune, vive, évoquant une « nostalgie érotique », c'était son expression. Daniel, j'en ai été si indissolublement proche qu'il m'est difficile de le décrire. Ses textes, quand on les lit en filigrane, donnent des clés. Son père, un antiquaire de Strasbourg, avait épousé après la guerre une jeune réfugiée hongroise. Daniel écrit quelque part que l'Alsace et la Hongrie sont des pays où l'on trouve des maisons à tuiles colorées et des auberges de rivière. Il a dû savoir, très tôt, que le langage peut représenter l'absence : une partie de sa famille maternelle était restée de *l'autre côté.* Daniel a fait des études de lettres, puis passé le concours d'administrateur de l'Assemblée nationale. C'est un métier commode : requis pendant les sessions parlementaires, il peut le reste de l'année retourner à ses livres.

Encore qu'il ait consacré un essai au poète Endre Ady, Daniel vit l'empreinte hongroise sans folklore. Ce qui s'appelle Hongrie, chez lui, c'est plutôt le domaine abstrait des choses perdues, la nostalgie de l'immatériel qui a fui. Dans ses écrits, je remarque parfois un trait de modernisme 1920. Lorsqu'il note, par exemple, que « les femmes en noir et blanc sont aussi mystérieuses qu'un damier », c'est une phrase qui évoque l'esprit d'un Budapest de film muet.

De façon générale, Daniel aime repérer chez un écrivain le tuf, les tissus interstitiels, tout ce qui affleure sous la surface. Son goût des étymologies lui fait sentir les mots dans leur résonance élargie, originaire. Au fond du temps aussi, il y a un *autre côté*. Daniel a consacré un livre entier aux descriptions inaugurales, aux diverses ressources que le langage trouve en lui-même pour catégoriser l'inconnu ; il y étudie les récits des grands navigateurs du XVIe siècle, les nomenclatures des naturalistes du XVIIIe, la description des usages de l'atome après 1945.

Ses goûts musicaux sont à l'unisson. Ce qui le touche le plus profondément, ce sont les musiques vocales du Moyen Age ou de la Renaissance, Hokeghem, Roland de Lassus ou Gesualdo. Il a des mains de luthier. Sa chose, je crois, c'est de déceler dans la vie organique tout ce qui se subtilise, s'élève, se fait immatériel à partir d'une texture : l'esprit du vin, le son des violons, les mots de l'encre. La musique de Gesualdo, pour lui, figure des architectures de voix qui semblent libérées du corps pour monter vers le ciel. Daniel regarde la robe d'une femme comme un idéogramme, pour sa qualité graphique. Quand il contemple un tableau, c'est comme s'il cherchait dans la pâte de la matière peinte un interstice permettant de passer de *l'autre côté* de la toile.

Je crois qu'il voit la vie ainsi : un puzzle d'apparences verrouillées par la raison et le langage, pour parer à la menace d'une dislocation qui vous mettrait au contact de la chose même. En fait, Daniel est très concret, il allume un feu comme personne et pourrait rempailler une chaise. Dans les années 1990, il a créé une certaine émotion en publiant un essai intitulé *Enfants vaudous et rois lézards*, consacré aux rapports que le rock entretient avec l'expérience de la lisière et du cri. On s'est étonné que cet amateur de polyphonies médiévales puisse écrire sur l'album *Nevermind* de Nirvana. Les pages où il démontre pourquoi Kurt Cobain était un gnostique qui s'ignore sont particulièrement brillantes.

Je voudrais parler de Daniel et je tourne autour de ses livres. Mais il est entré dans ma vie comme un livre que l'on ouvre et qui vous donne du temps. Etions-nous un couple d'intellos ? Difficile de dire le contraire, mais Daniel reste pour moi, je le répète, un homme de la main. Il y a quelque chose de vital, de charnel dans sa façon d'être. Les moines du Moyen Age exaltaient par leurs graphies, leurs volutes à l'encre d'or, la présence de Dieu dans les phylactères. Leur main parlait pour leur foi. Avec moi, je dirais qu'il est érotiquement religieux. *Religo* : j'enlace. Le lieu où je l'ai trouvé, c'est celui du secret : des volets clos, une nudité native, un homme et une femme arrachant à la mort ce qu'elle ne leur prendra pas, le temps où ils ont vécu ensemble. Personne avant lui ne m'avait parlé de ma voix. Nous avons vécu très quotidiennement la vie courante, parce qu'elle est la nôtre et qu'il faut l'habiter. Dans l'un de ses essais, il écrit ceci : « Si l'on est assailli par ce mélange douloureux d'évidence et de bonté auquel est lié l'exercice de l'intelligence souveraine, alors il reste un recours qui touche à l'ordre de l'ascèse autant qu'à celui de la grâce : c'est la joie, accueillie comme une épiphanie, vécue comme un mouvement. Il faut devenir un chant. C'est le seul salut. »

J'espère entendre un jour ce chant.

KARINE

A cette époque-là, on a commencé à raconter que j'étais une croqueuse d'hommes. Total contresens. Je serais plutôt une nonne de la renonciation. Une flagellante de l'amour impossible. Il faut que je m'explique. Là, je fais une pause pour commenter le film.

Sans trop me le dire, j'ai renoncé autour de l'âge de trente ans à l'idée que je serais un jour l'épouse de quelqu'un. J'ai avec le mariage les mêmes rapports que certains avec le permis de conduire : trop de sorties de route dissuadent de se mettre au volant. A un moment, les noces des autres m'ont donné le sentiment de regarder un film en boucle. La mariée, à la fois troublée et très femme – cela faisait quelques années, en règle générale, qu'elle vivait avec l'homme qu'elle épousait –, rayonnait de son rêve de petite fille enfin réalisé, malgré la vie moderne, la désillusion des autres, le suranné du rituel : un mariage en robe blanche avec bal et gâteau. Moi, j'étais la silhouette en tailleur rose derrière l'épouse, parmi le groupe des vieilles copines pépiantes et exaltées ; on avait l'air de sautiller de perchoir en perchoir comme des perruches dans une cage. En fait, personne n'accordait vraiment d'importance profonde à l'événement. C'était une fête qui rappelait la précédente et en précédait d'autres. Tout de même, on sentait le scepticisme monter. Au moment où les époux se juraient fidélité éternelle, nombre de regards dans l'assistance se portaient vers les arcs-boutants et les vitraux. Très jolis, les vitraux, nous avons en France de grands maîtres verriers.

Le soir, pendant le dîner, il y avait toujours un ami du marié qui me faisait du gringue, affichant invariablement l'air du trentenaire content de lui. C'est curieux, l'allégresse avec laquelle les gens partent vers l'abattoir de la vie. Ces types qui étaient satisfaits, et même ramenards, parce qu'ils avaient fait Sup de Co et qu'une entreprise acceptait d'exploiter leur énergie. Ils ne sentaient pas qu'une porte se refermait sur eux, leur jeunesse, les nuits sous la lune... Des filles se pendaient à leur cou, comme on accrocherait un ex-voto sur un fronton de banque. Pas très affranchies, pas très lucides, au fond, gavées de toutes les fables qu'on leur raconte depuis la nursery à propos des hommes, ces étrangers qui ont de grands nez et de longues cravates. Elles aspiraient encore au jardin enchanté. Elles étaient parties pour la chasse à la licorne.

Il faut que j'explique le truc de la licorne. Cet animal mythologique a sans doute de grandes vertus, mais l'inconvénient non moins certain de ne pas exister. Je constate que nombre de mes sœurs amazones se sont équipées de lassos et d'appeaux pour traquer cette bête rare, et qu'après l'ascension de plusieurs sommets himalayens, au terme d'années de battues intenses et pathétiques, elles se plaignent de ne pas l'avoir trouvée. Où sont donc les licornes ? Par moments, j'avais l'impression qu'elles regardaient les hommes avec l'appareil perceptif d'un robot Terminator, paramétrage du réel par cases électroniques qui clignotent lorsque le logiciel a reconnu une forme. A leur goût, il aurait fallu que toutes les cases clignotent en même temps, la case « beauté », la case « fric », la case « bon coup », la case « géniteur attentif », la case « gentleman », la case « séduction éternelle ». Mais le clignotement simultané des paramètres, c'est comme la licorne : vous avez le temps de sécher sur place avant de les rencontrer jamais.

La théorie de la licorne et celle du Terminator ont fait des ravages dans les rangs des filles nées en Occident à l'orée des années 1960. Telle une armée de Diogène en jupons, elles se promenaient lanterne à la main en cherchant un homme. La mèche brûlait bien et donnait de la lumière, mais la définition de la proie reposait sur des prémisses erronées. Où sont donc passées les licornes ? Où sont les hommes ? Il n'y en a plus. Bouh, comme c'est injuste et cruel et incompréhensible. A défaut, il restait à se venger sur celui qui passait à votre portée et n'appartenait manifestement pas à la race des licornes. Haro sur le petit ami, le mari, le compagnon ! Il ne répond pas aux contes de fées, à l'image de synthèse que vous avez fabriquée ? Son compte est bon. On va le cuire et recuire à petit feu, lui arracher les élytres, le dépecer ferme. Enrôlez-vous dans le syndicat des Erynies qui, ruse minimale de l'époque, offre à ses adhérentes la panoplie complète de la victime.

Là-dessus, je suis une sainte à cilice, une vestale de l'abnégation. La gymnastique qui consiste à dissocier une liaison sexuelle d'un engagement sentimental ne s'apprend pas dans les salles de stretching. Je sais bien qu'il n'y a rien de meilleur que de faire l'amour avec quelqu'un qu'on aime. Malheureusement, c'est aussi rare que la naissance d'un destrier ouzbek à Limoges. Du moins, pour ceux qui reviennent sur le marché avec bandages et béquilles, les divorcés, les victimes du cœur, les échaudés du sentiment, ceux qui ont fait leur deuil des grands lagons sous les étoiles. Plaquer, être plaquée, c'est la vie du front. Je ne nie pas qu'il me soit arrivé de rester malheureuse comme les pierres, séchée telle une fleur d'herbier. Mais il faut savoir ce que l'on veut. Est-ce que j'ai envie, moi, de voir s'incruster dans ma vie un type bâté de tout son passé, avec sa mentalité de propriétaire et son stock de manies ? Non. A chacun ses empreintes digitales. Moi, par exemple, je n'aime pas les blonds, ils m'évoquent quelque chose d'un peu Boer, le jeune pionnier avec son chapeau à lacet et ses mules gravissant les collines du Transvaal. Affaire de peau. La peau des blonds a un côté albinos, on voit les veines comme des marbrures rouges sur une roche friable ; au toucher, on dirait l'épiderme d'une souris qui vient de naître. Alors que les bruns, même avec une peau de fille – certains bruns ont une peau de lesbienne –, vous promettent toujours le scénario un peu *wild*, les bisons du cirque de Buffalo Bill.

Je reviens à la sainteté. La déprise. Renoncer pour surmonter, abolir la licorne et le Terminator. La phrase que me citait tout le temps Edouard, selon laquelle « l'amour, c'est l'infini à la portée des caniches », est assez secourable. Mais il y a d'autres leviers. Mon ascèse de croqueuse d'hommes a été fortement nourrie par toutes sortes de livres que les neuro-biologistes ou les éthologues se sont mis à publier à une époque, généralement sous la couverture des éditions Odile Jacob. J'ai lu ça avec passion. En refermant ces bouquins, on pouvait s'imaginer que les parades amoureuses que s'inventent les animaux humains pour se compliquer la vie, ou tenter de la faire vibrer, se ramènent à un pur jeu chimique, une comédie biologique. Des hormones, des synapses, de la dopamine, des phéromones. Le scénario était codé dans les cellules, l'animal l'exécutait. Si l'on regardait les rites nuptiaux des grues couronnées ou les amours saisonnières des fauves de la savane, nos ballets pouvaient se réduire à une chimie comportementale. Le désir qu'éveillait en moi telle silhouette, ma sensibilité à tel timbre de voix, je pouvais les rapporter à des interactions neuronales. Les aspects dérisoires, et même comiques, de cette affaire ne m'échappaient pas. On plaquait des chansons sur de l'influx, et le manège de l'amour tournait, avec ses ritournelles, ses pompons rouges, ses chevaux de bois. Que d'heures perdues à se farder, à se regarder dans le miroir, à danser en faisant des mines, à se téléphoner, à parler. Les belles fables...

Si vous suivez la piste ADN, vous savez qu'il n'existe pas d'ADN de licorne. Mais la meilleure parade à la théorie de la licorne, de l'homme parfait, c'est encore la fréquentation des maris des autres. Il va me falloir dire là des choses déplaisantes. Les saintes sont toujours candidates à l'immolation. Première vérité expérimentale : trois fois sur quatre, les hommes sont incapables, même s'ils ne l'avouent jamais, d'être pleinement, en toute responsabilité sereine, pères avant l'âge où ils se savent eux-mêmes mortels. A trente ans, c'est trop tôt. Vous savez ce qu'ils pensent, à part eux, inavouablement ? Ils se croyaient préférés, embarqués vers Cythère pour une romance les yeux dans les yeux, ravis qu'une femme les regarde avec amour, et voilà que cet amour doit trouver son aboutissement rapide dans un être tiers, un bébé vagissant qui va s'interposer, faire bulle avec la mère émerveillée, avec l'épouse volée. C'est l'un des secrets les mieux gardés au monde que cette affaire-là, top secret, Fort Knox, confidentiel défense : le dépit de Tristan quand Isolde commence à rêver d'échographies, la frustration de Roméo lorsque Juliette veut sa layette. Elles, évidemment, voient dans le bébé la suprême preuve d'amour, et dans le choix du père une grâce toute particulière faite à celui qui en a été l'objet. Ne pouvant imaginer qu'un homme jeune ait envie de continuer à vivre avec elles, de voyager, de brûler ses nuits sans s'encombrer d'un couffin et d'une caisse de Mustela.

Les hommes tentent de faire bonne figure, pourtant. Il serait monstrueux de confesser qu'ils sont pères sans appétit profond, qu'ils auraient préféré vivre des années encore en valsant sur le fil, heureux comme des évadés. Tout les condamnerait, en premier lieu les magazines féminins qui n'ont cessé, à une certaine époque, de répandre l'idée qu'il n'est pas de plus grande volupté pour un homme que l'usage de la couche-culotte et la fréquentation des haltes-garderies. Pour ma part, aucun homme ne m'a jamais fait la confidence de la volupté particulière qu'il aurait éprouvée à se ceindre les reins d'un tablier de nurse. Mais il fallait que ce mensonge-là prospère, fendillant les certitudes, rongeant les hommes, de plus en plus esclaves de ce secret inavouable : ils n'étaient pas pressés de manipuler les chauffe-biberons, ni enclins à se transformer en nourrices sèches.

Il s'y ajoute un autre grand secret qu'il est malséant de proclamer, cela fait toujours de la peine aux gens. Mais, enfin, les saintes doivent tendre leur poitrine aux flèches. Le secret, le voici : *les individus sont inégalement doués pour élever les enfants.* Cela ne date pas d'aujourd'hui. Les familles d'autrefois, avec leurs patriarches blanchis et leurs mères sacrifiées, étaient deux fois sur trois des usines à névroses. Il suffit de regarder les photographies des vieux albums, avec les hommes abrupts, les jeunes filles aux visages fermés, les douairières encalminées. On devine les silences à table et les sanglots étouffés dans les coussins, la loi sans cause et les dimanches sans joie. Des îles vénéneuses... Passer une vie à calculer sa place par rapport à l'oncle, à la sœur ou au beau-frère, quel ennui... Rien n'interdit pourtant d'exister, à partir d'un certain âge, selon des préférences choisies. La civilité légère des êtres que l'on rencontre selon les hasards de la vie. Les bons moments, comme l'on dit...

C'est là que j'interviens, autour de 1990. Tout en bas du cône de déjection des maris froissés. Dans la phase où, sans songer encore à divorcer, ils sont mûrs pour l'aventure. Le moment propice ? Au cours des six mois qui suivent la naissance du deuxième enfant. Là, le métal a été travaillé, chauffé à blanc, ils sentent le lacet se resserrer autour de leur cou, toute une vie d'allocations familiales, les bambins qui hurlent, l'épouse débordée, l'abnégation inscrite au programme. Peuvent-ils toujours séduire ? Connaîtront-ils encore la volupté des printemps où, sous les arbres d'une avenue, une femme aux yeux brillants se coule dans leurs bras pour un premier baiser ? Ils ruminent, se contraignent, sont prêts à exploser. On les reconnaît à leur peau pâle, leur air lunaire, soucieux, désarmé, excessivement empressé. Il ne faut pas grand-chose pour les faire basculer. Un verre dans le bar d'un hôtel feutré, un voyage d'affaires, une soirée où ils vous raccompagnent en voiture. Peu d'hommes sont aussi faciles à allumer que ces trentenaires-là. Ils n'osent pas, puis se jettent brusquement sur vous avec une détente de fauve, ou bien vous scrutent d'un œil désespéré, comme s'ils pesaient en eux la convoitise et le devoir, et vous avez le sentiment rare d'être d'autant plus désirée que vous représentez l'interdit.

Sans me vanter, j'ai été remarquablement discrète. Ils n'avaient rien à redouter de moi. Dévouée à leur silence, respectueuse de leur vie maritale, j'étais l'escorte taillée sur mesure, gratuite de surcroît, le rêve en dentelles de leurs cinq à sept. A une époque, j'ai fait don de ma personne aux jeunes pères français. On ne va pas exagérer les mérites de ce sacrifice. En réalité, tout le bénéfice était pour moi. Une fois posée la règle intérieure selon laquelle je ne serais jamais une *back street*, celle qui attend pendant des années que la place se libère, j'étais prête à traverser l'aventure en toute légèreté. Rassurés sur la confidentialité de la parenthèse, mes amants la vivaient comme une fête secrète. Je passais avec eux des fins d'après-midi, parfois une nuit ou un week-end, qui ne m'ont laissé que de bons souvenirs, et même des souvenirs émus. Ils me donnaient le meilleur d'eux-mêmes : le désir réveillé après des années en face du même visage, l'orgueil de séduire en retrouvant une chance d'être regardés, la volonté de rendre précieux ces instants qui n'étaient que des instants. Je lisais dans les yeux de certains une sorte d'incrédulité heureuse, comme s'ils étaient revenus en contrebande de l'autre côté du miroir, éternels jeunes hommes dont j'étais la clairière retrouvée.

Je fais la conne ou je ne fais pas la conne ? Je ne fais pas la conne. Un jour où l'on demandait à Peggy Guggenheim combien de maris elle avait eus, elle répondit : « Les miens ou ceux des autres ? » C'est une expérience que d'être la femme latérale d'un homme marié. Vous sentez qu'il vous étreint à la place d'une autre, ses gestes sont conformés par un corps absent, mais l'autre ne sait pas que c'est en pensant à vous qu'il lui fera l'amour le soir ou le lendemain. Et si par hasard vous la croisez dans une soirée, elle ne peut deviner que cette femme qui la regarde, avec laquelle elle échange même quelques propos, a senti sur elle le corps de l'homme dont elle porte le nom.

J'ai été la femme de plusieurs hommes mariés, je rassemblais des fragments de la vie conjugale des autres pour me composer une existence polygame. Pourtant, je n'aimais guère qu'ils me parlent de leurs épouses, et ceux qui le faisaient avec acrimonie ne gagnaient pas mon estime. J'étais assez grande fille pour deviner ce qui se passait dans leurs couples. Ceux qui étaient tombés sur de vraies mégères et ne cessaient de le payer, et ceux – la plupart – dont les illusions s'étaient évanouies au bal de la vie. Au moment où je les retrouvais, il y avait quelque part dans la même ville une femme qui se battait contre l'aridité de la vie de bureau, puis courait exténuée à la crèche pour récupérer son enfant, avant de jeter dans la gueule du four à micro-ondes quelques plats conditionnés qui feraient le dîner. Je ne me suis jamais sentie coupable, mais je pensais parfois à elles avec une sorte de complicité.

Au fait, j'ai l'air en usant du pluriel de jouer à la Messaline professionnelle. Mais si je dois compter les hommes mariés avec lesquels j'ai fait de la balançoire autour de 1990, j'arrive à combien. Cinq ou six. Deux d'entre eux sont aujourd'hui assez connus. Qu'ils se rassurent, je ne donne jamais les noms.

Je m'aperçus qu'Isabelle dirigeait sa séduction vers l'extérieur. Non qu'elle ait cherché à vamper un autre homme. Il s'agissait d'exhiber dans son métier une féminité scintillante, rivalisant avec celle de ses camarades de bureau, à coup de minijupes tuantes, de décolletés piquants, tandis que l'appartement où elle me retrouvait le soir devenait le domaine de l'existence confortable, sinon le déversoir de sa fatigue. Elle adorait me raconter sa journée, les projets en cours, les potins de buvette, ses altercations avec les pimbêches de service. Au bout d'une demi-heure, je constatais qu'elle n'avait parlé que d'elle. Si je me risquais à lui en faire la remarque, elle regimbait en me reprochant d'être un cul de plomb domestique, car en plus du reste elle faisait tourner la maison.

A un moment, je crus à un retour de séduction, correspondant à des achats de guêpières, de minicorsets, de robes et de souliers qu'Isabelle étalait sous mes yeux en me demandant invariablement si tout cela était « sexy ». Mais l'accès de fièvre dentellière correspondait moins à une parade d'alcôve qu'aux bouffées d'achats d'Isabelle et de ses copines, qui couraient entre midi et deux heures « carter » du côté de l'avenue Victor-Hugo. « Carter », cela désignait dans leurs bouches les séances où chacune surenchérissait dans l'usage de la carte Visa. Je ne suis pas sûr que le club des carteuses ait eu la meilleure influence sur Isabelle. Entre elles, c'était comparaisons incessantes entre les destinations de vacances, la taille des appartements, les photos de bébés placées sous le nez de celles qui n'en avaient pas encore et blêmissaient en plaçant le compliment obligé. J'ai cru comprendre qu'elles prenaient conseil les unes des autres, au cours de séances où chacune jetait de l'huile sur le feu (« Il t'a vraiment dit ça ? Quel salaud ! »). Les carteuses trouvaient une bonne partie de leur inspiration dans les magazines féminins, souvent leur seule littérature hebdomadaire, lesquels, à cette époque, ne manquaient jamais de décrire les hommes comme des yuccas récalcitrants encombrant un coin de la pièce, tandis que leurs compagnes étaient exaltées sous l'appellation modeste de *superwomen*.

Là-dessus, il y a eu l'offensive des parents d'Isabelle. Pendant six ou sept ans, ils avaient laissé leur enfant chérie vivre sa vie, puisque c'est ainsi que sa génération ingrate avait décidé de s'affirmer. A leurs yeux, le mariage effaçait tout. Ils crurent que leur fille rentrait dans le rang. Par souci d'apaisement, nous avons joué la comédie du petit couple lors de déjeuners dominicaux chez mes beaux-parents. La mère d'Isabelle ne manquait jamais de placer un couplet sur les futurs petits-enfants, à travers lesquels elle espérait manifestement remettre un pied dans la vie de sa fille. Isabelle sortait de ces déjeuners dans un état qui pouvait aller de l'exaspération à la fulmination pure et simple. Je jouais le rôle de l'éponge.

Un jour, je surpris Isabelle dans la salle de bains avec une bizarre cornue de plastique, comme sortie d'une panoplie de petit chimiste. Un test de grossesse. Le visage éclairé, elle me dit qu'elle était probablement enceinte. Je la pris dans mes bras ; Isabelle pleurait de bonheur. Deux mois plus tard, j'avais la gorge serrée en la ramenant de la clinique où la fausse couche avait été constatée. Climat de désastre. Cet enfant qui ne naîtrait pas existait entre nous comme le sceau d'une vie refusée, une vie que nous ne savions pas construire ensemble.

Elle a commencé à me traiter de paranoïaque. Je lui rétorquais qu'un paranoïaque n'est qu'un altruiste déçu. En fait, c'est Isabelle qui développait un petit délire de persécution, à feu doux, sans grande crise, mais ne ratant jamais l'occasion de me reprendre sur un propos, un geste, une intonation, en y voyant la preuve de mon acharnement à lui nuire. Elle me reprochait la vie que je menais loin d'elle, les amis que je continuais à voir, mais opposait un silence douloureux aux conversations que j'essayais de lancer. Je ne comblais pas son besoin de rêve, elle se lassait de ma liberté. Graduellement, Isabelle s'enfermait dans ce type d'alternative que les psychiatres appellent le *double bind* : quoi que je fasse, les deux attitudes se trouvaient blâmées. Elle s'aigrissait si je réussissais quelque chose, mais me blâmait si je la ratais. Isabelle se tuait pour l'entreprise qui l'exploitait, en mettant sa fatigue sur mon dos ; elle nourrissait un sentiment d'injustice en se décrivant comme une victime, alors qu'elle n'était pas loin d'agir comme un bourreau. Le ravissement des débuts de la vie domestique, les extases de fée du foyer devenaient un fardeau, une révulsion devant les pesanteurs de la vie matérielle. Une course chez l'épicier, une facture à payer, des rideaux à porter chez le teinturier, tout faisait l'objet de soupirs accablés. Je ne me sentais pas chez moi, elle se sentait trop chez elle. Isabelle me citait avec amertume deux couples amis, dont les maris aidaient à la maison, ramenaient plus d'argent que je n'en gagnais, et se montraient prévenants en toute occasion (ces deux couples exemplaires ont depuis lors divorcé).

En un sens, Isabelle et ses pareilles défrichaient le terrain, pionnières d'une nouvelle aéronautique conjugale où l'on cassait beaucoup de bois. Elles voulaient tout, le mari, les enfants, le métier, la séduction, soudain animées par une passion de la performance dans laquelle elles voyaient la preuve de leur liberté : curieuse logique qui cherchait l'émancipation par le cumul des servitudes. Le besoin d'être conseillée qu'Isabelle manifestait ne rencontrait guère d'écho. Ses copines, des pécores ; sa mère ne lui offrait aucun modèle, n'ayant jamais travaillé, et ne comprenant d'ailleurs pas que sa fille s'y sente contrainte.

Ce mariage s'est disjoint parce qu'Isabelle et moi ne nous sommes pas *reconnus*. Je ne parle pas de la reconnaissance qui unit deux êtres que l'éducation, la sensualité ou le malheur rapprochent plus ou moins durablement en un langage commun. Mais de l'écart qui se creuse entre le personnage que l'on devient et l'individu que l'on pensait être. Isabelle se voyait comme une fille pimpante, tonique, résolue à construire sa vie. Et sans doute avait-elle été cela. Comment pouvait-elle s'expliquer la mutation qui la changeait en femme épuisée, acrimonieuse, vide d'envies, croulant sous le sentiment d'une énorme solitude ? Isabelle avait perdu l'image d'elle-même comme amoureuse, tout devenait lourd, et sa jeunesse aussi sombrait dans la pesanteur des choses. Plus elle se convainquait d'être une martyre, plus elle souffrait du rôle d'emmerdeuse où mon regard, et celui de quelques autres, commençait à l'enfermer.

Il y avait un enfant mort-né entre elle et moi. Nous avons échoué parce que les miroirs devenaient menteurs. Je ne pouvais me résoudre à être l'homme inconscient, lâche, source de tous les maux, qu'Isabelle voulait que je sois. Après tout, elle avait voulu m'épouser, et son enthousiasme du début, si on le rapportait à son dépit haineux de la fin, ne plaidait pas non plus pour un caractère très constant. Peut-être avait-elle plus aimé l'idée du mariage que l'homme chargé à ses yeux de la réaliser ? Peut-être n'avais-je rien fait, débordé par une évolution inexplicable, pour ramener dans les rails une Isabelle que je trouvais de plus en plus hystérique ? J'étais surtout humilié parce qu'elle me jetait au visage mon incapacité à rendre une femme heureuse. Je n'avais jamais vécu durablement avec une autre qu'elle. Mes saloperies de petit plaqueur de filles me revenaient dans la figure, démultipliées par la gravité de l'âge adulte. Pourtant, je n'avais pas trompé Isabelle. Je savais le prix qu'elle attachait aux engagements de fidélité, et je les avais respectés. Quoi qu'elle ait pu en dire, je ne m'étais pas dérobé aux servitudes de la vie quotidienne, j'avais fait mon possible pour y parer. Mais je ne pouvais plus supporter d'être méprisé parce que j'avais oublié de régler la femme de ménage au jour dit, ou que je voulais regarder telle émission à la télé. Je ne me reconnaissais pas, moi non plus, dans le portrait inverse qu'elle traçait de moi. A un moment, j'ai eu le sentiment d'être en danger. J'attrapais des rhumes à toute occasion, je devenais sujet à des troubles auditifs sans cause organique identifiable. « Stress », finit par conclure mon médecin, utilisant le mot même par lequel Isabelle ne cessait de décrire son propre état. Lorsque, au cours de mes rendez-vous professionnels, je me trouvais en face d'une jeune conservatrice de musée, ou de quiconque portait jupe et montrait figure humaine, je prenais comme une grâce ces moments de conversation. J'avais besoin de rencontrer des femmes qui me regardent à nouveau comme un homme.

Isabelle a dû sentir que je me détachais d'elle sans retour. L'une de ses copines, excitée de jouer ce rôle, est venue plaider sa cause. Il en ressortait, pour la citer, qu'« Isabelle t'aime toujours même si elle t'emmerde jusqu'à la gauche ». Je n'ai rien trouvé à lui répondre. Le nerf était brûlé. Dans les semaines qui ont suivi, Isabelle a tenté une opération de la dernière chance. Même si elle arborait des robes neuves, même si elle essayait de se dominer, je ne voyais en face de moi qu'un visage défiguré par la rancœur, image et reproche du malheur que j'avais provoqué. Nous avons refait l'amour, pour essayer, mais je ne tenais contre moi qu'une femme perdue, sanglotant comme si elle allait entrer dans un désert. La seule chose qui nous unissait encore serait l'apaisement que, chacun de notre côté, nous pouvions espérer trouver un jour. Les formalités de divorce ont été entamées.

Rétrospectivement, je me dis que la triste histoire de mon mariage avec Isabelle est affaire de solitude : on gagnerait du temps en s'abstenant de se croire original. Au fil des années, j'ai compris le dérisoire de nos tourments : *nous nous pensions uniques alors que nous étions typiques.* Au même moment, selon des griefs et des malentendus similaires, toute une population née autour de 1960 vivait ces années de guerre intime. Les hommes n'aiment pas trop parler de ça entre eux. Mauvais souvenirs. Indélicatesses. Touillage de vieilles braises réchauffées. Peur d'être cloués au pilori. Et pourtant les récits, contés à mi-voix, se recoupent absolument. Ce que j'ai entendu depuis lors coïncide.

Ce qu'ils racontent, c'est l'acidité rongeuse de la vie quotidienne. L'invraisemblable variété des ruses, des plaintes, des acrimonies. Les idylles roses glissant vers le chantage au mariage. Les crises de nerfs stratégiques et les mutismes désemparés. L'implacable serrage de boulons qui prélude à la conception programmée. La période-bulle où les échographies sont commentées tels des tableaux de maître, où la loi amniotique devient un flottement béat. Les rembrunissements si l'on ne partage pas l'extase devant bébé. Les tirades sur l'inévitable vie professionnelle, les récriminations sur l'incurie domestique du conjoint.

Les fatigues énervées, dolentes, butées. Les reproches obliques. La corrosion quotidienne, les mines excédées, la hautaine posture blessée. Le rêve de l'amant salvateur, l'enchantement béat devant le premier crétin qui joue un air de mandoline. La demande de vacances et d'assurance-vie. La mauvaise foi, le malheur, les scènes où le visage se ferme, se plisse d'amertume sifflante et bientôt de haine fondamentale. L'égomanie qui n'écoute que soi, l'absence de compassion et de lucidité calme. La phase psy, déballage des relations fatales avec maman. L'appel au cercle des copines ostensiblement solidaires et secrètement ravies. Les visites effondrées chez l'avocat, les enfants comptabilisés dans le partage...

C'est un essorage. Un impitoyable sas de tri. Le mariage aura été pour notre génération une lessiveuse à tambour d'où l'on voyait ressortir, entre trente-cinq et quarante ans, des individus exsangues, morfondus, blessés, blanchis comme des légumes cuits, vidés de leur sang. Ensuite, les ombres flottent. On croise des types sonnés, vagues, muets, qui ont l'air de descendre du bateau après un long mal de mer. Leurs crocs ont été limés, une étrange amertume les empoisonne, mais ils veulent repartir pour une valse, retrouver une vie de jeune homme. Ils ne regardent plus les femmes de leur âge, ce sont à leurs yeux des maudites qui vont vieillir. Le supplice conjugal leur a donné droit à des réparations, il leur faut des chairs fermes, des seins qui tiennent, des minauderies comme autrefois. Là, ils commencent à regarder les grandes effilées de vingt-cinq ans dont les talons claquent sur le pavé, les merveilleuses asperges indécises qui voudraient bien trouver un papa, un homme-nounours, un géniteur incestueux. Il est doux d'être capturé par ces gracieuses-là : elles ont le visage intact du passé.

Les épouses surnuméraires, elles, vont rejoindre le rivage des divorcées. On les voit, pâlottes, projetées hors de leur rêve de petite fille, un rêve désormais saccagé, et cela les laisse pleines d'un enfantin et fondamental reproche, drapées dans une douleur digne, sonnées sur pied comme un boxeur anémique. Elles flottent pendant un temps, on dirait qu'elles ont perdu le ressort, leur acrimonie se ravive quand elles songent au mari évanoui, mais il n'est plus à leur portée, elles ont perdu leur proie préférée. Les albums de photos restent alignés sur un rayonnage de la bibliothèque, images d'années mortes. Un homme s'éloigne, mais ce sont tous les hommes qui se sont éloignés. Il y a presque toujours un léger dessèchement, des traits qui se creusent, un masque mat – on les dirait déshydratées. Leurs peaux deviennent gourmandes de crèmes, les absorbent, les aspirent, s'assèchent de nouveau. Comme si elles étaient dévorées de l'intérieur par un feu lent, inexplicablement consumées. Elles se risquent, au bout d'un certain temps, à une aventure dont elles attendent beaucoup, on les voit revivre quelques semaines. Une chance nouvelle ? Parfois. Quand l'aventure tourne court, elles découvrent lentement que le sexe ne leur manque pas, ou pas tant que ça. Leurs enfants les gardent.

Toutes sortes de prothésistes de l'âme, de sociologues et de fleuristes se penchent sur la situation. Il est bien rare qu'ils mettent le doigt sur la vérité brûlante : lorsque des milliers d'individus se sont rendus fous d'eux-mêmes jusqu'à se livrer des guerres infernales, lorsque l'ego blessé devient la loi des termites, la vie se transforme en hôpital des cœurs brisés. Quelque chose s'est cassé là. Nous avons fini par vivre en compagnie d'anciennes petites filles démantibulées et d'hommes assommés, au milieu de la plainte toxique des bancroches du sentiment. Les gueules cassées de l'amour constituent le premier mouvement français, elles pourraient défiler dans les rues comme les ligues des années 1930, avec béquilles et bandages, voiturettes et banderoles, en route vers les crépuscules prématurés.

Le début de ma vie avec Daniel, je peux le raconter ou le taire, c'est indifférent au regard de sa plénitude. Pendant un temps, j'ai continué à résider dans mon petit appartement de la rue Buffon, tandis qu'il conservait sa location de la rue Chevert. Je préparais mes cours pour Paris VII, il assurait ses vacations au Palais-Bourbon. Je retrouvais Daniel le soir. Une existence d'étudiants prolongés, le nez dans nos grimoires et l'amour en fleur de boutonnière. Daniel m'apprit qu'il avait été marié, très jeune, avec une amie d'enfance de Strasbourg. Le mariage avait explosé à cause de leurs libertinages respectifs, chacun tirant sur le licol d'une union trop précoce. Il n'en conservait pas d'amertume, mais ne voyait plus son ex-femme.

Auprès de Daniel, je ressentais une force d'être que je n'avais jamais connue. Les vieilles mufleries de Pierre, le décès de Peter Dawson que j'avais porté comme une souffrance, s'estompaient devant ma vie nouvelle. J'étais éblouie de pouvoir lire dans les yeux d'un homme le bonheur que je lui donnais. Daniel m'appelait souvent dans la journée, disait que je lui manquais, me serrait contre lui. Savoir, aux heures parfois ingrates de mes cours, qu'un homme m'attendait quelque part, qu'il pensait à moi, que je le retrouverais à l'heure dite et qu'il me parlerait longuement à la terrasse d'un restaurant avant de m'accompagner chez moi, m'emplissait d'un souffle inconnu. Je pouvais dire : Je suis amoureuse et je suis aimée. Pour moi, un sentiment plus précieux que tout.

Je vivais mon amour en marge du monde, mais les contacts quotidiens avec les étudiants, la lecture des journaux, les conversations avec mes collègues de faculté me maintenaient en prise sur le cours des choses. Il était en train de changer. Je date de ces années-là la grande vampirisation qui allait en laisser plus d'un sur le flanc, vidé comme un œuf de sa substance. Comment tel de mes camarades de Normale qui, en 1980, portait ostensiblement sur sa veste de velours un badge Solidarnosc se retrouverait-il, des années plus tard, impliqué comme directeur financier dans la déconfiture d'un grand groupe multimédia ? Comment la jolie agrégative frottée de deleuzisme deviendrait-elle, sans plaisir mais avec résolution, une spécialiste de la recapitalisation d'Eurotunnel ? Comment, petits frères de mai 1968, irions-nous au-devant d'un nouveau monde qu'il nous appartenait de façonner, et qui nous laissa dépossédés ? Je n'entonnerai pas le grand air du déclin, parce que, en somme, la génération de mes parents, secouée par la guerre et portée par la reconstruction, avait sécrété sa bulle d'égoïsme et épousé son propre mensonge. Ils avaient assuré la paix en Europe et massacré son littoral, s'étaient taillé des retraites confortables et nous avaient laissé vivre nos foucades. Un moindre mal, si l'on veut. Du moins l'emprise du gaullisme, de l'idéalisme de gauche et de la pensée démo-chrétienne ne les avait-elle pas rendus fous d'argent et d'illustration personnelle. Ils devaient sentir, intuitivement, que la plus grande avidité se paie de la plus grande désillusion. Ils s'étaient épargné l'une et l'autre, choisissant avec prudence la voie moyenne : c'était le purgatoire aménagé plutôt que l'enfer subi.

Je pense que le premier vice de ceux de mon âge aura été, très tôt, d'envelopper de considérations générales la promotion de leurs intérêts particuliers. L'extrême gauche de 1975 voulait la révolution, la gauche de 1981 voulait changer la vie, les libéraux de 1987 voulaient le bonheur par le marché, les vigilants moraux des années 1990 entendaient réguler la mondialisation effrénée. Derrière cela, et à chaque fois, des carrières en cours, des putschs réussis, la lutte pour les places, des extensions de surface médiatique, la sauvagerie du moi. « La corruption du siècle, a écrit Montaigne, se fait par la corruption particulière de chacun d'entre nous. » *Nihil novi sub sole.* Mais j'anticipe...

J'ai dit que je vivais un peu hors du monde, c'est-à-dire dans le mien. Ma vie pourrait se confondre avec une sorte de biographie intellectuelle : j'ai été ce que j'ai enseigné, et parfois écrit. La rencontre avec Daniel a conforté cette vocation, dont j'espère qu'elle n'était pas une habitude. Il faut que j'en dise un mot, pour y avoir tout de même consacré des années de ma vie. Je crois pouvoir l'affirmer rétrospectivement :

l'intérêt passionné que j'ai attaché à l'étude de la langue devait beaucoup au désarroi qui avait saisi depuis l'adolescence une jeune fille agnostique. Le ciel était vide, mais j'ai cru que le langage serait mon ciel. Un ciel expliqué : la langue, en même temps qu'elle effectue ses propres lois, est capable de les décrire. J'avais grandi dans les carcans de la classe moyenne, avec sa clôture mentale particulière. La peur de la sexualité adolescente, le refoulement français. Un monde où l'on ne disait rien d'essentiel. Le langage était un vecteur de transactions, un bouclier convenu. Peut-être ma passion d'interroger les signes venait-elle de là. La langue découpée en unités, les rapports sociaux en jeux d'intérêts, les familles en généalogies secrètes. En forçant un peu les choses, je pouvais dire que les principes de la linguistique saussurienne me fournissaient un modèle pour comprendre mes relations avec les autres. Chez Saussure, le langage est une organisation, un système. Le pouvoir de signification de chaque unité linguistique est constitué par le rapport l'unissant aux autres signes de la langue. On ne peut lui attribuer que les éléments phoniques ou sémantiques par lesquels elle se distingue au moins d'un autre signe ; autrement dit, il n'est pas possible de la comprendre sans entrer dans le jeu global de la langue.

J'étais ce signe, dont l'arbitraire est réduit par le rapport nécessaire et différentiel qu'il entretient avec les autres. Pierre, Karine, Peter ou Daniel étaient des signes. Assez vite, je me suis intéressée à ce qui fait écart par rapport au système même, c'est-à-dire les déviances verbales. J'étais fascinée par les maladies du silence, les troubles de réception et de conduction, les aphasies motrices et agrammatiques, et surtout par les diverses dyslogies qui marquent le diagnostic de démence. Peut-être m'intéressais-je à la folie parce que je menais une vie sage. Me touchaient aussi, d'une façon excessivement émotionnelle, les traces de tentatives anciennes pour décrire les lois du langage. La philosophie de Lucrèce, où la langue est un assemblage de sons-atomes façonnés par le corps. Les grammaires médiévales, dans lesquelles la langue-miroir reflète la vérité inaccessible du monde. L'article « Etymologie » de l'*Encyclopédie*, où Turgot évoque un « principe interne » du langage, tandis que Diderot perçoit que les arts sont des systèmes justiciables d'une sémiologie. Cette phrase surtout de Diderot, « Tout art d'imitation a ses hiéroglyphes particuliers », qui me paraissait poser l'idée d'une élucidation des signes comme horizon des Lumières.

Je me suis sentie unie au passé à travers ces textes, a proportion de la solitude de ceux qui s'y consacrent. J'appartiens à cette très infime partie de la population qui, lorsqu'elle entend le mot « string », ne songe pas d'abord à une pièce de tissu que les jolies filles arborent sur les plages, mais à l'article écrit en 1962 par Morris sur l'expansion de la catégorie caractéristique d'une proposition élémentaire centrale vers les séquences linguistiques adjacentes, dite « analyse en strings ». Je n'aurai pas non plus l'outrecuidance de penser que ma polémique avec le professeur Alberola, de l'université de Bologne, à propos de la théorie du cluster et du linking dans la pensée de Weinrich, ait été de nature à déplacer les collines.

La teneur de certaines de mes préoccupations éveillera peut-être un écho chez un esprit contemporain si je dis qu'autour de 1989, j'ai travaillé avec un analyste lacanien sur les tropes de l'inconscient. Pour Lacan, le sujet se fait et se défait selon une topologie qui inclut l'autre et son discours – l'inconscient est le discours de l'autre. Le symptôme corporel est surdéterminé par un réseau symbolique complexe, par un langage dont il faut déterminer les lois syntaxiques si l'on veut traiter le symptôme. L'une de ces lois, éclairée par l'étude freudienne du lapsus, est que le signifiant saute le sens linéaire de la phrase parlée pour produire des effets de métaphore, de métonymie, d'ellipse ou de condensation. Avec mon camarade lacanien, nous avons cherché à confronter d'autres figures de style au fonctionnement de l'appareil psychique. Si j'énumère quelques-unes de ces figures, telles l'épenthèse, la syllepse, l'anadiplose, la catachrèse, je sais que l'on me regardera comme une précieuse ridicule. Mais c'était ainsi. A cette époque, je pouvais tenir un discours argumenté sur la glossématique de Hjelmslev, la force illocutoire selon Austin, ou la notion de traits sémantiques inhérents dans la théorie générativiste de Chomsky.

Mon rigorisme de linguiste s'est érodé. Daniel y a eu sa part. Ses micro-essais, où il abordait des pans d'œuvres littéraires dans une langue à la fois aérée et tenue, me montraient le chemin. L'armature conceptuelle dans laquelle je m'étais verrouillée, avec l'espoir de voir mes qualités scientifiques reconnues, tenait en lisière la sensualité des mots. Daniel a fait éclater le cadre où j'avais contraint ma morosité. J'avais envie de revenir aux textes littéraires, de les savourer, de les faire entendre à mes étudiants. Daniel me donna un conseil : « Relis Colette. » La bonne dame du Palais-Royal, avec ses chats gris et ses sulfures sur la cheminée, ne me paraissait pas un modèle de révolution textuelle. J'ai ouvert un livre de Colette : tout de suite, l'éblouissement devant les couleurs, la langue sapide, le sens du bonheur ; l'impression de voir un tableau de Matisse en caractères typographiques. Je lisais une femme pour l'amour d'un homme, et ils me rendaient le chant des cigales, le mouvement de la Méditerranée, la sensualité des jardins.

En réfléchissant au thème de mon cycle d'enseignement de l'année suivante, il m'a semblé qu'il y avait un mort dans le roman français : le paysage rural. On aurait pu lire une bonne partie des fictions écrites entre 1900 et 1950 comme l'effet d'une grande culture paysanne imprégnant encore les usages et les esprits, soit que les auteurs aient été des fils de la campagne, soit qu'ils y aient passé leurs premières vacances. Cet amour de la forêt, de la lande, du village, que l'on rangeait désormais avec mépris, et sans faire de détail, sous la bannière d'une sensibilité vichyste, éclatait pourtant chez des auteurs dont la sophistication urbaine, voire l'engagement à gauche n'étaient pas discutables. Car, en somme, Marcel Proust et Colette, François Mauriac et Julien Gracq, tous écrivains du paysage français, ne se distinguaient pas précisément par l'obscurantisme rustique ou l'appel salvateur à la charrue.

Je relus les *Illuminations*. L'éblouissement qu'avait provoqué en moi la découverte de Rimbaud, autour de ma seizième année, n'était pas seulement dû à l'émotion qu'un adolescent génial éveille chez une adolescente. C'était un éblouissement physique. Les poèmes de Rimbaud me paraissaient réglés sur le rythme de la marche ; ils vivaient de la vie même du chemin qui se perd dans les halliers, du chant du coq déchirant la plaine, de l'étrange stupeur qui brûle les hameaux en plein été. Ils éclataient en moi. Des joyaux flottaient sur les prairies. A l'horizon, les tours des villes glorieuses où l'on n'entrerait jamais.

J'en étais là de mes réflexions, et du thème de séminaire que je projetais d'en tirer, lorsqu'une pipette m'apporta une autre nouvelle : j'étais enceinte d'un mois.

KARINE ——————————

Je ne sais pas pourquoi la fin du séjour de Michel Rocard à l'Hôtel Matignon a coïncidé avec le début d'une vague de psychanalyses chez mes copines. Aucun rapport, probablement. Mais enfin, j'ai vu chez elles l'effet du divan. Des greluches qui se passionnaient jusqu'alors pour les soldes de janvier découvraient l'existence de la mère phallique. Elles disaient « mon psy » comme l'on évoque un fournisseur : c'était la variante cérébrale du grand coiffeur. « Pour embêter mon psy, j'ai fait mon transfert directement sur Sigmund Freud », m'a confié l'une d'entre elles. Il y avait les twin-sets et le Nom du Père, l'avenue Montaigne et le complexe d'Œdipe, Azzedine Alaïa et Jacques-Alain Miller. Il faut dire qu'elles sortaient des années 80 en morceaux. Occupées par les berceaux, harassées de maternités et de travail. En période de ponte, elles pointaient aux abonnés absents. Très concrètes, en fait, passionnées par les humeurs, le sang, les tubes de bébé, jouant à la maman dans la puissance déchaînée de leurs gonades. En plus, elles voulaient conquérir un emploi, être les meilleures élèves du monde marchand. Il est extraordinaire de penser qu'elles se sont à ce point dévouées au Dieu de l'entreprise, candidates au poinçonnage, suppliciées volontaires de la confiscation de leur plus-value, avec une sorte de courage coûteux...

La raison pour laquelle je n'ai pas fait de psychanalyse, c'est qu'il m'aurait été impossible de rester couchée à côté d'un homme assis sur son fauteuil sans lui demander de me rejoindre sur le divan. On me dira qu'il y a des psys femmes ; cela aurait été encore plus scabreux. Si j'additionnais le coût des séances auxquelles j'aurais pu me rendre, j'obtenais de quoi m'offrir quelques superbes paires d'escarpins ou plusieurs week-ends dans des hôtels de bonne tenue. J'ai fait mon choix : je préfère Manolo Blahnik à Otto Rank et le Royal de Deauville aux cabinets viennois. Il m'est d'ailleurs arrivé de côtoyer dans des brasseries de la rive gauche des psychanalystes qui, sans doute lassés de se taire pendant la journée, se rattrapaient le soir par une logorrhée inextinguible. Je tendais l'oreille. Ils tenaient des propos de cochers de fiacre. J'avais l'impression d'entendre des concierges commenter la vie des boîtes aux lettres. L'un d'entre eux, et pas des moindres, m'avait un jour draguée, attiré, prétendait-il, par le nom d'une pâtisserie que j'avais lâché devant lui. Ce mot dans ma bouche réveillait toutes sortes de souvenirs d'enfance. Il est de fait qu'il me considérait comme un gros gâteau. Et comme une parfaite idiote. Je lui avais répondu que je ne fréquentais pas les médecins aliénistes. Il m'avait regardée, bouche bée, aussi étonné que je connaisse cette vieille expression que de se la voir appliquer. *Médecin aliéniste.* Il n'en revenait pas.

Sur le front du magazine, je n'ai jamais autant jubilé qu'à ce moment-là. Il y avait du nouveau. La mode des années 80 a fait ressembler les femmes à des ailes volantes, celle du début des années 90 à des banians couverts de lianes. On a vu apparaître des transparences, des effrangés, des lacérations qui indiquaient que le corps revenait, mais un corps passé aux rayons X, virtuellement dépecé, comme si le désarroi d'un temps déjà veuf d'idéologies et d'illusions – le Mur était tombé et la Bourse baissait – ramenait vers l'ego toute l'énergie que l'on avait mise à combattre un ennemi mourant, à s'enrichir en chantant. Au quatrième rang des défilés, on voyait apparaître des femmes un peu oxygénées, avec des allures endimanchées, des sigles voyants : les nouvelles Russes en train de faire leur marché.

De manière générale, on constatait une exaspération de l'accessoire, le mot pouvant être pris dans tous les sens. Plus on vivait dans la conscience de sa propre insignifiance, plus on révérait des objets qui l'avouaient et la masquaient à la fois. Un sac ouvragé, des boucles d'oreilles à logo, des chaussures signées. Cela ne me déplaisait pas. J'ai toujours été un peu fétichiste, et les escarpins de Jimmy Choo ou Christian Louboutin encourageaient ce goût. Il y a pour moi une volupté particulière à glisser le pied dans le cuir d'une sandale, à lacer sur la jambe des lanières recroisées, à sentir les brides prendre la peau qu'elles dénudent. Le regard des hommes, ensuite, qui scrutent votre cheville comme une porcelaine désirable, la palette rouge des ongles peints, la courbure accusée par des centimètres de talon.

Ce que j'ai aimé ou pas aimé en trois décennies :

- Années 70 : la mode inconsciente d'elle-même, nature, faite pour les plus belles femmes, celles que l'inélégance des tuniques et autres brimborions d'époque ne parvenait pas à enlaidir. Une fille sublime qui résistait à ça était vraiment sublime.
- Années 80 : géométrie pratique faite pour la vie de bureau. Usage du tailleur comme emblème d'intimidation uniforme pour se poser face au costume-cravate des cadres masculins. Cheveux taillés courts, en crête d'oiseau – reste de punkitude appliquée à la vie salariée ? Quelques belles épures japonaises. Mais l'ensemble, souvent exécrable.
- Années 90 : psychiquement, des scalpels fouillant le béton. Visuellement, beaucoup plus récapitulatif. L'intensification du sexe, les peaux chocolatées, les poses femme contre femme. Lesbianisme implicite et luxe signé. Ne plus gagner soi-même sa vie : être l'épouse-trophée d'un footballeur, d'un magnat, d'un rocker. Putes et mafias.

Pour suivre l'arrivée de nouveaux top models, il a fallu inventer du rédactionnel *hard*; on voulait du récit, du profil, des légendes. Chaque fille, comme les nouvelles poupées Barbie, devait raconter une histoire. Naomi Campbell, une Joséphine Baker qui aurait troqué la ceinture de bananes pour un abonnement Paris-New York en Concorde. Eva Herzigova, la reine du conglomérat minier de Moravie devenue Miss Texas. Claudia Schiffer, une Bardot allemande installée aux Baléares. Kate Moss, la nouvelle Twiggy anorexique et grunge. Stella Tennant, petite-fille Mitford descendue de son arbre généalogique pour se convertir au piercing. A ma modeste place, je participais au film. En reproduisant ces légendes, en y ajoutant, j'avais l'impression de jouer avec un village de poupées. Au demeurant, ces filles étaient haïssables de santé. On suivait l'expérience : jusqu'à quel point ces nouvelles déesses culpabiliseraient-elles les femmes ordinaires ? La réponse se chiffrait en propension à acheter des marques, des crèmes, des baumes d'identification. J'ai cru qu'il y aurait un point de rupture, un seuil au-delà duquel ces icônes inatteignables deviendraient contre-productives. J'ai eu tort. L'industrie a tourné à plein. Elles sont sorties lentement de la carrière, sans stigmates, mission accomplie, et d'autres leur ont succédé.

J'aimais observer Naomi Campbell. Elle était assez finette pour faire ramper tout le monde, assez stupide pour en tirer de la jubilation. Le mot qui aurait pu résumer son attitude la plus courante était le mépris. Il fallait la voir au bord de la piscine du Ritz, son air d'esclave ayant brûlé la plantation, bandana, robe droite indienne avec petit sac Chanel, les longues bottes noires qu'elle dézippait et rezippait sur la peau nue, avant de tourner les talons sans avoir trempé l'orteil dans l'eau. Un bloc mouvant de royauté vengeresse, un absolu spectacle de prédation nerveuse. Naomi a piraté la caisse de toutes les grandes maisons, tant mieux, c'était encore trop peu payé pour son insolence, sa beauté vénusienne, sa méchanceté.

Je n'ai pas été en reste, ajoutant quelques nouvelles espèces masculines à mon herbier. Certes, il y avait les soirs où je sortais en ayant décidé de rester chaste. Mon truc pour me protéger de la tentation, c'était de porter des dessous dépareillés. Un soutien-gorge rouge avec une culotte blanche, un corset crème avec un slip bleu. Personne ne le savait, sauf moi, mais la perspective de paraître bariolée comme une guêpe devant un homme me coupait tout effet. A défaut d'autre chose, je plaçais ma vertu dans la polychromie.

A l'inverse, je pouvais me rendre à mes rendez-vous, surtout à la belle saison, en ne portant strictement rien sous ma robe. Le type vraiment sensuel, le radar à molécules le sent tout de suite. Non seulement en remarquant la pointe des seins sous l'étoffe, mais parce que l'instinct du loup est là. La plupart ne remarquent rien. Ça vous laisse le plaisir particulier d'être comme nue devant un homme qui ne le sait pas. Il parle, il vaticine, et vous sentez le tissu à fleur de peau, c'est une façon silencieuse de le désirer, même quand il ne se passe rien. Evidemment, si vous êtes sûre de vous et que le type tourne autour de l'affaire sans oser se déclarer, vous disposez de la frappe atomique, une phrase comme « Vous savez que je suis nue sous ma robe ? ». Ce genre de déclaration, j'en conviens, sent un peu sa salope de théâtre. Mais, bien frappée, et dite avec une certaine douceur, elle peut déclencher chez votre vis-à-vis des effets amusants à observer.

Quelques amants de ces années-là :

- Jean-Gabriel. Producteur de cinéma. Vit dans un loft avec des bougies parfumées et des fleurs des prés disposées dans des tubes transparents.

Ancien de la Gauche prolétarienne. Adore déjeuner en compagnie de Daniel Toscan du Plantier : l'un cite Guy Debord, l'autre parle de Salzbourg (moi aussi, j'aimais beaucoup Toscan). Monte des films sur la banlieue avec des éclairages bleutés, mais ne porte que des caleçons noirs. Membre de la commission d'avances sur recettes (Jack Lang). Chevalier des Arts et Lettres (Jack Lang). Fétichiste du cuir.

- Jérôme. Avocat dans un grand cabinet de droit des affaires. Strict, chemises à rayures Brooks Brothers. Cultive sa passion des best-sellers anglo-saxons, Tom Clancy ou Jeffrey Archer. Voudrait que sa vie ressemble à un thriller dont il serait le héros. Avale une gélule de Pharmaton au petit déjeuner. Me considère comme un adjuvant de son existence sociale, un ornement de ses séjours dans des restaurants tels le Véfour ou Lasserre. Très attaché à sa mère. Ejaculateur précoce.
- Eduardo. Correspondant à Paris de *La Nacíon* de Buenos Aires. Cultive la nostalgie des grandes épopées révolutionnaires en se tapant des whisky-sodas au bar du Lutétia avec García Márquez (dire : Gabo). Pense que Chevènement sera président de la République française. Dans l'intimité, adore ouvrir les ébats en lançant : « Arriba el culo. » M'avoue un jour que ses premières émotions érotiques ont été déclenchées par des photos d'Eva Perón. Déclare souffrir de priapisme. Se flatte.

- Gérard. Permanent au RPR. Marié, belle gueule, grand ami d'Henri Leconte et d'Adeline ex-Hallyday. Tient table ouverte dans des restaurants des Hauts-de-Seine où on ne lui présente pas toujours la facture. Peut faire pleurer de rire une assemblée en imitant Charles Pasqua ou le chanteur Renaud. Ne comprend pas pourquoi je lui reproche de porter des costumes Smalto. Une sorte de générosité désarmante, qui flatte la petite fille en moi. Amant puissant, quoiqu'un peu rustique. Mis en examen.

- François. Fondateur d'un label musical indépendant. Passe ses journées devant les tables de mixage d'un studio du XIe arrondissement, entouré de musiciens à dreadlocks qu'accompagnent des filles sublimes. Est souvent enrhumé. Très soucieux de faire la mode, effrayé de la voir se faire ailleurs. Parle un amusant sabir franco-anglais avec des éléments tirés des manuels de marketing. Adore poser pour les magazines (c'est comme ça que je le rencontre). Performances sexuelles tributaires de la substance ingérée.

- Giancarlo. Héritier latéral d'une dynastie industrielle milanaise. Les chemises les mieux repassées de sa génération. Très beau, s'emploie à ne rien faire. Adore piloter des hélicoptères. Totalement cosmopolite, assez mufle, ne cachant pas à ses maîtresses qu'elles font partie du harem. Moins intelligent qu'il ne le croit, plus malin qu'on ne le dit. Tache de naissance sur le scrotum.

- Charles. Editeur en vogue. A pour axiome qu'une ancienne anorexique peut toujours écrire un best-seller. Il signe les anorexiques et couche (brièvement) avec moi. Divorcé, souffre de problèmes gastriques à chaque versement de pension alimentaire. Me fixe des rendez-vous sur la rive droite : être vu en compagnie d'une journaliste de mode du côté du Flore pourrait compromettre sa réputation. Porte des chemises noires et soigne sa petite moustache. Un hétéro qui a le genre homo.
- Jean-Marie. Photographe. A portraituré tout ce que le rock a compté de légendes, Dylan et Beatles en tête. Visage mobile, ridules, élégance de chat. S'amuse de ce que son grand-père était un ami de Proust quand lui a connu Mick Jagger. A dédaigné les avances de Brigitte Bardot, mais a couché avec moi. Son seul défaut : contrairement à ce qu'il dit, c'est lui qui m'a plaquée.

Au cours de ma grossesse, je me suis souvenue d'une conversation avec un garçon, l'année de ma classe de terminale. Nous parlions des manifestations pour le droit à l'avortement. Ce garçon n'était pas spécialement réactionnaire, mais il m'avait dit : « Est-ce que vous imaginez, tes copines et toi, l'effet que peut avoir sur un mec de votre âge la revendication majeure des filles, qui est en ce moment *de ne pas avoir d'enfants*. Je sais bien que c'est un combat juste, que ça évitera des boucheries atroces. Mais si les hommes sont aussi épais que vous le prétendez, ils retiendront inconsciemment de tout ce cirque que vous ne voulez plus des enfants qu'ils vous font. » Je l'avais renvoyé dans ses buts en lui disant qu'il ne s'agissait pas de refuser les enfants, mais de choisir le moment et le père.

N'empêche. Son propos m'avait frappée, et même inquiétée. Eh bien, des années après, le moment était venu où je portais l'enfant d'un homme. Je me suis dispensée de faire de la sociologie. Etudes longues, maîtrise de la fécondité, premier enfant entre trente et trente-cinq ans, je correspondais à mon socio-type. Mais je n'avais pas envie de me voir en cobaye, en appartement-témoin de ce qui se passe dans le reste de l'immeuble. Ma rencontre avec Daniel, je ne l'avais pas provoquée : sans ce colloque à Lisbonne, j'aurais peut-être continué à préparer mes cours en jeune vieille fille, promenant mon spleen au milieu des polycopiés. Le fait d'être enceinte renvoyait à un homme singulier, à une histoire intime, à un enfant qui serait lui-même et personne d'autre.

Le temps de ma grossesse, il me semble que je l'ai vécu dans un état second, ému, à la fois affairé et heureux. Je ne voulais renoncer à rien. Assurant mes cours à la fac, continuant à sortir, prenant des vacances avec Daniel. Si j'excepte quelques épisodes désagréables pendant les premières semaines – vertiges et nausées –, c'est le plaisir de vivre que je ressentais. Daniel prétendait que mes seins n'avaient jamais été aussi glorieux. Ses mains touchaient mon corps et le trouvaient différent, la peau, les tissus, il disait qu'il sentait ma peau mûrir comme celle d'un fruit au soleil. Lorsqu'il m'accompagna à la première échographie, Daniel ne quitta pas l'écran du regard Ces formes floues, qui paraissent se mouvoir au fond d'un espace fuligineux, annonçaient le futur visage d'un enfant. Le gel froid me chatouillait le ventre, j'avais envie de rire aux éclats. Toutes les analyses étaient normales.

Au quatrième mois de grossesse, nous avons déménagé. Il faudrait plutôt dire que Daniel m'a envoyée dormir quelques jours chez une amie et qu'il a supervisé un double transfert de meubles. Nous avions trouvé une location à l'angle du boulevard Arago et de la rue Broca. Pour la première fois de ma vie, j'allais partager durablement un appartement avec un homme. Seul problème de ce déménagement : ses livres et les miens. Classement alphabétique ou répartition par origine ? Finalement, nous avons opté pour un partage de bibliothèque, le côté Daniel et le côté Claire.

Lucas est né un matin de février, à huit mois et trois semaines. Quand on l'a posé sur ma poitrine, ma main s'est portée vers lui, j'ai senti un corps palpitant, humide et chaud, et j'ai redressé la tête pour voir le visage de mon enfant. Il avait des yeux collés de petit chat, un nez bien modelé, de rares cheveux noirs plaqués sur les tempes, comme un danseur de tango. C'était lui. Lorsque Lucas, lavé et langé, m'a été amené dans la chambre, je l'ai installé contre moi, sous les draps, avec la tête qui dépassait, calée au creux de mon bras. Je ne pouvais détacher mes yeux de son premier sommeil. Quoi qu'il arrive, je serais toujours sa mère, il serait toujours mon fils.

Durant les semaines qui ont suivi, j'ai dû apprendre. Les horaires de biberons, l'usage du pèse-bébé, le scotchage expert des couches. Si l'on m'avait soumis quelques mois plus tôt le mot « Eosine », j'aurais probablement répondu qu'il s'agissait d'une divinité grecque mineure. L'Eosine ne désigne pas une divinité, mais un désinfectant. Comme l'on était en session parlementaire, Daniel devait se rendre tous les jours au Palais-Bourbon. Je m'efforçais de préserver son repos. Les nuits pouvaient se révéler éreintantes, biberon de nuit, biberon de six heures. Parfois, une mélancolie m'envahissait. Je me sentais inapte, désarmée, découragée. Personne ne pouvait se mettre à ma place, il me semblait traverser une expérience qui se partage mal. J'étais convaincue que d'autres mères se débrouillaient mieux que moi.

Ma maladresse des premiers temps, je crois qu'elle s'est corrigée. Daniel m'a aidée. Nous apprenions ensemble, avec au moins une conviction commune : il ne faudrait pas enfermer Lucas dans ces royaumes de peluches où je voyais certains bambins errer comme des nains béats, parce que leurs parents pensent que l'enfance est un univers séparé, une île où l'on envoie un canot les chercher quand ils ont quinze ans, pour les jeter alors dans la cruauté du monde. Lucas était déjà l'homme qu'il serait autant que l'enfant qu'il ne cesserait d'être. Mon rôle de mère, c'était aussi de ne pas faire peser sur lui la mélancolie de la séparation.

Avec Lucas, le savoir cédait devant la vie. Je pouvais connaître par mes lectures les stades de son développement, et même vérifier qu'il en accomplissait les performances au moment requis. Les livres disent : glossolalie, préhension, interactions optiques, stabilité assise, mimétisme langagier. Pour moi, c'était d'abord mon fils qui me souriait

PIERRE

En 1993, j'ai été placé en disponibilité de l'administration. Mes activités dans la périphérie du ministère de la Culture, les quelques relations que j'y avais nouées m'ont aidé. On suggéra mon nom à Jean-Michel Dugrand, qui recherchait un « homme de confiance », selon son expression, pour s'occuper de sa fondation. Après plusieurs entretiens, je fus embauché. Comme l'on dit, j'allais « pantoufler » : quitter le public pour le privé.

Sans rechercher la publicité, Jean-Michel Dugrand occupait une place respectée dans le capitalisme français. Héritier du vieil argent – sa famille possédait dès l'avant-guerre des intérêts dans la Banque Worms et les Galeries Lafayette –, il avait su développer la holding familiale par des prises de participation dans la distribution, la presse et l'immobilier. Dugrand ne faisait ni vagues ni pertes ; la discrétion s'alliait chez lui au sens des bonnes affaires. Lors de notre premier entretien, il me reçut dans son bureau de la rue de Lille. J'eus l'impression qu'il se contentait de vérifier les informations qu'il avait déjà collectées. Ce que Dugrand attendait de moi ? Que je veille au bon entretien de sa collection – il attachait notamment de l'importance à l'histoire de chaque pièce, tout en surveillant les ventes ou en alertant les experts sur les objets de sa recherche. Je devais aussi étudier les formes que pouvait prendre l'exposition future de sa collection, pour l'heure abritée dans une villa-musée du Pecq, loin de l'œil du public. Et, tout aussi discrètement, lui suggérer le nom de jeunes artistes auprès desquels il pourrait jouer le rôle de mécène. Les conditions auxquelles il proposa de me rémunérer étaient plus que favorables : il ne voulait pas qu'il fût dit, à Londres ou à Houston, qu'il traitait ses gens moins bien que les grandes fondations anglo-saxonnes. Du coup, mon revenu mensuel se trouva affecté d'un multiplicateur inespéré.

Depuis que des expositions en ont révélé la consistance, le fonds Dugrand est mieux connu. En 1993, on avait encore l'impression de pénétrer dans un mastaba fraîchement dégagé. Personne au monde, murmurait-on, ne possédait un tel ensemble de meubles signés Charreau, Perriand ou Eileen Gray. Les mauvaises langues ajoutaient que Jean-Michel Dugrand n'avait eu que le moindre mérite d'enrichir un fonds constitué en temps réel par ses parents. Mais on ne pouvait lui contester ses propres acquisitions, qui l'avaient vu rivaliser pendant trente ans avec Daniel Filipacchi ou Ahmet Ertegün pour l'achat d'œuvres surréalistes. Je ne vais pas décliner le catalogue. Disons que les boîtes de Joseph Cornell, les objets de Meret Oppenheim me retenaient presque plus que les trois grands Dalí et la dizaine de Magritte. Il y avait une pièce jamais montrée jusqu'alors, le résultat d'une *jam session* picturale entre

André Masson et Pablo Picasso, signée par les deux peintres.

Ce que je n'avais pas mesuré, c'est combien Jean-Michel Dugrand avait suivi d'autres chemins. Les *vintages* photographiques, notamment, stupéfiaient par leur qualité. Plusieurs rayogrammes de Man Ray. Des Rodchenko et des Sander. Une série de clichés pris par Dora Maar en 1937 sur la plage de la Garoupe, jamais vus. Des érotiques masculins de Hoyningen-Huene rachetés via la Tunisie, où le photographe avait séjourné. Sans compter les nombreux portraits signés Kertész, Rogi André ou Maurice Tabard.

Ma prise de fonction coïncida avec un épisode dont je me demande s'il n'avait pas, dans l'esprit volontiers malicieux de Dugrand, valeur de bizutage. Il venait d'acquérir une vingtaine de films muets, datés des années 1919 à 1929, dont la destination d'époque était claire : émoustiller les clients dans les vestibules de maisons closes. Je les visionnais. Messieurs à bacchantes déboutonnant leurs gilets, nonnettes saphiques, filles d'auberges aux fessiers mafflus, tout ce monde en action, avec une effronterie gorgée de santé. Parties de campagne, soubrettes robustes et cavaliers moustachus, un côté tourlourou et bandes molletières animé par une gaillardise sans péché.

L'un des films différait des autres. Les éclairages étaient plus soignés, les cadrages travaillés, sans cet aspect de *slapstick comedy* qui imprimait au reste des séquences le rythme d'un film de Charlot. Les ombres tournaient sur les visages, une bouche féminine s'approchait en gros plan d'un sexe d'homme dressé comme le gladiole d'une fleur blanche. Les organes acquéraient une sorte d'autonomie aquatique, une existence segmentée, tels les rouages d'une mécanique abstraite. J'eus la conviction d'avoir sous les yeux un film de Man Ray. La lumière froide, la texture de l'image, la déshumanisation du regard évoquaient d'autres courts-métrages portant sa signature. Je montrai le film à deux experts, Lucien Treillard et Alain Sayag. Ils penchaient pour l'attribution. Lorsque je fis part à Jean-Michel Dugrand de cette découverte, je vis se peindre sur son visage la joie de l'amateur passionné. Il n'était pas loin de m'attribuer tout le mérite de la trouvaille, alors que je m'étais contenté d'inventorier ses propres acquisitions. Cela me mit le pied à l'étrier.

La connaissance que l'on peut avoir des femmes évolue avec nos pérégrinations sociales. Le prestige dont jouissait Dugrand dans Paris déteignait, ainsi que je le compris assez vite, sur ses collaborateurs. Je commençai à recevoir des invitations émanant de bourgeois amis des arts, celles de professionnels de la banque et de l'industrie qui se contrefichaient de Man Ray. Mais, informés de la place qu'occupait sa collection dans la vie de mon patron, ils me tenaient pour une sorte de lieutenant, de directeur des menus plaisirs comme l'on est directeur financier. Cela me permit, pas forcément à mon détriment, de faire quelques connaissances. La proximité des lieux où circule l'argent est assez propice à la manifestation de la vérité

Je croisais des chargées de communication, des vendeuses d'événements, des spécialistes de la com', des maîtresses de puissants, des courtisanes installées. Le nombre croissant de celles qui avaient suivi un cursus universitaire préparant au commerce ou à l'entreprise les rendait familières des calculs d'opportunité, du rapport multiplicateur entre la mise initiale et le retour sur investissement. Elles n'étaient pas *gratuites*. Habituées à obtenir des résultats par arbitrages successifs, elles organisaient leur vie privée comme une annexe du plan comptable. A côté d'elles, mon ancienne épouse Isabelle était une majorette. Les critères de sélection résultaient d'une équation dont les facteurs se nomment argent, pouvoir, âge, apparence physique, perspectives d'évolution. Vous pouvez ainsi appliquer à la vie amoureuse de certaines de nos contemporaines les grilles des chasseurs de tête. Il y a toujours quelque chose du gros crustacé nerveux chez ces femmes, des mines tendues, une exaspération sourde, pressée, à fleur de nerf. Elles ne sont jamais plus comiques que lorsqu'elles arment leur prochain assaut sur une proie désignée. Le raid se prépare, les phares sont allumés, les filets tendus. Quand le safari commence, il vaut mieux courir aux abris. Ce qui me permet d'en parler ? J'ai appliqué avec une ou deux d'entre elles la technique du Chat botté et du marquis de Carabas : apprenez que tout ceci appartient à mon maître. En couchant avec moi, elles s'approchaient de Dugrand. Je cours encore.

On identifie tout aussi vite celles qui échappent à la loi du calcul. En gros, les femmes très humaines et les filles prêtes à tout. Les unes, parce qu'elles sont capables d'indulgence ; les autres, parce qu'elles vivent sans ceinture de sécurité. Règle : toujours défendre les femmes que la rumeur parisienne accable, on ne leur reproche généralement que leur liberté. Comme par hasard, elles sont souvent jeunes et belles, intelligentes, d'une certaine intrépidité sexuelle. Les hommes ont peur d'être percés à jour, les femmes d'être supplantées. Là-dessus, il faut rester d'un élitisme total, devenir leur ami autant que faire se peut, prononcer leurs louanges pour aggraver leur réputation, c'est-à-dire leur légende. Il y a un certain bénéfice moral à savoir que les salopes aigries se tordent d'envie et de ressentiment quand passe l'évidence.

Néanmoins, certaines situations peuvent se révéler maléfiques. Il existe une espèce, très rare, de grandes femmes fatales. Le spectacle est de qualité : on les détecte à une certaine manière arachnéenne sans avoir l'air d'y toucher, avec dans l'œil une petite folie froide. Elles n'y peuvent rien, leur destin est de vous perdre, elles sont le mal et ne le savent pas, la définition du mal étant précisément celle d'un mystère qui ne peut accéder à sa propre connaissance. Elles savent trouver le point aveugle, le désir de perdition dissimulé chez des hommes reconnus pour leur sagacité, voire leur grande réputation intellectuelle, qu'elles vont mettre à genoux contre toute raison. L'intelligence n'immunise pas contre la passion de l'erreur ; or, elles sont l'erreur, incarnée, captieuse, infiltrante, d'une énergie ramifiée, étrange, profonde comme l'eau d'un étang. Dans deux cas sur trois, elles ont des rapports bizarres avec la jouissance.

Chaque homme est l'accablante estampe de leur manque. Elles doivent donc les corrompre lentement, disjoindre les articulations ; je t'assassine sans vouloir te tuer, mais je te regarderai mourir. Si la pulsion de mort existe, elles en sont l'instrument chapeauté, ganté, armé de toutes les séductions du néant.

J'ai connu Armelle. Elle se laissait volontiers martyriser par des mufles mais se vengeait en rudoyant les hommes sensibles. Ce sont les deux faces d'une vie malheureuse. Parce qu'elle était flatteusement belle et faisait silhouette, elle pouvait combler la vanité d'un homme et, plus dangereux, révéler en lui, comme on active un virus, la possibilité de l'amour. On la disait vénale. Si elle n'avait été que cela, c'eût été un moindre mal : on leur offre des bottines et elles se tiennent tranquilles. Mais il lui fallait, en plus du reste, attiser l'amour comme une belle comédie ; essuyer en elle la semence, reste d'une jouissance qui ne lui était pas donnée ; sentir la haine de fond monter sous le masque. Elle était charmante et ophidienne. Par quelles opérations psychiques faisait-elle passer ses proies, je ne saurais exactement le dire ; elle serait la dernière à pouvoir décrire un mécanisme qu'elle subissait autant qu'elle l'infligeait. A un moment, elle devait trouver le nerf qu'elle cherchait, le pincer et ne plus le lâcher. Le résultat était immanquablement fatal : hommes exsangues, sortis de leurs gonds, habités de fantasmes de mort, *alors même qu'elle ne les avait pas encore quittés*. Elle était d'une cruauté aztèque et légère. Une encoche de plus sur son poignard, puis, les mains derrière le dos, elle passait au suivant.

Moi aussi, j'ai eu mon histoire avec Armelle. Mais pas comme l'on croit. Elle n'avait certes pas l'habitude qu'on lui refuse un déjeuner, et j'acceptai lorsqu'elle me le proposa. C'était un jour de mai. Mes radars étaient branchés à pleine amplitude. La conversation, qu'elle infléchissait par petites touches, se dirigea là où elle voulait aller. Deux thèmes : la personnalité de Jean-Michel Dugrand, l'évaluation de mon compte en banque, sur lequel elle paraissait disposer d'informations aussi favorables qu'erronées. Je ne la détrompai pas. Le tout, il faut le dire, étant amené sans la moindre vulgarité. A un moment, elle se fit plus languide, et je sentis ce qu'il y avait d'irrésistible en elle : ses yeux d'eau calme, comme perdus au fond d'un doux songe lointain, dans lesquels brûlait une flamme. Armelle était d'une innocence absolument maléfique, une femme fatale de film noir, celle qui laisse des cadavres derrière elle sans même s'aviser qu'ils tombent comme des mouches. On ne peut pas résister à ça, c'est le visage de la perdition rêvée. La force d'Armelle ? Passé un certain stade d'évaluation, elle jouait sa partie au-delà de toute corruption : la vénalité n'était plus en cause, seulement le pur désir de tuer. Elle vous regardait avec des yeux de meurtrière navrée.

En sortant du restaurant, elle me désigna l'hôtel qui lui faisait face :

— Je ne connais pas cet hôtel, dit-elle laconiquement.

— Moi non plus, lui répondis-je.

Elle attendait autre chose. Mais je ne lui proposai rien. Les spirales de décomposition avec une trop jolie femme, merci bien, j'avais déjà donné. Exorcisme. Gousse d'ail et crucifix. Je n'allais pas entrer dans son petit jeu de mort, ses devinettes au curare, son train fantôme automatique.

Armelle revint à la charge quelques semaines plus tard, mais sous un autre profil. J'avais dû l'interloquer en ne tombant pas dans ses filets. Problème de champ magnétique avec ce garçon ? Lors du second déjeuner, elle changea d'angle. Etais-je impuissant ? Homosexuel ? Ces questions, qu'elle parut effleurer au début de la conversation, ne la retinrent pas vraiment. Elle fit mine de m'installer dans un autre emploi, celui de l'*analyste* ou du *confident*. D'un côté, cela devait l'arranger que je ne lui aie pas sauté dessus ; de l'autre, elle avait l'air de sonder mon étrange résistance, comme un possédé tâte du doigt la chasuble du prêtre. En un mot, j'eus le sentiment qu'elle me parlait parce que je ne l'avais pas baisée. Armelle vint assez vite sur le chapitre sexuel. Alors que je ne lui demandais rien, voilà qu'elle soutient soudain avec une véhémence un peu folle que la seule jouissance est clitoridienne, elle donne des précisions techniques, selon elle tout se ramenait au petit bouton que les Anglais nomment « the boy in the boat », la muqueuse vaginale n'étant innervée que pour faire remonter la sensation vers ce point, et elle y revenait, elle insistait, comme si elle avait voulu se justifier, balayer toute autre possibilité (en reposant la question à d'autres femmes, je fus étonné par le flou des réponses. Certaines disaient ressentir successivement deux formes de spasme, d'autres ne distinguaient pas Parlaient-elles seulement de la même chose ?

L'une expliquait qu'une femme veut être baisée avec vigueur, point. Mais une autre insistait sur les préliminaires, le lent apprivoisement de la peau. Et une autre encore disait jouir surtout de la situation, de ce qu'elle revivait en elle des petits blasphèmes sales de l'enfance. J'avais l'impression d'interroger des théologiens d'obédiences opposées sur les preuves de l'existence de Dieu). Là-dessus, Armelle lâche cette phrase : « On ne trouve plus d'hommes pour nous traiter comme ils le devraient, c'est-à-dire comme des putes. »

Puis elle se met à me raconter une histoire bizarre, citant des noms correspondant à des personnes plus ou moins connues de moi, des hommes mûrs et des femmes plus jeunes, tous assez répandus. Elle avait soudain pris un ton de gamine qui vide son sac. Ce qu'elle tentait de m'expliquer, je l'ai complété depuis lors par d'autres récits, d'autres rencontres. Armelle n'était pas la seule de son espèce. D'autres jeunes femmes avaient suivi le même chemin, subi les mêmes initiations. Elles formaient un club sans carte, certaines effacées du paysage, d'autres magnifiquement redressées. Le côté méphitique d'Armelle pouvait, jusqu'à un certain point, être imputé à leur destin commun; pour le reste, son tempérament de petite Brinvilliers la poussait à garder au frais toutes les poudres de succession.

« On ne trouve plus d'hommes pour nous traiter comme ils le devraient, c'est-à-dire comme des putes ». J'ai fini par repérer la séquence : des jeunes bourgeoises d'éducation catholique, aspirant à dépasser leurs mères, suivent des études de droit ou de commerce. Elles jugent insuffisants les garçons de leur âge, condamnés à quinze ans d'abnégation professionnelle avant de devenir directeurs ou vice-présidents, c'est-à-dire socialement assis et financièrement sécurisés. Tant qu'à faire, elles préfèrent brûler les étapes en passant directement au quadragénaire, voire au quinquagénaire installé. L'argent et la notoriété jouent comme aphrodisiaques : elles cherchent des initiateurs, des mécènes, des amants prêts à tenir le rôle du père sexué. Accomplir l'inceste symbolique avec un homme riche et célèbre, tel est le programme. Elles se mettent en chasse sans savoir qu'elles sont attendues. Il existe à Paris un certain nombre de célibataires fortunés, banquiers, hommes d'affaires, qui ne cessent de puiser dans ce stock de jeunes affamées comme on attrape un poisson rouge en plongeant la main dans l'aquarium. Normalement, les anciennes victimes devraient mettre en garde les jeunes impatientes contre ce qui les attend. Mais non, elles préfèrent se venger en assistant depuis le balcon à de nouveaux sacrifices.

Ce qui les attend, c'est une initiation sans aménité. Pressées de se défaire des fardeaux dont on les a bâtées dans leurs écoles religieuses, qui professent la prévention catholique envers l'argent et les mises en garde contre le sexe débridé, elles sont avides d'y aller voir. N'ayant la mesure ni de l'un ni de l'autre, les voilà prêtes à tout. Dans un premier temps, l'argent du Pygmalion coule à flots ; elles se voient plus gâtées que leurs mères, enivrées de grands restaurants, de fréquentations flatteuses, de week-ends à

Positano, de garçonnières à miroirs. Le Paris le plus raffiné leur appartient, elles ont zappé des années de galère et de lenteurs. Elles croient que ce qui les attend dans l'alcôve est à l'unisson de la vie qu'elles commencent à mener, le corollaire du grand genre parisien.

Or, ce qu'elles trouvent au centre de la toile d'araignée, c'est la passion destructrice de ces vieux célibataires dorés, exorcisant la peur du vieillissement et de la mort en profanant la jeunesse qui leur échappe. Ils peuvent se payer toutes les putes de la place, et les plus belles. Mais il est beaucoup plus excitant d'affermir son emprise sur une jeune bourgeoise en la traitant comme une prostituée. Tel est le jeu. Elles sont riches de leur jeunesse, de leur fraîcheur, de leur avidité ? Il faut donc les dépouiller de cette vivacité insolente, leur infliger le supplice de la starlette de *Goldfinger*, asphyxiée à la peinture d'or. Leur sexualité, mal fixée, est dirigée vers des scènes où elles deviennent objet.

Au fil des années, j'avais eu vent de quelques épisodes, dont il était intéressant d'apprendre que telle fille qui vous embrassait sur les deux joues avait été l'actrice. Ce pouvait être la scène où le Pygmalion convoque une pute professionnelle et ordonne à la jeune bourgeoise de la gamahucher. Celle où il la lâche dans le bois de Boulogne en la sommant de s'offrir au premier venu. Les rituels dans un donjon sado-maso. Les partouzes dans des villas tropéziennes ou des appartements de l'avenue Henri-Martin. Tout cela soutenu par la continuation de rites sociaux dorés, les dîners estivaux à Sperone ou les chalets de Megève. Si elles ne prenaient pas le large, les filles étaient condamnées à l'addiction ; leur sexualité, bouleversée par ces jeux, ne trouvait plus à s'exprimer que dans un scénario extrême ; leur mode de vie, dopé à la carte Visa, se voyait placé sous le signe de la dépense. C'est ce moment-là que le quadra-quinqua choisit évidemment pour la débarquer au profit de la suivante.

Intoxiquées, perdues, ces filles, dont certaines n'ont pas encore vingt-cinq ans, redescendent dans le monde banal des jeunes diplômés et des mariages à la campagne. Leur initiateur va continuer sa ronde infinie dans l'enfer de la répétition. Elles entrent dans celui du manque, désormais privées d'un train de vie, d'une intensité cruelle dont la vie courante ne leur offre pas l'équivalent.

Je les reconnaissais à certains signes. Une dureté du regard où un souvenir d'effroi restait imprimé. Le sentiment, lorsque l'on conversait avec elles plus de cinq minutes, qu'elles suivaient mentalement une autre histoire, qu'elles attendaient d'un homme qu'il refasse les gestes, utilise les mots qui les jetteraient hors d'elles-mêmes. La compulsion de répétition qui vous installait à la place d'un absent, car elles exigeaient de tout homme nouveau à la fois une prodigalité et une violence qui n'étaient pas forcément dans ses habitudes. Quelque chose de voilé, d'endeuillé et de brutal, comme si elles avaient fui un soleil brûlant, puis désiré en vain son retour. L'attitude appelante, étrangement lascive que l'on dit être celle des enfants violentés. « Tu sais que tu pourrais me demander de séduire une femme », m'avait lâché un jour l'une d'entre elles, comme si j'avais tardé à lui en donner l'ordre, comme si j'avais manqué d'imagination au point de ne pas savoir que dans son optique, qui n'en admettait guère d'autres, le rôle naturel d'un homme, l'acte qui signait sa suprématie ne pouvait être que celui-là. La malédiction, c'est la série. L'enfer, c'est la répétition. Si le démon avait existé, il aurait inspiré ce malheur obtus qui transformait de si jolies filles en otages de l'éternel retour.

Je remarquai aussi que tous les personnages du tableau, banquiers et jeunes filles, se rattachaient par l'origine ou les fréquentations à des milieux sociologiquement de droite, par ailleurs ouverts par leurs métiers à une certaine modernité anglo-saxonne. Ils voyageaient, parlaient l'anglais, travaillaient volontiers dans des officines situées à Bruxelles, Londres ou Moscou. Cela ne les empêchait pas d'aimer les messes noires et les oubliettes du château. Je me demandais parfois si ces hommes d'argent, qu'aucune prescription morale née d'une discipline de parti ou d'un surmoi humaniste n'entravait, et qui jetaient leur dévolu sur ces cires molles plutôt que sur les femmes faites, n'avaient pas choisi de rester à vie des enfants cruels. Ou bien craignaient-ils les femmes au point de les humilier sans répit, comme s'il avait fallu se venger éternellement de la froideur de maman ? Ces jeunes bourgeoises qu'ils dressaient au malheur ne savaient pas que certains caprices sont les fils de la mort. « On ne trouve plus d'hommes pour nous traiter comme ils le devraient, c'est-à-dire comme des putes »...

Pour le dire bêtement, la naissance de Lucas m'a rendue plus concrète. Et plus modeste. J'étais une femme parmi les femmes, soumise aux fatigues, aux affects, aux angoisses d'une mère. La fréquentation dominicale des pharmacies de garde et les appels nocturnes à SOS Médecins vous remettent le nez dans le monde. Pour trouver une place de crèche, il fallut l'intervention d'un député sollicité par Daniel. Combien ne bénéficiaient pas de ce passe-droit ? J'ai mesuré ma condition de privilégiée : un emploi stable, un appartement proche de mon lieu de travail, un homme à mon côté qui acceptait virilement sa paternité. Mais je voyais bien que ce n'était pas la règle. La phrase que j'entendais le plus souvent dans la bouche des femmes de mon âge était : « j'ai l'impression d'être seule ». Certaines étaient seules avec leur bébé malade, seules à trembler pour lui, seules à le promener dans les allées des parcs, seules face à la pointeuse du bureau où elles arrivaient essoufflées.

J'ai eu envie d'écrire. Non pas une étude savante, mais un essai d'humeur, ouvert à tous, aisé d'accès, où je tenterais d'exposer deux ou trois idées qui m'étaient venues. Je mesurais les reproches que j'allais encourir du côté de l'université, la réprobation qui pourrait s'ensuivre, mais Lucas me rendait libre. Plutôt que de traiter frontalement les femmes, mon intuition était que l'on pouvait les évoquer en creux à travers le destin de leurs compagnons. Non pas la condition de la femme, mais celle de l'homme. Pendant des mois, j'ai passé mes soirées à rédiger ce qui allait devenir mon premier livre. Par esprit de paradoxe, il était intitulé : *Françaises*. A le relire aujourd'hui, je comprends ce qui l'a fait remarquer : une façon de mettre en bouquet plusieurs thèmes qui traînaient dans l'air du temps.

Tout le texte découlait de la question posée par le prologue : à quel type d'hommes avons-nous affaire ? Le point commun, c'est une génération sans guerre. Trop jeunes pour avoir connu l'Algérie, témoins platoniques de mai 1968, les bébés de 1958-60 ont laissé leurs grands frères ouvrir la voie. Dénués de toute pulsion belliqueuse, vivant au milieu d'une Europe pacifiée, ils s'installaient dans une hypothèse de vie longue. Cela les distinguait radicalement des trois générations précédentes, dont l'existence avait été polarisée par le conflit avec l'Allemagne ; des vies scandées par les mobilisations, l'expérience du front, le chagrin des deuils. Cet état de fait commandait autrefois un tout autre rapport entre les hommes et les femmes. La présence des premiers était alors une donnée précaire ; les secondes savaient qu'elles pouvaient être au cours de leur existence soit la fille, soit la veuve, soit la mère d'un soldat tué au combat, et parfois les trois. Le moment-homme, dans la vie des femmes, restait souvent très fugace. Après 1960, tout cela disparaît. Pour la première fois depuis des décennies, sinon des siècles, les jeunes Françaises pressentent qu'elles pourront traverser une vie entière sans qu'un carnage vienne éclaircir les rangs de leurs compagnons. Simultanément, elles acquièrent la maîtrise de leur fécondité. C'est explosif : les hommes sont appelés à vivre longtemps dans la proximité de compagnes qui décident de la conception. La fin de la guerre et la diffusion de la contraception coïncident. L'héroïsme moral disparaît comme valeur et possibilité, tandis que la paternité est subordonnée à la volonté des femmes.

A partir de là, exposais-je dans *Françaises*, tous les signes d'une *dévirilisation* croissante peuvent être observés. Plusieurs étapes balisent le chemin. La mode unisexe des années 1970, garçons et filles communiant dans l'androgynat et l'amour flou ; l'insistance qualitative sur l'enfant choisi, promu au rang de sauveur dans des vies gagnées par l'incrédulité religieuse ; la mode des « nouveaux pères », l'expertise en Babygro devenant aux hommes ce que le démontage du fusil Gras avait été à leurs ascendants ; la diffusion d'une pensée compassionnelle cherchant à identifier un faible pour le défendre en toute occasion face au fort qui conspire pour l'opprimer ; la montée du salariat féminin et du divorce, sur des modes allant vers le consentement mutuel ; la généralisation d'une vulgate psychanalytique ayant pour effet de rejeter sur la génération supérieure la responsabilité des maux qui encombrent toute vie adulte ; le traitement consécutif du malaise par l'Etat-providence, dont le maternage aura contribué à faire de la France le premier pays au monde pour la consommation moyenne d'antidépresseurs par tête d'habitant.

J'ai l'air de dresser un réquisitoire ? Alors j'en suis la première accusée et plaide coupable : j'ai adoré l'unisexe, les *jeans* et les garçons imberbes ; j'ai placé en Lucas, quand il est né, un espoir de salut où il entrait de la religiosité dérivée ; j'ai parfois pensé que Daniel n'en faisait pas assez à la maison ; j'ai trouvé des avantages à me savoir belle âme, en montrant de l'empathie (je signais des pétitions) avec les douleurs que je prêtais par principe à toute minorité lointaine ; j'ai été encline à incriminer mes parents plutôt qu'à examiner des actes, les miens, dont j'étais seule comptable ; il m'est arrivé de prendre des antidépresseurs.

Si ma théorie de la dévirilisation tenait, il fallait observer les signes par lesquels l'animal masculin, brutalement dépossédé de ses apanages, tentait de trouver des exutoires. Cela pouvait prendre la forme de l'*exploit sportif*, où l'on voit reparaître, notamment lorsque deux équipes s'affrontent, la rhétorique de la guerre ; la forme de l'*esprit d'entreprise*, avec ses conquêtes, ses OPA hostiles, ses affichages de bilans où l'on paraît détailler les chiffres comme les gamètes d'une très riche liqueur séminale ; cela pouvait encore se cristalliser sur le *combat politique*, avec ses logomachies, ses manifestations de rue, ses luttes claniques ; cela pouvait aussi se marquer par le sexe, l'ostentation de la partenaire, la *trophy wife* dont l'Amérique colportait déjà la mode.

Dans la postface rajoutée lors de la reparution du livre en édition de poche, au début de l'année 2002, j'ai développé ce dernier point en étudiant, non sans une certaine humeur, l'apparition d'un nouveau type féminin, la bimbo. Nombre de mes contemporains, ayant arraché les banderilles de leur précédent mariage, apparaissaient désormais au bras de lolitas maquillées, juchées sur dix centimètres de talons, du genre « My heart belongs to Daddy », en route avec elles vers l'infarctus fatal, mais allégrement, dans l'esprit du triomphe romain. Ils ont l'usage d'une chair jeune et flatteuse ; elles trouvent un homme-parapluie leur épargnant la fatigue de mûrir. C'était bien la peine de s'être échinées à repenser les rapports hommes-femmes, comme on le disait en 1975 dans les coordinations étudiantes, pour constater le triomphe de gamines aux seins fermes se proposant de pousser le fauteuil roulant de ces messieurs. Mais, là encore, j'anticipe.

La première édition de *Françaises* a été publiée en 1994 par Flammarion ; le livre a suscité quelques polémiques, ce qui a lancé le débat dans la presse et permis une vente de 20 000 exemplaires. Le meilleur souvenir, pour moi, reste le face-à-face avec Evelyne Sullerot qu'organisa *Le Nouvel Observateur.* Je fus frappée par la dignité, l'ampleur de vues de cette pionnière. En revanche, j'ai pris quelques mauvais coups, notamment du côté de mes collègues universitaires. Même si je le pressentais, cela m'a dessillée. Parce que j'avais trop lu, peut-être, je prêtais toujours aux comportements de mes contemporains des raisons plus nobles, plus élevées que celles auxquelles je ne me résignais pas à les voir obéir. Jusqu'à la trentaine, je prenais la jalousie, l'envie, la malveillance pour des sentiments littéraires ou historiques, peu susceptibles de prendre corps chez des individus civilisés. Si quelqu'un esquissait un coup bas, j'étais prête à rire de ce pastiche de coup bas, ne pouvant imaginer que la malignité se prodigue au premier degré. Si l'on décochait un mot brillant et acide, je ne retenais que le brio sans percevoir que l'acidité en était le motif profond. Il m'a fallu du temps pour comprendre que la méchanceté existe. Dans les milieux intellectuels, notamment, il me semblait que la lecture des grands auteurs aurait dû instiller chez mes contemporains un certain esprit d'équanimité. C'est Proust, je crois, qui a écrit que le comble de l'intelligence est la bonté. A Paris, il y a beaucoup de gens intelligents, mais ils ne sont pas tous capables de donner l'ultime tour d'écrou qui transformerait leur perspicacité en souveraineté. Je découvrais, au contraire, que nombre d'entre eux mettaient au service du ressentiment leur facilité à manier le langage. Et cela m'attristait. Peut-être la verdeur critique d'une société mesure-t-elle autant sa vivacité démocratique que son taux de jalousie. En France, je crains qu'il ne soit maximal.

Au moment de la parution de *Françaises*, j'ai compris que l'angélisme fraternel de ma première jeunesse était bien mort. C'était un rêve américain venu des campus des années 60. Il avait existé un temps fragile où, dans une frange non négligeable de la jeunesse occidentale, les attitudes libertaires tendaient à prévaloir, accompagnées de codes de comportement qui valorisaient la gentillesse, le voyage initiatique, l'indifférence à l'argent, le principe d'amitié. Des individus s'efforçaient de vivre selon ces préceptes, et parvenaient à conjurer momentanément les fantômes de la guerre, de l'esprit de possession, des rivalités de classes. Cela avait fait long feu, mais cela avait existé.

La réaction de mes parents reste ce qui m'a le plus touchée. Lorsque j'intervenais dans un débat, par exemple à la radio, en compagnie de tel écrivain, de telle figure des médias, et que ceux-ci me traitaient avec une politesse que mes parents prenaient pour de la considération, ils m'exprimaient ensuite, au téléphone, moins leur intérêt pour le thème du débat que leur satisfaction de me voir ainsi respectée par des personnages dont les équivalents, à leur génération et plus encore à celle de leurs parents, auraient paru inatteignables. Ils mesuraient le chemin parcouru par les égards que l'on me rendait. Ces égards atténuaient à leurs yeux, du moins l'ai-je pensé, l'inconsidération dans laquelle avaient vécu leurs propres parents, dont l'honnêteté, la constance, la rectitude n'avaient jamais reçu, et d'ailleurs jamais sollicité, la moindre reconnaissance sociale. Je vengeais ces humbles que personne n'avait su remarquer, ces vies sans rémunération.

En 1995, j'échappe à une tentative de viol post-soviétique. Le journal préparait un sujet sur les nouveaux tycoons, où devaient apparaître un milliardaire américain de l'Internet, un empereur chinois de l'agroalimentaire, un tsar du pétrole russe, un cheikh du pétrole. J'hérite du Russe. Le rendez-vous est pris à l'hôtel de Paris, principauté de Monaco.

Au jour dit, je me présente avec mon magnétophone et demande la suite de Pavel Artakov. C'est là que les ennuis commencent. En bonne pro, je suis attifée avec un tailleur, des collants noirs et des escarpins. On m'a dit que les nouveaux Russes aiment le genre hôtesse de l'air un peu chaloupée ; mon métier est de faire parler cet homme.

A peine le réceptionniste a-t-il prononcé mon nom dans le combiné que deux malabars à oreillettes s'approchent du comptoir. Ils me toisent, puis me demandent de les suivre. Dans l'ascenseur, j'ai l'impression que l'on me conduit à un interrogatoire au cœur de la Loubianka. Ces deux gentlemen à forte mâchoire me précèdent jusqu'à une porte gardée par un autre cerbère. Quelques mots en russe, la porte s'ouvre.

Pavel Artakov marche dans le salon de la suite, un

téléphone cellulaire collé à l'oreille. Il me désigne un fauteuil tout en vitupérant son interlocuteur ; le ton indique qu'il lui logerait volontiers trois balles dans la nuque. Artakov, la mi-quarantaine, porte un costume noir et une chemise blanche ouverte sur la poitrine. L'oligarque continue à tourner en rond, puis met fin de façon fulminante à sa conversation. La nôtre peut commencer.

Pavel Artakov s'approche de moi avec une mine carnassière et me broie la main. Cet homme sent l'alpaga et le rhum en fût. Il prend place dans un fauteuil et fait signe au cerbère qui est resté dans la pièce d'en sortir. Nous voici seuls. Moquette épaisse sous les pieds, desserte avec seau à champagne et deux coupes. Artakov me déshabille du regard, en commençant par les jambes. Mais pourquoi les volets du salon, éclairé en plein jour par des appliques murales, sont-ils à demi clos ?

L'oligarque règne sur les gisements de la Petchora et les hydrocarbures de Maïkop, les derricks de Stavropol et les méthaniers de Rostov-sur-le-Don. A chaque minute qui passe, des trépans forcent la roche, des cuvelages viennent étayer les puits, des pompes ahanent, les torchères flambent sur les plates-formes. L'or noir jaillit, et les comptes *offshore* de Pavel Artakov s'imbibent d'un pourcentage nourricier.

Magnétophone enclenché, je lui pose les premières questions. A Paris, son bureau m'a fait dire qu'il répondrait sans interprète, puisque le boss parle très bien l'anglais. Cette appréciation est favorablement exagérée. Mon Russe, tout en remettant une bonne rasade de Ruinart, se lance dans un diorama pétrolifère où il est question de Loukoïl et d'Exxon Mobil, de pipelines en Azerbaïdjan et de milliers de barils/jour, de l'excellent président Eltsine et de la photo dédicacée que lui a personnellement remise le président Clinton, tandis qu'au-dessus de sa tête une bulle invisible semble indiquer : « Je suis riche. »

Artakov déclare qu'il aime la France, et d'ailleurs il veut acheter un château à Nice.

Un château ? Il se lève, attrape sur le guéridon l'un de ces magazines bilingues et luxueux que l'on distribue désormais à tous les Russes de la Riviera, et le grand Pavel Artakov, de ses mains industrieuses et dorées, ces mains desquelles coule à chaque instant la manne de Stavropol et de Bakou, feuillette soudain sous mes yeux ce fascicule de papier glacé. Sous ses doigts défilent les pubs pour l'espace Affaires d'Air France, les cabochons Chaumet et les sprays gyromoussants, les cabriolets Mercedes et les montres Patek Philippe, le pétrole ne cesse de jaillir et se transforme en cartes Visa Platinum, en Learjets capitonnés, en enseignes clignotant au-dessus de sa gloire. Pavel Artakov tombe sur la page qu'il cherchait. Il me montre la photo d'une grande pâtisserie Napoléon III, pleine de corniches et de balcons à colonnes.

Je m'apprête à approuver ce choix, lorsque le téléphone d'Artakov se remet à sonner. Pendant qu'il s'exprime, je jette un coup d'œil sur le salon. L'oligarque a élu comme centre de son isba monégasque une superbe télévision à écran plat avec magnétoscope incorporé. Une Play-station est branchée derrière l'écran. La dernière édition de la *Rossiskaïa Gazeta* masque à peine une cassette VHS, sur la tranche de laquelle apparaissent les noms de John Holmes et Sandra Scream. Artakov vient de couper la communication. Il remarque le regard que je jette vers les fenêtres du salon, les volets à demi clos.

— *Snipers*, dit-il sans autre commentaire.

Une lichette de Ruinart dans ma coupe – la bouteille est presque vide – et l'entretien reprend.

Pavel Artakov m'interroge sur Alain Delon. Il aimerait le rencontrer. Il lâche quelques réflexions désobligeantes à propos du casino de Monte-Carlo, moins spectaculaire que ceux de Las Vegas. Est-ce que je désire encore du champagne ? Comme je réponds négativement, il appelle le *room service*. Le tsar du pétrole veut du champagne. Artakov reprend place dans son fauteuil, les yeux brillants. L'espace d'une seconde, je songe à ces délicates mises en scène de Tchekhov où l'on voit des dames à voilettes au milieu de petits flocons blancs.

L'oligarque, lui, m'indique qu'il possède une station de télévision privée ; il serait intéressant d'y avoir une Française pour des reportages sur la mode de Paris. Il ajoute qu'il a déjà des correspondantes à Londres et à Berlin, personnellement recrutées par ses soins. Je lui dis, en actionnant la touche « stop record » de mon petit magnétophone, que j'ai été heureuse de le rencontrer.

Artakov pose sa main sur mon bras. Est-ce que je veux aller faire un tour à la boutique Chaumet de la galerie du Casino ? *Or else, do you want a little sniff?*

Il se lève, ouvre le tiroir d'une crédence d'où il tire une boîte de la taille d'un écrin de joaillier. Il l'ouvre et la place à côté du seau à champagne. La poudre blanche contenue dans la boîte n'est pas du sucre. Je commence à baliser. *I don't make drugs*, lui dis-je. Un éclair mauvais traverse son regard, et aussitôt le tsar des hydrocarbures, le roi de Stavropol se jette sur moi et m'attrape les poignets. Je lui résiste sans oser crier. Il y a deux cerbères de l'autre côté de la porte.

A ce moment, la Vierge de Bogolioubovo, protectrice des pécheresses, opère un miracle en ma faveur : le chasseur du *room service* frappe à la porte. « Entrez », crié-je en continuant à repousser Artakov. Furieux, il me lâche les mains et reprend sa contenance tandis que le chasseur pénètre dans la pièce en poussant son chariot. J'en profite pour ramasser sac et magnétophone avant de me projeter vers la porte. Le champagne entre, je sors.

Quelques années plus tard, Poutine a mis mon Russe en prison. Après avoir menacé ma vertu, il paraît qu'il compromettait celle du Kremlin. L'une et l'autre savent se défendre.

CLAIRE

Pendant plusieurs mois, j'ai eu une obsession. Celle de la douleur des enfants. Entre sa deuxième et sa troisième année, Lucas présenta des troubles du sommeil. Il se réveillait la nuit en pleurant et souffrait de maux de ventre. Le pédiatre prescrivit des examens en clinique. Lucas subit une gastroscopie, sous anesthésie légère, qui révéla un dysfonctionnement du cardia. Un traitement adéquat permit la résorption de ce trouble mécanique. Mais l'épisode déclencha chez moi des états anxiogènes sans proportion avec l'accident de santé de mon fils.

Je n'avais pas supporté de l'entendre crier, presque hurler de douleur les premières nuits. Lorsque je le vis intubé sur une table d'examen, je fondis en larmes. La vision de mon petit garçon anesthésié, la main molle, la bouche forcée par un tube souple, me retournait les entrailles. Lucas passa quelques jours de convalescence à la maison, et je le couvris de cadeaux. L'idée qu'il puisse être blessé ou handicapé me paraissait intolérable. Si j'avais une nécessité physiquement inscrite en moi, c'était celle de lui manifester toute l'attention, toute la compassion que je lui devais. Pendant l'examen de Lucas, le spécialiste, commentant l'opération pour les deux jeunes internes qui l'accompagnaient, avait employé le mot de « sémiologie ». Les médecins sont les premiers interprètes de signes, et ils le sont quotidiennement. Mais savait-on déchiffrer, entendre les enfants ? N'étaient-ils pas, eux aussi, des textes sans lecteurs ?

Un certain mépris montant pour les livres, notamment ceux du passé, regardés comme des vieilles lunes, me paraissait en rapport avec l'absence de considération que l'on porte aux enfants. Pourquoi lit-on ? Sans doute pour élargir sa vision au-delà de la circonstance, entendre la voix de l'autre, éprouver par le plaisir de la langue sa propre humanité. Ce sont des dispositions que l'on retrouve dans le regard porté sur les enfants. Ils sont aussi fragiles qu'une bibliothèque, aussi riches du temps à venir que les vieux volumes le sont de celui qui fut. A chaque étape de la vie, il nous est loisible de fermer les livres et de blesser nos enfants. Je n'ai jamais jugé les autres à leur ignorance, puisque mon métier était d'enseigner. En revanche, je regardais de plus en plus les enfants comme le livre qu'ils avaient ouvert ou fermé, la bibliothèque de vie qu'il leur avait été donné de construire ou de brûler. Sans doute parce que j'essayais de transmettre l'amour des livres à de jeunes adultes, j'appliquais intérieurement un critère minimal : que fait-on des enfants ? On peut considérer ses contemporains, notamment les plus occupés d'eux-mêmes, les glorieux qui cherchent la lumière, ou les moraux qui prétendent la détenir, et regarder au cas par cas, le plus précisément possible, ce qu'il en est de leur progéniture. La preuve par le rayonnement de la descendance, cela existe ; aussi vrai que la vérité de certains êtres se manifeste par des enfants détruits.

J'étais amenée, dans la vie de tous les jours, à côtoyer des parents plus âgés que je ne l'étais, dont les enfants avaient déjà atteint le stade de l'adolescence. Au fil des rencontres, des relations, des discours rapportés, je me représentais mieux certaines attitudes, certaines dispositions d'esprit qui, sans que l'on puisse en tirer une loi, donnaient tout de même une couleur. Je regardais les enfants des autres en songeant à ce qui attendait le mien. Avec de bonnes et mauvaises surprises. J'étais la mère de Lucas, et cela me terrifiait. Les enfants de la gauche dite caviar, par exemple, que l'on pourrait imaginer capricieux et gâtés, sont plutôt studieux et réservés. Ils ont été élevés dans des quartiers bien dotés en librairies et en cinémas, avec des parents dont le statut social est gagé sur la performance intellectuelle. Il y a un fond d'humanisme derrière l'aisance, le souvenir d'Albert Camus derrière les villas en Corse. Ces enfants-là croient aux diplômes, connaissent les films de Kurosawa, sont d'autant plus pondérés qu'ils ont été formés à ce mélange d'esprit de mérite et d'hédonisme qui définit les nouvelles bourgeoisies.

Un autre cas de figure est celui de l'Ouest parisien, du côté du XVIe arrondissement. Si l'on excepte les familles de l'argent nouveau et celles qui, avisées et suradaptées, envoient leur progéniture étudier dans les universités anglo-saxonnes, on est en présence d'une forme d'autisme social potentiellement suicidaire. Des rites sociaux ossifiés autour du souvenir d'un orléanisme confortable qui s'est achevé avec la présidence Giscard d'Estaing, des écoles privées assurant une endogamie dégénérative, une dilution paresseuse des patrimoines, et surtout des filles laissées dans une gazouillante jachère intellectuelle. La bourgeoisie de tradition a perdu la partie en négligeant l'éducation de ses filles, faute de les armer pour un univers où les diplômées vont tenir l'économie tertiaire. Désormais, elles fournissent aux salons professionnels des hôtesses avec de jolies jambes et de jolis noms. Puis elles se marient. Fin de partie.

Restaient, dans certaines maisons, ces adolescents vagues, décollés de leurs contours, passant gentiment la tête pour vous saluer, et que l'on sentait brisés, n'ayant pas même la ressource d'affirmer une rébellion face à des parents qui prétendaient continuer à l'incarner, monopolisant toutes les postures, sauf celle qui les aurait conduits à considérer leurs propres enfants avec une générosité minimale, en leur disant : je n'ai pas su te regarder, j'étais trop accaparé par la passionnante individualité que je suis, les maux de luxe que j'adorais cultiver, la jeunesse qui m'appartient pour toujours et que je ne veux pas quitter, la guerre civile que j'armais contre celle avec qui tu as été conçu, car tu es né d'un amour et tu n'en as vu que la *haine*, tu n'as pas compris cette guerre entre ceux qui t'avaient voulu, tu es devenu en grandissant l'emblème d'un échec, le reliquat gênant d'un temps que tu les empêches d'effacer. Tu es là, comme un objet tombé, une chute de pellicule coupée au montage, et tu ne sais pas pourquoi les enfants de l'amour deviennent les témoins de la haine, tes parents ont cassé le miroir et sont prêts à souscrire aux fables bénignes qui les assurent que tu ne souffres pas.

C'est vrai que j'ai été obsédée par la souffrance des enfants. Pourquoi passait-elle inaperçue des parents qui en étaient la cause, lorsqu'elle aurait été vécue comme inexpiable si elle avait été infligée par un tiers ? On tue un enfant : le plus grand mystère. Je lisais les textes de Mallarmé sur la mort de son fils Anatole, j'écoutais les *Kindertotenlieder* dans la bouleversante interprétation de Kathleen Ferrier. Il me semblait que j'étais comptable, à l'horizon de ma propre mort, de ce que j'allais signifier dans la vie de mon fils.

Cette angoisse a, en quelque sorte, été *remise à sa place* par un voyage que je fis en Israël pour un colloque sur le multilinguisme littéraire. Daniel n'avait pu m'accompagner. Dans ma chambre d'hôtel, toutes les fatigues des derniers mois revenaient avec cette solitude. En marchant par les rues de Jérusalem, je croisais les foules qui venaient là chercher un salut : juifs pieux priant devant le Mur, caravanes de chrétiens dans les alvéoles du Sépulcre, pèlerins de la mosquée d'Omar. Moi aussi, j'avais à demander et à croire.

Un après-midi, je montai à la colline de Yad Vashem, où l'on a édifié le mémorial de l'Holocauste. Il émane de ce lieu une tristesse de l'accompli : cela fut ainsi, irrémédiablement, comme le recours d'avoir installé à ciel ouvert les preuves du martyre, au cœur de la vie reconquise. J'avais la gorge nouée. Par le silence, les stigmates, et aussi par cette force du verbe qui inscrit dans la pierre les noms du meurtre – Terezin, Sobibor, Treblinka – comme autant de syllabes de la mort vaincue.

Et puis je suis entrée, seule, dans le mémorial des enfants juifs assassinés. C'est un bâtiment construit dans les années 1980 par Edita et Abraham Spiegel, en mémoire de leur fils Uziel disparu à Auschwitz. On suit d'abord un long couloir; quelques photos d'enfants, des petites filles graves, un garçon rieur. Puis l'on entre dans une pièce sombre qui ne ressemble à rien d'autre, un lieu d'infini. Des chandelles brûlent sur une armature de métal; par un jeu de miroirs ces lumières tremblotantes se reflètent sur la voûte, les murs soudain ouverts à l'espace des étoiles – on est dans la nuit sans fin piquetée de lueurs, de petites âmes. Au milieu de ce silence de limbes, une voix enregistrée égrène les noms d'enfants morts, ceux de Lodz et de Riga, d'Eindhoven et de Budapest, ceux de Paris et de Prague. C'est la force du langage que de dire le nom; ces enfants avaient marché dans les étés d'Europe, fermé les yeux dans les chambres où l'on dort du premier sommeil, attendu le père qui revient au soir. C'est le mystère des vies que d'unir par les premiers âges la victime et son bourreau : les tortionnaires aussi furent des enfants. J'étais donc là, seule, avec cette voix monocorde, délibérément blanche de passion, qui égrenait des noms. Ce mémorial était, dans sa quiétude froide, plus terrible que toutes les colères, parce qu'il infusait en vous l'évidence d'un monde. La mort des enfants ressemble sans doute à cela, ce n'est pas l'absence définitive aux choses, mais un ciel d'étoiles qui ne se touchent pas, un lieu où une voix étrange psalmodie des noms, et des yeux qui ne comprennent pas, des yeux écarquillés sans la terreur du terrible, des yeux qui, simplement, ne trouvent plus maman

PIERRE

La meilleure chose qui me soit arrivée en 1997, ce fut de rencontrer Alexia. La France ne parlait que de la semaine des trente-cinq heures, mais les journées en comptaient toujours vingt-quatre. Une nuit, je me rendis aux Bains-Douches à l'occasion d'une fête patronnée par une marque de vodka. Je n'étais guère revenu dans cette boîte que cinq ou six fois depuis l'époque, entre 1979 et 1982, où je l'avais beaucoup fréquentée, quand les filles portaient des minijupes à motifs dominos et se tordaient les chevilles parce que leurs talons étaient trop hauts.

Les lieux n'avaient guère changé, non plus que les musiques, puisque l'on célébrait ce soir-là le temps où l'établissement avait ouvert ses portes. Le DJ envoyait des chansons d'Orchestral Manoeuvres in the Dark ou New Order, des B-52's ou de Martha & the Muffins, musiques archéologiques et toujours dansables, si j'en jugeais par la foule s'agitant sur la piste. J'allais bientôt avoir quarante ans. Etais-je, moi-même, archéologique et toujours dansable ? M'aurait-on regardé comme un saurien du pliocène si j'avais raconté que j'étais présent à la soirée d'ouverture des Bains-Douches, un soir de la fin des années 1970 où le groupe Human League était apparu sur la scène ? La séduction des hommes augmente avec l'âge, avait l'habitude de dire l'un de mes amis. Un optimiste.

Je m'étais accoudé au bar avec Antoine, un avocat fêtard, lorsque deux filles vinrent le saluer. Une blonde à la chevelure en virgules, une brune élancée. On réquisitionna une banquette vide de ses occupants. J'étais assis à côté de la brune, qui devait avoir vingt ans. Les éclairs de lumière noire lui donnaient par intervalles des yeux de lycanthrope. Quelque chose d'angélique et de sérieux, mais de disponible aussi, comme si elle avait attendu qu'un crayon la dessine. Alexia était pourtant très dessinée, beau visage qui me rappelait celui d'une actrice yougoslave des années 1960, Sylva Koscina. Une fille comme elle devait être entourée de bons amis rêvant de la coincer. Alexia répondait pourtant à ce que je lui disais, souriant volontiers, relançant la conversation, ou ce qui en tenait lieu. Quand je proposai de la raccompagner, elle lâcha en me fixant droit dans les yeux :

— Allons plutôt chez vous.

Alexia achevait des études d'arts graphiques. Ses parents vivaient à Lille, mais elle n'en parlait guère. Au bout d'un mois, elle était installée chez moi avec armes et bagages. La façon dont je l'avais rencontrée nous épargna toutes sortes de questions. Ta nouvelle copine est total sex, me dit un délicat qui l'avait aperçue à mon bras. Elle l'était. Alexia promenait des cartons remplis de dessins et s'ouvrait comme un compas. Souvent, elle faisait les choses à l'envers, dormant le jour et veillant la nuit, humectant le dos des enveloppes plutôt que le dos des timbres. Par ailleurs, très impressionnée par quelques tirages d'époque accrochés aux murs de mon appartement, un Berenice Abbott et un Beaton, notamment, qu'elle considérait comme j'aurais regardé un dessin de Delacroix, c'est-à-dire avec un sens exagéré de la distance historique. Lorsqu'elle sortait en ma compagnie, Alexia parlait peu, mais juste assez pour que les hommes en conçoivent un sentiment flatteur et les femmes une opinion exécrable.

Avec moi, Alexia parlait, et de plus en plus. Je la sentais étonnée par certaines de mes réflexions, comme si j'avais regardé le monde avec une focale inconnue d'elle. Alexia était née en 1976 : en un sens, un pur bébé de la génération Mitterrand. Pour elle, la gauche n'était pas un combat, mais l'état normal du pouvoir. Elle en avait accepté la tutelle protectrice incarnée par un président grand-père, dont elle aurait été étonnée d'apprendre qu'il avait pu incarner en 1965, aux yeux des douairières de Paimpol et des bourgeois qui se faisaient blanchir à Londres, l'image du diable en politique. De sorte que la présidence bonhomme et affaiblie du Mitterrand des dernières années, suscitant à l'égard du vieux combattant une compassion presque familiale, renforcée par la révélation qu'il avait une fille aimant le rap et la peinture, fournissait à Alexia le cadre coutumier, rassurant et comme éternel dans lequel la vie s'écoulait sur un rythme cantonal, un ordre dont elle était la bonne élève, munie de tous les accessoires qui avaient constitué jusqu'alors le cadre de sa vie, les chaussures

Nike, les concerts des Rita Mitsouko et les homélies de Martine Aubry.

Alexia me présenta à certaines de ses amies. Ce qui en d'autres temps aurait signifié « révolte » voulait dire pour elles « stabilité ». On aurait donc fait fausse route en les prenant pour des rebelles, appellation dont elles faisaient un usage intempestif et ornemental, lequel indiquait plutôt une adhésion prudente à ce qu'il était désormais convenu de penser. Je m'amusais à déceler chez les copines d'Alexia les signes d'un conservatisme inconscient de lui-même. Les emblèmes et les postures avaient changé, certes, mais leurs partis pris ne se distinguaient guère de ce qu'avaient pu être les certitudes, les cécités et les indignations de leurs grand-mères, qui devaient voter MRP et se confesser une fois par semaine.

Assez unanimement, et d'une façon étonnante, elles trouvaient les garçons de leur âge insuffisants. Plusieurs d'entre elles sortaient avec des quadragénaires. En anglais, on appelle ça le « daddy trip ». Trouver l'homme-père, celui qui vous prend par l'épaule et murmure quelques paroles rassurantes. Le chasseur aux tempes argentées qui saura protéger la petite flamme irrévélée qui brûle au fond d'une existence chiffonnée. En fait, elles étaient surtout sevrées de délicatesse. L'effet que pouvaient produire un briquet tendu sous la cigarette, la porte tenue à leur passage, un mot prévenant, était déroutant : elles avaient l'air d'en concevoir une gratitude émue. Avec ça, beaucoup plus belles que ne l'avaient été les filles de mon âge. Il y avait cette nouvelle silhouette qui allait avec leur taille – les Françaises grandissaient –, cheveux raides séparés par une raie médiane, longs manteaux sur pull-over rase-nombril, pantalons serrés s'évasant en légères pattes d'éléphant. Dans la rue, cela donnait souvent un mouvement admirable. On avait envie de leur offrir ce qu'elles attendaient : de la virilité attentive. Et puis, à la fin, on avait tout simplement envie de les aimer.

La chose amusante, un peu âpre parfois, de ma vie avec Alexia, est qu'elle me considérait comme une sorte de professeur. Elle devait me créditer d'un vague sens logique qui, s'il ne donnait pas la science infuse, me vaccinait à peu près contre les raisonnements biaisés. A titre de contre-épreuve, Alexia avait pris l'habitude de me soumettre les affirmations les plus péremptoires de ses amis. Elle était prête à y adhérer comme elle aurait signé pour le présent, la mode, la lune. Simultanément, Alexia paraissait avoir besoin de m'entendre démentir ces opinions, ou du moins les nuancer. Cela confirmait qu'elle m'installait dans une position paternelle, même si les dix-huit ans qui nous séparaient auraient fait de moi un très jeune père. Au fil des semaines, j'étais frappé par le nombre de paralogismes qu'elle me servait tout crus, attendant que je les fasse rôtir sur mon gril. Avais-je raison ? Avais-je tort ? En tout cas, cela nous occupait pendant des heures.

Les sujets ne manquaient pas. Alexia, par exemple, compatissait au sort des Bosniaques, mais déplorait qu'ils aient été finalement protégés par des troupes sous commandement américain. Je lui rappelais qu'elle devait sa liberté au débarquement déjà lointain d'une armada anglo-saxonne sur les côtes de Normandie. Alexia n'était pas à une contradiction près. Elle vitupérait les agissements des sociétés multinationales, puis courait écouter sur son ghetto-blaster Sony des CD de rock édités par la Warner. Elle adorait critiquer la télévision en ne se lassant pas de la regarder ; je lui faisais remarquer que si la télé l'indisposait à ce point, elle était libre de tourner le bouton pour aller lire Gombrowicz ou Chateaubriand. Alexia criait au fascisme si un flic assommait un manifestant, mais se taisait quand un rappeur rossait sa femme. Elle parlait tout le temps du « devoir de mémoire », mais j'eus beau jeu de lui démontrer qu'elle ignorait à peu près tout des raisons qui faisaient, par exemple, que l'amiral Darlan avait été photographié serrant la main d'Hitler en mai 1941 et aux côtés d'Eisenhower en novembre 1942. La chose lui paraissait impossible ; elle était pourtant vraie.

Alexia dénonçait volontiers l'enfer qu'était devenue la France contemporaine, mais ne savait expliquer pourquoi soixante-dix millions d'étrangers persistaient à faire de cette géhenne la première destination touristique mondiale. Je m'entendais discourir comme un professeur barbu, mais c'est elle qui remettait le couvert, me frottant tel un silex. Comme je lui faisais remarquer un jour qu'il n'allait pas de soi d'acheter des magazines où l'on montre indifféremment des Somaliens affamés et des robes Prada, en lui recommandant de lire à ce propos quelques analyses de Serge Daney, elle se fâcha presque. Comme elle vantait les romans de jeunes femmes qui se décrivent comme des organismes souffrants, pleins de déchirures et de tréfonds, je lui conseillai, pour mesurer la diversité des attitudes humaines, de lire les dernières lettres des résistants fusillés au Mont-Valérien. Alexia boudait, puis revenait. Elle était contente, je crois, lorsque l'on aimait quelque chose ensemble. Par exemple ? Les CD d'Elliott Smith ou de Beck, les films de Tim Burton, les dessins d'Art Spiegelman.

Alexia me présenta deux de ses copains de l'école d'arts graphiques qui paraissaient jouer le rôle d'arbitres des élégances parmi les étudiants, en me prévenant que certains les trouvaient « arrogants ». C'était peu dire. Avec la meilleure volonté du monde, leurs préoccupations et leurs attitudes surprenaient moins par la nouveauté, encore qu'ils aient été convaincus d'être des novateurs lumineux, que par leur mimétisme malheureux. En un mot, ils répétaient en moins bien ce qui avait été en vogue dans les années 1970. *Trash* était leur mot-sésame, comme si Warhol et Morrissey n'avaient pas tourné un film du même nom, comme si le mot n'avait pas fait les beaux jours de *Rock & Folk* à l'époque des New York Dolls. Ils avaient inventé l'autofiction, mais ne connaissaient ni Violette Leduc ni Michel Leiris. Ils vénéraient des groupes « hype » qui n'auraient pas tenu cinq minutes devant les Who ou les Kinks. Ils pratiquaient un militantisme d'occasion qui singeait, sans grande conscience des antécédents, la façon de faire de la Ligue communiste à l'époque où Raymond Marcellin était ministre de l'Intérieur. Ces subversifs autoproclamés étaient des épigones, qui plus est des épigones amnésiques. Avec cela, pleins d'eux-mêmes, fascinés par la télévision, glosant leurs projets en branchant les haut-parleurs. Pour tout dire, d'une épouvantable arrogance française.

D'un côté, j'étais rassuré : mes successeurs étaient avancés. De l'autre, je m'en foutais. C'est Alexia qui m'intéressait.

KARINE

Dire qu'il a fallu que j'attende l'année de mes quarante ans pour retrouver, alors que j'avais brûlé tous mes rêves bleus sur un bûcher de porte-jarretelles, quelque chose qui ressemble à un vrai looping, la mouche scotchée à la vitre, le passage du mur du son. Mach 2, *full blast!* On peut se raconter toutes sortes d'histoires et jeter son carnet de bal à la rivière, n'empêche, on attend toujours le passage du grand fusilleur, le rugissement du lion dans la savane. Janvier 1998 : entrée en scène de Bertrand.

J'étais partie à Djibouti avec deux mannequins, une maquilleuse, un photographe et son assistant. On devait shooter sur place un folio présentant la mode d'été, le genre « deux filles hâlées et implicitement gougnottes portent pour vous les nouveaux maillots une-pièce échancrés Lycra dans un décor de cratères lunaires », ou bien encore « elle marchent en paréos à motifs soleil sur une plage avec pêcheurs *roots* enroulant leurs filets ». Le soir, tout le monde dormait au Sheraton. Piano-bar et plantes grasses, légionnaires et stewards d'Air France en rotation. Les stewards regardaient les légionnaires et les légionnaires regardaient les deux mannequins, mais la réciproque n'était pas vraie. Effondrée devant mon daiquiri, estourbie par les ventilateurs, je grattais quelques lignes pour le rédactionnel, lorsque j'entends une voix d'homme demander en français :

— Vous n'auriez pas un crayon ?

Qu'est-ce que c'est que cet ahuri qui cherche un crayon, me dis-je. Est-ce que... Là, je lève les yeux. Shazam ! Une sorte de Robert Redford brun me regarde en souriant :

— Un crayon, balbutiai-je comme une idiote, oui, oui...

Et je lui tends mon stylo.

Il sourit de nouveau, l'air noble et protecteur.

— Non, pas le vôtre.

Je me reprends. Boum-boum dans ma poitrine.

— Attendez, dis-je, j'en ai un autre.

Je fouille dans mon sac et en sors un stylo à bille. Il le prend, mais n'a pas l'air pressé de s'en servir. Ce type doit absolument rester, il faut que je le retienne.

— Vous voulez prendre un verre avec moi ?

Je m'entends lui dire ça d'une voix presque implorante. Lui change de siège sans se faire prier, gestes souples, beau sourire. Je bénis Monfreid, Kessel, la Légion étrangère et tous les poissons-coffres de la mer Rouge. Il porte un gilet de treillis sable à poches multiples, des pantalons baggy, des paraboots à lacets. Le pur look Peter Beard sous les baobabs, mais sans frime. Juste l'intègre amant du risque tombé dans votre assiette, là, devant vous, complètement incarné, réel.

Il commande un bloody mary. Mon Redford s'appelle Bertrand Charrière, photographe free-lance. La quarantaine, quinze ans de métier, des états de service en Afghanistan, en Irak, en Bosnie. Là, il vient de passer une semaine en Somalie. Pas facile, dit-il sobrement, et on ne demande qu'à le croire. Ce type n'exagère rien, c'est la vie qui exagère pour lui. Je le sens, il tombe d'une planète qui est pourtant la nôtre, mais vécue aux points d'incandescence. Je l'ai tout de suite vérifié : pas d'alliance au doigt. Et quand bien même...

Il doit savoir qu'il est séduisant, avec ce petit pli à la fossette qui signale toujours l'homme conscient de ça. Mais la comédie est dépassée. Quand il me regarde, l'instant se joue au-delà du charme ; la vibration entre un homme et une femme qui vont coucher ensemble et le savent. Comme je lui expose les raisons de ma présence à Djibouti, sans trop insister sur les deux mannequins, il dit ceci :

— Le côté limité de l'Occident, c'est que l'on n'y perçoit plus le vêtement que sous l'aspect de la mode. Alors que pour des millions de femmes, l'habit signifie d'abord l'appartenance à une religion. Elles se fichent des soldes d'hiver, puisqu'il est impossible de solder Dieu.

Ce type ne me plaît pas. Il me cloue.

La première nuit a été un rêve. Chambre du Sheraton de Djibouti. Bertrand m'a tout de suite donné l'impression qu'il venait d'ailleurs. Sa façon d'être ne respirait pas la ville, l'heure de la décharge nerveuse, le vite-fait soucieux. Il était accordé à ce temps de journées lentes où le destin des hommes se mesure à la course du soleil. Il y avait quelque chose d'une cérémonie mentale dans ses gestes très sûrs, un rythme de possession graduelle. J'avais l'impression qu'au fond de moi s'épanouissaient des fleurs. Plus tard dans la nuit, je l'ai regardé dormir. Je ne savais quelles images, quels mondes vivaient sous ses paupières. Par la fenêtre entrouverte, on entendait le ressac de la mer Rouge. J'étais heureuse.

Une semaine plus tard, Bertrand m'a rappelée à Paris. Il me donnait rendez-vous dans un restaurant de la rue Saint-Louis-en-l'Ile. Quand je suis arrivée, enveloppée dans un grand manteau, Mister Savane m'attendait au fond de la salle (blouson en denim noir, flash). J'avais peur que Paris ne dissipe la magie de Djibouti, mais il était toujours aussi craquant. Lorsque nous sommes ressortis, la neige commençait à tomber. Bertrand m'a entraînée vers le quai de Bourbon. Les rues étaient vides, comme si une bombe à neutrons avait fait disparaître toute vie humaine. Le vent emportait des milliers de flocons au-dessus du fleuve, mais je n'avais pas froid. La promesse du monde chantait au fond de moi. Il m'a embrassée, et je me sentais partir entre ses bras. Puis nous sommes allés chez lui, un petit appartement de la rue Le Regrattier. Pour moi, la rue Nirvâna

Je sais pourquoi Bertrand n'était pas comme les autres. La vie qu'il avait choisie le mettait au contact de la guerre. Un jour, j'ai cherché dans mon répertoire d'autres personnes de ma connaissance qui pouvaient avoir l'expérience concrète d'une ligne de front. J'y ai trouvé une femme, grand reporter, et un écrivain qui s'était rendu en Bosnie au plus mauvais moment. C'est tout. Je sais bien que je passe plus de temps avec mon rimmel waterproof que dans les casernes, mais cela fait un maigre bilan. Avec Bertrand, j'ai connu un rythme de vie d'autrefois. N'allez pas me prendre pour une tourneuse d'obus, les téléphones cellulaires n'existaient pas dans la tranchée des Baïonnettes. Mais voilà, entre deux coups de fil de l'attachée de presse de John Galliano qui me parlait de photos autour du thème « Search and destroy », je pianotais sur mon combiné pour tenter de joindre un type en battle-dress qui battait la campagne avec une unité tchétchène. Bertrand m'a toujours dit qu'il ne prenait aucun risque, mais ses photographies démontraient le contraire. Il pouvait disparaître pendant un mois, revenir, repartir. A certaines heures, je ne vivais plus. Les bulletins de France-Info, les titres de LCI devenaient ma drogue. Lorsque j'allais le chercher à Roissy, Bertrand me retrouvait avec peu de mots, sa main se posait sur mon épaule, j'avais l'impression qu'il émergeait d'un tunnel pour se réacclimater à la lumière.

Un jour, une copine pas vraiment animée des meilleures intentions m'a dit : « Ce que ton hystérie aime en Bertrand Charrière, c'est son contact avec la mort. » Peut-être. Mais alors, il fallait admettre que la proximité de la mort façonne les hommes. Une autre m'a dit : « Tu es moins rigolote depuis que tu sors avec Bertrand. » J'étais moins rigolote parce que j'étais heureuse. Il me semblait que tous les hommes d'avant, les petits crevés et les jeunes banquiers à col dur, les maris des autres et les rencontres d'un soir, vivaient dans un univers où les blessures ne se transformaient jamais en noblesse.

J'ai fait la conne et je ferai toujours la conne, mais je dois à Bertrand d'avoir corrigé l'angle. Sous son regard, les comédies parisiennes ne pesaient pas lourd. Non qu'elles lui aient déplu, je crois même qu'elles le divertissaient. En fait, il était attiré par moi comme certains hommes sont sexuellement attachés aux femmes qui les amusent. Bertrand m'a accompagnée plusieurs fois à des défilés de haute couture, et je constatais qu'il regardait en expert les filles sur la passerelle, il disait que la démarche de ces professionnelles n'est rien auprès de celle des femmes d'Addis-Abeba ou de Mogadiscio, les vraies souveraines de l'univers selon lui. Mais ces guérillas en jupon, ces chuchotements de rédactrices venimeuses, la passion qui se déchaînait autour du dernier styliste fêté, bref, tout ce qui faisait mon ordinaire, ne tenait pas une minute sous son regard au laser, qui pourtant ne reprochait rien. Comment lui expliquer qu'une mimique d'Anna Wintour pouvait déclencher un océan d'interprétations affolées, quand il avait vu des petites filles ramper dans leur sang, le ventre explosé par une balle dum-dum ? J'avais presque honte, mais Bertrand ne m'accablait jamais. Une fois, il m'a dit : « Ce n'est pas déterminant de faire ceci plutôt que cela, dès lors que l'on sait exactement à quoi l'on joue. Prends un sommaire de magazine féminin et demande-toi comment ça marche. Tu sais ou tu ne sais pas. Si tu sais, tout va bien. »

C'était un amour comme un amour, celui qui réveille en vous des zones que l'on croyait endormies, et mêmes calcinées. Je n'avais pas envie de maquillage, parce que je voulais qu'il me voie telle que je suis, et j'avais envie de maquillage, parce que je désirais qu'il me regarde comme je me rêve. Bertrand m'a donné le regret de ne pas l'avoir connu plus tôt, quand j'étais pleine de l'espoir d'une vie sans blessures. Tout ce que le temps avait défait et durci, je le mesurais en me laissant aller dans ses bras.

Quand j'y repense, mon époque Bertrand a été parasitée par une rumeur permanente, inlassable, mondiale, finissant par envahir tous les journaux, toutes les télévisions, toutes les conversations, et nous laissant pour finir un drôle de sentiment. Terrifiant, en fait, parce que l'on mesurait combien la liberté des femmes de mon âge était à la merci d'un retour de bâton, combien la vieille histoire du sexe comme malédiction revenait au galop. L'affaire Lewinski m'a intéressée pendant des mois, et plus que ça. Que la planète soit suspendue à une histoire de pipe était tout de même révélateur d'un certain état des choses. Il s'agissait d'un acte qui, bon an mal an, était entré dans les mœurs. Sucer un homme faisait partie du Bildungsroman, de l'apprentissage général ; les fresques de Pompéi ne disent pas le contraire. En ce qui me concerne, j'avais assez tôt pratiqué, non pas pour faire plaisir aux types, mais pour *me* faire plaisir. Soudain, scandale autour du suçon de la Maison-Blanche, rigolade en Europe mais rembrunissement très sérieux de Memphis (Tennessee) à Peshawar (Pakistan). Les puritains de tous bords sortent leurs longs couteaux, sous-entendant aussitôt que la fille est juive – une Lilith, une Dalila, une espionne du Mossad –, et Clinton, très petit garçon surpris à voler des confitures, se lance dans d'étonnantes arguties sur le sexe oral, lequel ne constituerait pas un acte sexuel (et c'est quoi, alors ? un acte religieux ?).

De tout cela, il ressortait :

1) Que Clinton se comportait en balourd. Si l'on veut jouer à la bête à deux dos en plein Washington, on réquisitionne soit une discrète lady de Georgetown, soit une pute très professionnelle. Mais pas une stagiaire bavarde.

2) Que Hillary Clinton se révélait chiche en voluptés et maladroite en politique. Eleanor Roosevelt ou Jacqueline Kennedy, épouses de présidents volages, avaient su verrouiller en leur temps des situations autrement scabreuses.

3) Que Clinton, enfant du baby boom, en était arrivé à restreindre sa libido au point de s'interdire un coït. « Je n'ai pas avalé la fumée », avait-il dit à propos d'un joint de marijuana testé dans sa jeunesse. Il fumait sans avaler, il pratiquait le sexe oral qui n'est pas un acte sexuel, il prétendait dire la vérité et mentait sous serment.

4) Que la passion inquisitrice qui se déchaîna alors trahissait une telle fascination réprimée pour un simple jeu de muqueuses, une telle diabolisation envieuse, haineuse, misérable de ses protagonistes que tout un clergé mondial, pasteurs et ayatollahs, prêtres et imams, journalistes et photographes, avouait en creux combien il était hanté par l'obsession sexuelle.

Moi, j'avais grandi à l'ombre de la plaquette de pilules et du *Dernier Tango à Paris*, entretenant avec les hommes, malgré les malentendus, des rapports très libres au regard de la misère, de la haine crispée que révélait l'affaire Lewinski. J'avais vécu sur l'archipel occidental enchanté, sans mesurer que le simple fait de porter une minijupe ou d'embrasser un garçon dans la rue était un privilège inouï au regard de la condition faite à des millions de femmes, autant qu'une offense majeure aux yeux de millions d'hommes tétanisés de frustration par la loi de leurs divers dieux. Bizarrement, je me suis dit à ce moment-là que cette haine sexuelle allait frapper, en grand, on ne savait trop comment, ni où. J'ai pensé à cette phrase de Hitchcock, qui disait toujours mettre en scène des innocents au milieu d'un monde coupable. D'une certaine façon, Monica Lewinski était la dernière innocente. On allait nous le faire payer.

Ça m'embête de l'écrire, mais moi aussi j'ai payé. A ma mesure, celle d'une conne qui fait trop la conne. J'étais tellement scotchée par Bertrand que j'en suis devenue possessive. Dans la journée, lassée d'attendre ses appels, je lui téléphonais en toute occasion. Il a eu droit à une ou deux scènes parce qu'il ne me réservait pas sa soirée. Puis j'ai commencé à lui reprocher ses départs. A ce moment-là, il séjournait de plus en plus au Pakistan, avec des incursions dans la zone afghane tenue par les hommes de Massoud. Moi, je séjournais surtout dans la zone tribale de la rive droite tenue par les hommes de Bernard Arnault. Les seuls foulards que je voyais étaient signés Hermès. Là, il m'est arrivé une chose incroyable pour une hyper-vaccinée telle que moi : j'ai viré midinette. Quand je croisais des amoureux dans la rue, je ne tiquais plus sur les fringues de la fille (robe de l'année dernière, pantalon mal cintré), mais j'étais prête à m'attendrir sur ces sujets de carte postale. Je lisais les horoscopes des journaux en m'inquiétant de leurs discordances, en me réjouissant de leurs promesses. Les pires sitcoms latino-américains s'élevaient à mes yeux au rang d'épopées du grand amour. Je donnais des rendez-vous professionnels dans des restaurants où j'étais allée avec Bertrand, émue que les lieux soient encore imprégnés de sa présence. Lorsqu'il rentrait de reportage, les erreurs fatales se multipliaient : après avoir fondu comme un lait congelé, je devenais de plus en plus collante, j'exigeais des déclarations, des serments, des dîners aux chandelles. Des songes roses fleurissaient dans mon crâne tels des *spams* importuns sur un écran d'ordinateur. Si la condition de ventouse n'est pas spontanément accessible aux êtres humains, je témoigne que des progrès sont possibles. Curieusement, la sentimentalité partage avec la perversion sexuelle un caractère obsessionnel et tyrannique, doublé d'un inexplicable pouvoir d'assouvissement.

Là-dessus, mon logiciel cérébral a été contaminé par un virus qui frappe habituellement au début de la trentaine : j'appelle ça le « Retour de mère ». On sent remonter en soi, alors que naît un désir de mariage ou d'enfant, des gestes, des attitudes, des façons de faire qui étaient ceux de notre génitrice. Elle est là, sous l'enveloppe, cachée dans la doublure, en train de prendre les commandes de l'avion, de vous moraliser, de vous marabouter. Vous devenez une femme-golem qui porte au front l'empreinte du doigt de maman. Je me surprenais donc à épousseter les meubles, à chantonner les rengaines qu'elle aimait, à tirer comme elle sur le revers de ma jupe. J'avais pourtant observé le symptôme chez nombre de mes copines. Il survient lorsque le fantôme de la mère dominatrice se glisse sous la peau de la jeune femme que l'on cesse d'être. Le vrai rendez-vous d'une femme et de sa mère, c'est avec un homme qu'il a lieu – celui qui va vous transformer en Big Mother. Je connaissais le truc. Et voilà qu'à quarante ans, ayant échappé à tous les pièges à souris, je me tapais un vrai Retour de mère. Même biologiquement, je suis une conne.

La chose aurait dû m'apparaître évidente lorsque je me suis entendue évoquer devant Bertrand les joies du bonheur domestique, comme si j'étais parasitée par une déesse du foyer munie de son chiffon et de sa vizirette. Il y avait en moi un *alien*, un dibbouk, un ventriloque qui vampirisait mes centres corticaux. Le dibbouk me tenait aux tripes et diffusait ses vapeurs. Je dois dire que Bertrand a réagi en expert. Il ne connaissait pas seulement les madrasas de Lahore, il était aussi très au point sur le Retour de mère. J'imagine ce que cela doit être, pour un homme, que de voir son interlocutrice soudain phagocytée par une hydre illuminée qui brandit le catalogue Pronuptia et un spray de Pliz en lançant la grande croisade contre la poussière. Le type parle avec sa maîtresse, il voit se dresser une exterminatrice d'acariens. Terreur ! Bertrand a dû évaluer la situation : violent Retour de mère, syndrome prénuptial différé, fièvre de la cornue, visite imminente des orphelinats vietnamiens. Toute la lyre.

Cela n'a pas fait un pli. En quinze jours, mon compte était réglé. Bertrand a essayé de tirer sa révérence comme un gentleman, ce qui est difficile face à une dingo en phase de possession. Ces fièvres-là ne tombent pas avec de l'aspirine.

J'ai donc eu droit, passons les détails, à un dévissage brutal.

A un moment, Alexia a viré bobo. Elle me faisait acheter des casiers en téflon, de la céramique épaisse et granitée, des parkas dotées de plein de zips qui ne servent à rien. Son actrice préférée était Uma Thurman, elle adorait la photographie numérique et les chandelles parfumées. Il fallait fréquenter les restaurants tibétains du Ve arrondissement, avaler les baguettes de chez Kayser, étudier les ondes du Feng Shui. Elle installa une jarre toscane, vide, sur le balcon. Les disques des deux Buckley, Tim et Jeff, tournaient sur le lecteur de CD, tandis qu'elle passait des heures à envoyer des e-mails en buvant du lait de soja. Tout cela m'amusait, la vie avec elle ressemblait à une devinette. Alexia s'était branchée sur le *Kamasutra*, il fallait tout savoir sur la fente du bambou, la queue de l'autruche, la chasse au moineau, le coup du sanglier. C'est de la gymnastique. Elle s'enticha de Frida Kahlo et se mit à porter des bijoux du Nouveau-Mexique. Par ailleurs, très bien payée dans sa société de graphisme industriel, et rassurée par ce début de réussite.

Parfois, j'avais l'impression en la regardant de revenir à l'époque où je fumais des joints avec d'adorables filles. L'année de mon bac, 1975, j'avais rencontré au festival d'Avignon une brune baba cool de Nanterre, dotée de la panoplie complète, les robes gitanes, les bijoux marocains, les sandales indiennes, elle avait des seins admirables et embrassait avec une douceur fondante, vraiment renversante de tendresse. Ma brève histoire avec cette fille avait résumé ce que l'on peut aimer de sa jeunesse, la légèreté, une sorte d'harmonie au-dessus du sol, le romantisme sans larmes, la faim des corps, l'émotion, une déprise au-delà de tout sentiment de possession, en se souhaitant le meilleur. A travers les années, je conservais une reconnaissance pour cette fille depuis longtemps évanouie, que la vie avait peut-être gâchée comme elle nous gâche tous. Il lui fallait beaucoup d'innocence et de maturité, à dix-huit ans, pour savoir être heureuse avec autant de simplicité. Quand Alexia marchait dans la rue, robes de lin et cheveux cascadants, je me disais que la fille de Nanterre était revenue.

L'intimité avec une femme peut ressembler à l'enfer, et elle peut renvoyer à l'enfance. J'avais longtemps cru que l'on n'aime que les femmes de son âge, parce qu'elles ont connu les mêmes printemps et les mêmes chansons. Avec Alexia, je vivais comme deux de mes amis qui avaient épousé des Japonaises : ils mettaient réciproquement leurs particularités sur le compte de l'exotisme, ce qui excusait tout. Peut-être ma seule ambition était-elle devenue celle-ci : mener une existence ronde avec une jeune femme qui s'endormait dans mes bras.

Le sentiment de persécution légère, la victimologie futile qu'Alexia partageait avec ses copines avait ceci de bon que, dans le meilleur des cas, leur attitude « moi-contre-le-monde » les poussait à chercher dans le couple une coquille protectrice. Ces écorchées pouvaient se révéler confortables. Je cimentais la coquille. De quoi avais-je besoin de me protéger ? Peut-être de ma propre génération, arrivée à l'âge des ambitions réalisées. Je me souviens d'un cigare qui se consumait à la fin d'un déjeuner.

Je me souviens de Jean-Marie Messier.

Il y eut, à un certain moment, un projet d'exposition combinée avec une division du nouvel empire, Vivendi Universal. Il s'agissait d'exposer à New York certains *vintages* photographiques de la collection Seagram, associés à des tirages originaux que possédait Jean-Michel Dugrand. Pour l'occasion, ce dernier me demanda de l'accompagner à un déjeuner où il devait traiter avec Messier. J'étais curieux de voir de près ce nouveau roi de l'univers. Le déjeuner, qui eut lieu au restaurant Ledoyen, était l'occasion, ainsi que je le compris assez vite, de parler de tout autre chose. Affaires en cours, considérations générales sur les stratégies industrielles du moment. Le jeune roi marqua de l'estime à Jean-Michel Dugrand, sans vraiment le flatter, mais en paraissant guetter l'effet de sa gloire récente sur un vieux lion installé. Ce qui me frappa immédiatement chez Messier ? Une sorte d'autisme dirigé. Imbu de lui-même sous des mines de diacre patelin, il ne paraissait réagir qu'à ce qui pouvait nourrir son équation intérieure, alimenter la prospérité de ses intérêts. Une information, le nom d'un puissant, une opération en projet. Sa conversation, mais ce mot est excessif, avait pour caractéristique première la matité, le laconisme, l'absence d'opinion signalée. Messier n'opinait pas, il laissait dire. Eventuellement, il pouvait concéder, par simple effet de ponctuation, que tel film était « très bon », tel tableau « très beau », tel roman « formidable ». Mais l'on sentait qu'il se plaisait à cet usage pauvre de l'adjectif comme à un droit que son pouvoir lui conférait. On ne demande d'ailleurs pas à un tycoon de briller par le vocabulaire : la puissance n'est pas le brio.

J'eus l'occasion d'apercevoir Messier encore une ou deux fois, mais de plus loin, lors de vernissages ou de cocktails. Il ne me donnait pas l'impression de correspondre à sa réputation. Le contentement de soi exsudait de tous les pores de sa modestie, certes. Mais il y avait en lui une sorte de mollesse rusée qui évoquait plus le proconsul antique que le cowboy aux prises avec les implacables flingueurs de Hollywood. Un hédonisme tardif ? Une euphorie de demi-dieu romain nimbé de pampres et de nuages ? Comme tout le monde, je suivais son parcours en m'interrogeant sur son mystère.

Je voyais moins en Messier un cas typique de folie des grandeurs que l'effet sur un garçon ambitieux et français d'une ravageuse *déconfessionnalisation*. Il vient d'une petite bourgeoisie provinciale et catholique, il a dû chanter dans la chorale de l'église ; on lui aura inoculé les vertus du chrétien social, le sens du labeur, le respect des autres, l'esprit de mission. Tout cela aurait dû faire de lui, à l'heure des accomplissements, un grand patron humaniste, un rien paternel, contraint aux entournures par le rappel de l'éminente dignité des humbles, mais capable de se regarder dans le miroir, fût-ce légèrement de biais. A Polytechnique, Messier apprend les mathématiques le doigt sur la couture du pantalon, dans une atmosphère napoléonienne et boy-scout. Rien qui démente pour l'instant l'idée qu'un destin s'accomplit en fixant le firmament avec des yeux clairs.

Quand il entre à l'ENA, les choses se gâtent : cette école forme des serviteurs rêvant de prendre la place du maître. Sous prétexte d'intérêt général, beaucoup s'y livrent à des vilenies de préau pour faire tomber les petits camarades de la balançoire. Mais le mérite y a encore sa part, et la rigueur, et la ténacité. Messier sort dans la botte et choisit l'inspection des Finances. Ce corps qui se donne des allures de grand séminaire est en réalité une fauverie : les ambitions s'y frottent, les canines s'affûtent, le croc-en-jambe prolifère. Là, c'est la confrontation avec les fils de grands notables parisiens qui considèrent toute chose selon une optique de propriétaire. Messier observe et apprend. Cette façon insurpassable qu'ils ont de se taper sur le dos avec des gants enduits de curare. La haine souriante qui les unit comme un secret sexuel. Leur goût, somme toute assez rare, pour la vie considérée comme une guerre. Toutes choses qui contredisent absolument l'ancienne catéchèse du petit Grenoblois. Est-il révulsé ? Ou bien consent-il à réveiller le cerveau reptilien que masquait le saint ciboire ?

A cette époque, Messier est remarqué pour ses aptitudes techniques. Une calculette d'actuaire dans la tête, une bonne expertise en plomberie financière, des manières proprettes, le rêve de gloire abrité sous une allure de fournisseur. Lorsque Balladur l'appelle à son cabinet, le jeune homme peut imaginer qu'il met ses algorithmes au service d'un prince de l'Eglise déguisé en ministre des Finances : des chaussettes rouges de prélat, des façons cardinalices, l'onction d'un Borgia cachant dans sa bague la poudre de cantharide. Ce climat évoque plus la Rome d'avant Vatican II que les nouveaux chrétiens de Taizé, amis de la guitare et du stérilet. Messier devient l'enfant de chœur des privatisations, mais l'encensoir qu'il agite dégage des vapeurs enivrantes.

Messier cache son ébriété sous la déférence. Ce jeune homme est un stratège gérontophile. Il a compris que les vieillards arrivés aiment la flatterie, les cigares et la discrétion. Devenu associé-gérant d'une grande banque d'affaires, il tire de son cartable des sirops polytechniques qu'il administre aux gérontes du CAC 40, trop heureux d'être visités par un si diligent médecin, avec plaque et adresse distinguées. Suborner les vieux riches est un art dont les nurses n'ont pas le privilège. Lorsque ces parrains préparent leur succession, ils se font un plaisir d'écarter les vizirs qui attendent leur heure depuis vingt ans, pour faire monter sur le trône un *outsider* au teint frais. Sans coup férir, Messier conquiert ainsi la présidence d'une grande compagnie des eaux, liquide qu'il a toujours su mêler à son vin. Dans les premiers temps, le souvenir des purifications lustrales accompagne la grande opération de nettoyage qu'il entreprend au sein du consortium : on brûle les valises de billets, on jure vertu, on choisit un nouveau nom, *Vivendi*, qui sent son allégresse de pionnier charismatique. La place applaudit.

C'est alors que se noue le mystère Messier. Faut-il croire que ce mari sage abrite en lui une vierge folle ? Un ancien catéchumène grenoblois peut-il se transformer en Néron d'avant l'incendie, distribuant depuis son char des téléphones portables à la plèbe subjuguée ? Rome frémit en Messier, une Rome américaine qui ne bâtit plus son empire avec des faisceaux et des légionnaires, mais avec des puces et des écrans. Le hard et le soft. Les tuyaux et leur contenu. Sous un air de confesseur prêt à culbuter la paroissienne, Messier commence à ériger les arcs de son triomphe romain. Tibère a percé sous le diacre, héraut d'un paganisme du dollar qui s'expose lors d'assemblées générales où le Conducator grenoblois, en des homélies dignes du révérend Moon, harangue ses adeptes, éblouis par la perspective du lucre en chromo hollywoodien. Fièvre de l'or. Culte de Mammon. Avions, palais, fêtes enchantées. Cet homme, qui confesse avoir vu dans sa vie *un seul* concert de jazz, Sarah Vaughan à New York, règne désormais sur le premier catalogue musical du monde. Néron aussi croyait tirer le chant d'Orphée des cordes de sa lyre. Mais Messier est un empereur moderne, amateur de kitsch sentimental et de prédation boursière. Des flatteurs jettent sous ses pieds des pétales de banknotes. Beverly Hills attend le timonier de l'Isère.

Le satyre dépucelé, qui ne se sent plus de joie, ouvre un large bec pour attraper sa proie. La France lui apparaît soudain comme une patinoire lointaine dont il tire quelques cubes de glace pour agrémenter son Coca light. Le plus étrange étant cette dissolution graduelle de la vie concrète dans un jeu d'écritures comptables : achète-t-il une société, ce n'est plus à ses yeux une communauté d'hommes et de femmes qui servent ensemble, mais une ligne de crédit finançant un actif à multiplicateur virtuel. Des sorciers de la finance tracent devant lui des diagrammes virtuoses qui finissent par évoquer un tableau abstrait, comme si Kandinsky travaillait à la palette graphique. Il y a dans l'affaire Messier une dimension d'hébétude, la stupeur d'un César barricadé qui entasse les sacs de grains sans voir que l'entrepôt prend flammes. L'argent mange l'argent. Sa tour de Babel croît au mépris des éclairs qui lézardent le ciel. Derrière lui, des centaines d'adeptes engagent leurs économies, hypothèquent leurs demeures, achètent des actions au prix fort. L'argent ! La richesse ! La corne d'abondance ! Magie blanche ! La caverne d'Ali Baba ! L'alchimie suprême ! Donnez-moi du plomb et je vous donnerai de l'or : le Klondike !

Le rite se construit, avec ses licteurs et ses vasques. Il ne s'agit pas de devenir un philanthrope discret, à la façon du vieil argent, mais de grimper avec sa lyre en haut du tas d'or. On pourrait pardonner à un vrai magicien de l'industrie ses fautes de goût. Entonner une chanson de Stevie Wonder en karaoké lorsque l'on reçoit la Légion d'honneur, c'est l'affaire d'un rosier du rock qui vient de découvrir MTV. Pour amasser une fortune, il faut de l'abnégation, mais pour la dépenser, il faut une culture. Qu'importe, après tout, si les comptes sont prospères et la plomberie saine.

Ils ne l'étaient pas.

J'ai regardé sans joie la chute de Messier. A bien des égards, il avait tenté un putsch générationnel, flattant d'abord les Anciens pour mieux les dévisser, attirant auprès de lui de jeunes experts, énarques et polytechniciens, qui n'étaient pas parmi les plus mauvais. A tout prendre, ces brillants sujets qui fuyaient l'Etat auraient pu réussir dans une aventure choisie. Sous Messier, leur ambition devint un lest. Ils sombraient, eux aussi. Depuis Vichy, on n'avait pas vu autant de talents juvéniles, enivrés de futur immédiat, creuser avec une telle ardeur le tombeau de leurs illusions. Certes, les Bichelonne et les Pucheu de notre époque ne finiront pas devant le peloton d'exécution; il y a une différence entre l'erreur et le crime. Mais c'est en classant des fiches de stock options dévaluées qu'ils compulseront l'histoire de leur amertume. Je le dis sans affectation morale excessive : les aventures désirées sont cruelles lorsqu'elles effacent du miroir le reflet que l'on voulait y inscrire, pour ne plus laisser subsister qu'une ombre qui se détourne faute de pouvoir se reconnaître.

Ceux qui n'avaient pas courtisé Messier du temps de sa splendeur n'avaient pas de raison de l'accabler quand vint la chute. Une façon charitable de décrire son rêve aurait été d'imaginer qu'il voulait entrer dans l'univers de ses enfants, devenir une référence pour le monde de demain, qui leur appartiendrait. Une photo du printemps 2001 résume cela : Messier se trouve à Los Angeles, dans le parc d'attractions des studios Universal, et pose entouré de plusieurs effigies de dessins animés, le Coyote, le Bip-Bip, le Woodpecker. Entre parenthèses, on peut se demander ce que pensaient les types à l'intérieur de l'armature, suant en plein mois de juin à côté du big boss... Bref, en regardant cette photo, on devine que Messier a tout fait pour entrer dans le dessin animé ; qu'il avait moins envie de paraître aux côtés de Barry Diller ou d'Edgar Bronfman Jr que de devenir l'alter ego du Coyote ou du Woodpecker... Les images animées qui ne vieillissent jamais... Le cartoon Messier... l'élixir de celluloïd qui garde la lumière dans le cœur de l'enfant que l'on a été... *Universal*, universel... *Vivendi*, la vie éternelle...

Après l'épisode Bertrand, ma convalescence a ressemblé à une longue descente d'acide. Je me tenais à carreau. Une nonne. Il y avait bien des types qui me tournaient autour, mais je les voyais trop venir, avec leurs attaques insinuantes et ciblées. Puis j'ai remis le nez à la fenêtre. Il faudra m'expliquer pourquoi on n'a jamais autant parlé de partouzes que sous l'ère Jospin. Il était entendu, alors, que le nec plus ultra en matière de sexe consistait à fréquenter les boîtes échangistes. L'influence protestante, peut-être ? On signalait des congrès d'Allemands tatoués et de Hollandais piercés du côté du cap d'Agde. Bon, à chaque fois que la mode sonne le carillon, il faut que j'aille au balcon. C'est mon côté « Je loue une lucarne sur la place de la Concorde quand on guillotine le roi ». Incontinent et tout de go, je décide d'aller faire mon tour. En route pour les catacombes !

Un soir, flanquée d'un copain journaliste pas tombé du dernier donjon, je me présente vers minuit au guichet d'un établissement de la rive droite, non loin d'un immeuble où Diderot a sa plaque. Juste avant ça, en arrivant par le trottoir opposé à celui de l'entrée de la boîte, qui est-ce que je vois ? Là, en face, sans qu'on puisse dire s'il en sortait ou s'il passait devant la porte, Pierre, celui de mes années de khâgne, l'ancien petit copain de Claire, perdu de vue depuis longtemps. Son côté guitariste de rock avait tourné à l'allure Pierre Arditi, mais c'était bien lui. Il n'était pas seul. A son bras, une grande asperge brune, du genre Liv Tyler blême, prête à jouer dans *Hair* l'année de sa création. Pas gêné, le garçon de mes années Aristote-Supradyne, de se promener avec une nymphette au bras, en route pour l'éternel retour des filles-fleurs. Ils ont continué leur chemin sans nous voir.

Nous voici donc au guichet. Un cerbère, du type Marc Dorcel Vidéo, m'inspecte pour vérifier que j'ai respecté le dress-code – il faut porter une jupe, mais je suis au parfum. Il nous laisse entrer. On tombe sur la dame du vestiaire, une Cruella hypermammaire avec des poches sous les yeux et plein de résilles partout. Elle n'a pas dû avoir le temps d'enlever toutes ses toiles d'araignée. Affichant une verve de chef de gare désaffectée, elle nous donne deux tickets pour le bar et indique d'un hochement de tête l'entrée de la grotte. Nous descendons l'escalier, aussi cérémonieux que deux druides à l'époque du solstice.

En bas, on trouve un bar avec piste de night-club digne de figurer dans un revival John Travolta 1977. Quelques couples sont assis sur des divans profonds, l'air de rien, mais personne ne danse. Un climat de 14 juillet troglodyte avec orchestre en grève. Les couples qui sirotent leurs cocktails sont déchiffrables : blondes travaillant pour le tertiaire avec appartement en terrasse dans une cité nouvelle de la couronne parisienne, bruns en costumes noirs employés par des sociétés de services informatiques de la deuxième génération. *Not really my cup of tea.* De temps à autre, l'un des couples se lève pour se diriger vers ce qui apparaît comme l'entrée d'un couloir. Nous les suivons.

A mesure que ma vision s'accommode, je distingue mieux les formes. Une pièce ronde plongée dans la pénombre, des matelas en corolle, et là, en vision multiplex, le festival des bêtes à deux dos, le mondial du piston, le Décaméron des cadres en ascension. Deux couples font l'amour l'un à côté de l'autre, la main d'une femme effleurant la cuisse de sa voisine – on ne voit pas les visages, mais le double mouvement pelvien des types aux fesses musclées. A côté d'eux, une fille seule qui a gardé son chemisier se caresse, couchée sur le dos, les yeux perdus. Sur leur gauche, deux blondes, la poitrine nue, s'agacent la bouche de petits baisers en même temps qu'elles malaxent leurs seins siliconés. Dans un recoin, une femme accroupie est vigoureusement pénétrée par un type, tandis qu'elle en avale un autre. En progressant le long du couloir, on distingue des alvéoles où des corps emmêlés s'agitent, avant de déboucher sur une nouvelle pièce, celle-ci quadrangulaire, où des visions similaires se reproduisent.

Quelque chose séparait ces scènes des lents amollissements orientaux que j'avais connus autrefois en lisière du parc Monceau. Nulle odeur de marijuana dans l'air. Les mouvements, les attitudes, les corps même paraissaient se conformer à l'esthétique des films X. Cela supposait, du côté des hommes, un certain souci de la performance ostensible; et, du côté des femmes, des attitudes saphiques un peu forcées. Des actes sexuels avaient lieu dans la cave d'un immeuble parisien, mais ils ne m'inspiraient plus le trouble d'autrefois avec Edouard : seulement un calibrage social au laser. La scène transpirait le télé-achat haut de gamme, les clubs de fitness, l'abonnement à Canal +. Ils devaient lire les romans de John Grisham et porter des tee-shirts Tommy Hilfiger. C'est même étrange de constater combien un corps nu trahit son origine. En contemplant ces baisades, je me disais : tu es vraiment une snob.

Et puis, soudain, une chose, somme toute banale, s'est produite non loin de l'endroit où je me tenais Une fille, chevauchée en missionnaire, était en train de jouir. La tête renversée, les yeux fermés comme des trous de nuit dans la pénombre, elle geignait doucement, avec des soupirs de plus en plus oppressés par le souffle, mais sans arriver au cri. Au milieu de tous ces corps, elle était perdue en elle-même, et il y avait un tel abandon, une sorte de fraîcheur, une telle jeunesse absolue dans ces soupirs que je me suis sentie émue comme on l'est par une douceur humaine. Cette fille aurait pu être moi ou une autre, elle ou n'importe qui, elle cherchait sa jouissance là ou ailleurs, comme un corps périssable qui veut sa part de vie, et au milieu de tous ces corps il y avait une vérité.

A ce moment-là, un type a posé sa main sur mon bras. Je l'ai gentiment repoussé. Je n'avais pas envie d'entrer dans ce brassage, il me devenait clair qu'avant de coucher avec un homme j'avais besoin de voir son visage, d'entendre sa voix, d'en espérer un coup de cœur ou un amusement. Mais je suis restée là, avec l'impression qu'il y avait dans les soupirs de cette fille quelque chose d'émouvant, et même d'amical. C'était bien la dernière chose à laquelle je me serais attendue en descendant dans cette cave : ressentir une émotion qui, d'une façon ou d'une autre, et pour des raisons pas absolument claires, ne pouvait se comparer qu'à une idée à la fois abstraite et complice de l'amitié.

Nous étions déjà au début des années 2000, et ça m'embêtait d'avoir atteint un âge qui commençait par le chiffre 4. Parfois, je me faisais rire toute seule ; on disait que j'étais devenue une augure de la mode. Pourquoi pas. Si j'avais rédigé mon testament, il aurait tenu dans un poudrier. Au demeurant, on devrait écouter un peu plus les filles comme moi, elles ont appris deux ou trois choses de la vie. Vous voulez entendre les recettes de tante Karine ? Les conclusions de deux décennies d'enquête ? Les repérages d'une professionnelle ? Je ne dirais pas que des choses convenues. Par exemple, si vous demandez à un quidam quelle est la plus grande conquête des filles de mon âge, il vous répondra : la pilule ou le travail salarié. Pas du tout. C'est l'hygiène. La généralisation de la baignoire et de la salle de bains doit dater du début des années 1970. Depuis lors, l'orgie n'a pas cessé : millions de mètres cubes d'eau coulant des robinets, consommation pyramidale de savons, tonnes de crèmes de jour et de nuit, montagnes de dentifrices et d'onguents. Derme frotté, enduit, rajeunisé, huiles essentielles, peeling végétal, fibres naturelles, sprays sur l'étagère, shampooings en cataracte, parfums à tire-larigot, pluie de tire-comédons, averse de fioles, maelström de mousse. Je ne sais pas ce que je deviendrais si on coupait l'eau, si la pharmacienne faisait grève, si mes multinationales préférées mettaient la clé sous la porte. Je veux bien jouer la sauvage sur la plage ou la hippie chic à Goa, mais rien n'est possible sans ma crème protection indice 30 après passage en salle d'épilation. Ils me la baillent belle, ceux qui veulent revenir à la vie des cavernes avec lampe à pétrole et lecture de Walt Whitman sous les ponchos, mais qu'est-ce que je fais, moi, sans mon rasoir jetable et mon stick déodorant ? Les types peuvent se plaindre de tout, et par exemple d'avoir eu sur les bretelles la pire génération de pécores égoïstes, de fieffées capricieuses que la terre ait portée depuis Cléopâtre, ou de s'être appuyé une concentration d'intempéries sentimentales à faire pâlir un spécialiste des cumulo-nimbus, très bien, mais il y a une chose qu'ils ne pourront pas nous jeter à la figure dans les siècles des siècles : c'est d'avoir eu en face d'eux des filles qui ignoraient ce qu'est la propreté. On peut être seules, plaquées, malheureuses comme les pierres, passer des années en jachère, d'accord, mais toujours avec hygiène. Les machines à laver ne sont pas faites pour les singes. A défaut d'autre chose, il n'est jamais interdit de placer son honneur dans les savonnettes. Je finirai mariée avec ma crème à formule liposomes ultra-actifs, je ne laisserai personne violer l'intimité de mon démaquillant Tonic Express.

Maintenant, si vous voulez savoir ce que je sais, à quoi je sers, je vais vous le dire. Je suis une spécialiste de l'espoir. La vie est inorganisée, sans contours, chiche en romances ? Nous allons l'inventer, la peindre en couleurs, faire rouler la caravane enchantée. Vous voulez des émotions ? Des indignations ? Des indiscrétions ? Des chansons ? Je vous la formate en quadrichromie, et pour pas cher. La vision du monde MAGAZINE ? Je connais la syntaxe. Les paramètres. La formule. Il y a des tour-opérateurs de l'existence magique, je suis l'un d'entre eux. Des recettes ? Oui, elles existent. Vous désirez connaître le contenu de la boîte noire ? La fabrication d'un sommaire ? Les clefs de la vie magazine ? Je vous les donne. Sur la couverture, commençons par là, il est recommandé d'annoncer la confession d'une actrice artistement dépeignée au ventilateur (« Emma X se confie à Y »). Les mauvais esprits diront qu'il est rare de divulguer ses confidences à 400 000 exemplaires, mais le magazine, lui, vous les obtient. Suit un édito, préférablement rédigé par une journaliste de sensibilité progressiste, qui est l'équivalent du sermon dominical dans une église de campagne couverte de vieux lierre, où l'on harangue nos sœurs en les sensibilisant à une grande cause, la parité, le droit à l'affection pour les bébés-éprouvettes ou la défense des animaux à fourrure. Aussitôt après, on doit insérer quatre pages de pub pour des colifichets ruineux, des chaînettes dorées façon harem, présentés par des filles anguleuses adoptant des attitudes dignes du dresseur au fouet d'un cirque ambulant.

Ce n'est qu'un prélude aux pages méli-mélo, une macédoine de petits échos piquants, utiles, ragotants, équivalent graphique d'un pia-pia de copines autour d'un brunch sans hommes, un kaléidoscope de rubriquettes truffées d'impérieuses sourates (du genre « Si tu n'achètes pas ce petit caraco tendance à 500 euros, tu es une conne »), destinées à encourager la consommation de spectacles, de tissus, d'électronique domestique, tout en assurant le pouvoir prescriptif de la rédaction (up/down, in/out). L'ensemble doit toujours être saupoudré de pubs pour des baumes ou des foulards présentés par des filles qui marchent à quatre pattes. Vient alors l'entretien annoncé en couverture avec l'actrice qui se confesse. En fait, elle confesse surtout que son nouveau film va sortir (comprenez : mon agent m'ayant négocié un bon pourcentage sur les entrées, il serait opportun que la valeur artistique du film soit reconnue par un nombreux public de qualité), en ajoutant que son fils déjà âgé de cinq ans va bien, merci. On tombe alors sur le sujet « Mode ». Là, des mannequins d'une minceur atteignant à l'épique vous proposent sur huit pages de jouer à la gitane, à la vamp ou aux parapluies de Cherbourg, ce qui est un peu l'équivalent adulte des goûters d'anniversaire où tout le monde se déguisait en princesse. Pour se dédouaner de cette débauche de fringues siglées, il est bienvenu d'accessoiriser dans ces pages des robes ruineuses avec des brimborions bon marché, assurant ainsi le respect des principes démocratiques et la prospérité des grandes surfaces.

Une telle pyrotechnie vestimentaire sera immanquablement suivie de la séquence pénitentielle destinée à alimenter la réflexion de la lectrice. C'est ce qu'on appelle le « document », généralement constitué par les bonnes feuilles d'un best-seller annoncé. Les femmes battues, l'excision au sud du Hoggar ou, pourquoi pas, l'alpiniste violentée par un ours permettent l'exercice d'une salutaire indignation doublée d'une réévaluation favorable de votre propre condition, car il est encore rare d'être abusée par un ours. Quelques pages de pub où des Cruella folles de leur corps se roulent dans un satin fatal, et c'est l'entrée en scène des fiches-cuisine. Là, un gâte-sauce euphorique vous détaille la recette du potiron taiwanais aux cèpes ou de l'émincé de veau aux mirabelles du jardin, selon des procédures simples qui requièrent l'assistance d'une armée de marmitons. Enthousiasmée, vous tournez la page pour tomber sur un article plus chuchoté, entre chien et loup, intitulé « Témoignage », où une déprimée de la vie vous raconte anonymement ses déboires sentimentaux, le texte étant appareillé de multiples encadrés où des psychologues, des spécialistes de l'aromathérapie ou des moines bouddhistes prodiguent leurs conseils pour retrouver la forme, le sommeil, le bon karma. Il s'agit par exemple d'encourager une jeune divorcée, dont la séparation s'est brutalement accompagnée de coups de pétoire au plafond, à adhérer au club des familles recomposées, les seules vraies cellules affectives modernes face à ces ringardes victoriennes qui s'échinent comme des idiotes à maintenir le foyer nucléaire classique.

Encore quelques pages de pub où des soumises à lipstick écarlate se vautrent aux pieds d'une maîtresse dotée d'un sac multipoches – il faut vendre du cuir –, puis l'on aborde aux rivages de la mantique, des aruspices, des entrailles de poulet, car il convient d'achever la lecture de la semaine par des prédictions sur celle qui va suivre. Numérologie, astrologie chinoise, cycle zodiacal, tout peut y passer, avec de l'année du Singe et du Neptune en Verseau, du maraboutage numérique et du décan déchaîné. La vérification hebdomadaire de l'inexactitude de ces prophéties devrait pousser l'astrologue à quitter la ville avant qu'on ne le branche au gibet, mais il revient immanquablement, en toute impunité, vous seriner ses fadaises coiffé d'un chapeau pointu plein de lunes et d'étoiles.

Voilà ce que je sais faire. Le rodéo en diorama, le scenic railway de la vie quotidienne. Avec moi, c'est tous les jours dimanche. Pensez-vous, lectrices, que l'on vous prenne pour des quiches ? Pas le moins du monde. Tout cela doit réveiller vos émotions, susciter votre empathie. Le monde est rempli d'héroïnes, devenez l'une d'entre elles.

Encore un mot. Deux espèces, sur lesquelles j'ai acquis une certaine expertise, sont particulièrement à considérer, la FOB et la FOG. Autrement dit, la Femme Orientale Battue et la Femme Occidentale Geignarde. Prenons d'abord la FOB. Née au Qatar ou à Karachi, sa vivacité a été prématurément offusquée par des mamamouchis qui l'ont cloîtrée, voilée, bouclée derrière son moucharabieh, bâillonnée dans la cale d'un boutre, vendue à un tuteur podagre. Des vizirs cruels l'ont envoyée pourrir dans un bagne du désert. Toute une armée d'osmanlis fourbes, d'enturbannés à yatagan, d'émirs à faucons a pris sa trace, s'est acharnée contre elle, lame sur la gorge – se ti sabir, ti respondir, se non sabir, tazir tazir – et la FOB s'est rebiffée, a dérobé la clef du sérail, a fui dans le désert avec son enfant sur le dos, ou, variante jet-set, a extorqué par voie d'avocats quelques millions de dollars à son tyran pour s'acheter un yacht et des voiles, mais en faisant passer ce dernier mot du masculin au féminin. Enfin exfiltrée de sa geôle, la FOB obtient le droit d'asile chez un éditeur occidental. Il la nourrit, l'écoute, branche un magnétophone et engage un rewriter. La FOB, qui a le mérite, à la différence de ses futures lectrices, d'avoir enduré une véritable oppression, donne son témoignage.

Aussitôt, les muezzins médiatiques montent au minaret. Une Sémiramis martyrisée... une Shéhérazade rescapée... supplices orientaux, pal, harem ! Elle est là, parmi nous, elle raconte la fosse aux cobras et les cruautés du Divan... les houris poursuivies par les janissaires... les imams à coupe-coupe et les barbus sataniques. L'homme français raisonnable, qui écoute la revue de presse matinale sur son autoradio, rêve lui aussi de la FOB, une vraie victime qui a épousé la cruauté du monde, pas la virago conjugale qui tempête quand on oublie de descendre la poubelle, non, une Aziyadé frémissante que l'on pourrait consoler sur un lit de roses, une hétaïre de l'Oronte prête à chérir un doux maître. Tout le monde adore les FOB, et si elles n'existaient pas, il faudrait les inventer. D'ailleurs, il n'est pas exclu qu'elles l'aient parfois été.

L'autre spécimen payant, c'est la Femme Occidentale Geignarde. Née sous nos latitudes, confiée à l'école de la République et protégée par la Sécurité sociale, la FOG a contracté dans ce pays irrespirable un mal-être inextinguible qui dépasse de beaucoup les avanies que dut subir sa grand-mère, pourtant soumise au couvre-feu et nourrie aux rutabagas. La FOG, elle, souffre de son coffre à jouets. Son train fantôme intime est peuplé de monstres en carton qui ont le visage hideux de papa-maman. Ils ne l'ont pas aimée. Du moins, pas comme elle aurait dû l'être. Dans sa forme juvénile, avant vingt-cinq ans, la FOG peut s'incarner dans divers avatars encore bénins. Le genre « Je loue un appartement avec moulures mais sans aucun meuble, je m'habille en imitation fripe de style Prada/Joseph et j'écoute des disques de Tricky ». Le genre « Je vis avec un mec dépressif que je protège, à qui je suis indispensable, qui a besoin de mon amour ». Le genre « Je fais des herbiers, je mange des yaourts allégés, je suis hyperlucide quant aux défauts de mes parents même si j'arrive aussi à penser à moi ». Le genre « Je fais sans cesse des stages, je suis assistante dans la mode, je couve un ressentiment buté qui n'a pas vraiment d'objet, mais qui me pousse à faire la gueule ». Le genre « Je suis compliquée et morale, sans maquillage, je parle d'une petite voix plaintive au téléphone, je roule en vélo, ma vie est vague mais je n'admets pas que l'on touche aux sans-papiers ».

En prenant de la bouteille, la FOG passe de la chrysalide à la gorgone. Qu'elle écrive un livre, on regrette les abris de la défense passive. Car la FOG adore ausculter son corps, ses tubulures, ses entrailles, avec une prédilection pour les péripéties gastro-duodénales. Les intérieurs, c'est là que ça se tient. L'épicentre de la *saudade*. L'ombilic du désastre. Des séismes de force 5 partent de la zone pancréatique pour atteindre le cerveau. Celui-ci émet une plainte que la main retranscrit. La FOG n'écrit pas des romans, elle rend publiques des endoscopies. Ouille ! Papa ! J'ai mal ! Aïe ! Maman ! Je souffre ! Le tout enrubanné d'un lamento rhapsodique, mais un peu sec, accompagné de réflexions posologiques s'apparentant aux notices des boîtes de médicaments Et je me plains. Et je pleure. Et je raconte mon inceste mon aventure mon fiancé fatal ma dépression mon Prozac mon grenier ma tumeur mon mon mon moi moi moi ego ego ego Ich Ich Ich Yo Yo Yo I I I je je je. La FOG, je le note, est rarement blonde. Plutôt le genre brune, la narine fine, le portrait de Gertrude Stein par Picasso en version émaciée, avec une méchanceté dardée, dressée sur la queue comme un serpent siffleur. Elle cultive une certaine inclination pour le minimalisme en noir, façon sorcière ayant oublié son balai, doublée d'une appétence pour les plateaux où tournent des caméras, lesquels permettent de lancer des philippiques contre tout ce qui l'afflige et lui nuit et conspire à lui nuire. *Noli me tangere !* Bas les pattes ! Halte à la vivisection ! Quels sont ces serpents qui sifflent sur vos têtes ? *Vade retro* les incubes les succubes les goules qui me tourmentent, moi la FOG martyre, la sainte du verbe assassiné, la femme qui pleure ! J'écris avec mon corps je suis la vérité qui parle mon corps s'arc-boute je suis l'arc et pourquoi le professeur Charcot m'a-t-il encore fait sortir de ma chambre, qui sont tous ces gens qui me regardent dans l'amphithéâtre ?

Je ne me lasserai jamais de ces spectacles. Les démonstrations d'hystériques sont désormais normalisées, attendues, surjouées, avec une telle absence d'humour que j'en suis venue à organiser en compagnie de quelques copines des hystéro-cocktails devant la télévision, comme à l'époque de mes parents on regardait « Intervilles » avec les lâchers de vachettes et les types à cocardes marchant sur les ballons. On croque des chips mexicaines en hurlant de rire. Grâce aux FOG, la vie est belle.

CLAIRE

A Budapest, en février 2002, j'ai eu un coup de spleen. Depuis la fin du communisme, Daniel s'était rendu à plusieurs reprises dans le pays de sa mère. S'efforçant, je crois, de mettre des images sur ce qui n'était pour lui qu'une légende. Il en a tiré un livre, *Fantômes magyars*, pour moi l'un de ses plus beaux.

Cette fois-ci, Daniel avait été invité à un débat organisé par l'Institut français de Budapest, autour de l'œuvre de François Fejtö. Je l'accompagnais. Pendant notre semaine de séjour, je ressentis de la mélancolie. On dit que l'Europe finit à Buda et que l'Orient commence à Pest. En traversant le pont de chaînes, le *Lanchid*, je regardais les gerbes d'eau boueuse battre le tablier de pierre. Le vent faisait onduler vers l'aval la surface du grand fleuve. Sur la rive de Pest, les immeubles 1900, le dôme du Parlement donnaient au paysage des aspects de vieux film d'effroi, comme si Nosferatu le vampire avait attendu de l'autre côté du pont.

En remontant l'avenue Andrassy, les alignements aérés, les arbres nus, les verrières de fer forgé évoquaient d'autres boulevards : Budapest est un petit Paris, aimaient à dire les vieux Hongrois. Mais un

Paris sépia, perdu au milieu de la plaine. Où étions-nous ? Le vent d'hiver éparpillait des papiers sur les trottoirs, dernier souffle d'une vieille Europe qui se trouvait peut-être au bout du monde. Cette ville portait les deuils du siècle précédent, blessée par les rafles de février 1944 et les chars de 1956. Quelques mois plus tôt, on avait lancé des avions contre des tours new-yorkaises. Babylone s'effondrait, en ouverture d'un temps qui ne promettait rien.

Daniel voulut me montrer l'endroit où sa mère avait été hébergée en 1945 par la commission interalliée, avant de partir en convoi pour Vienne : le Park Club, un pavillon comparable à ceux du bois de Boulogne, ancien siège d'un cercle de l'aristocratie magyare. J'eus l'impression d'entrer dans un palais du silence. Autour d'un patio mangé par l'herbe, comme le trou de lumière d'une cour andalouse, de grands salons à moulures, des pâtisseries de stuc et des colonnes néo-classiques, des panneaux de verre modern style et des fresques murales. Les meubles avaient été déménagés, les parquets cirés pour on ne savait quels danseurs.

Daniel me dit :

— C'est un endroit pour Marguerite Duras, non ?

Grands hôtels, villes d'eaux géométriques, résidences de vice-consuls : tout à fait l'esprit du lieu. Comme si cet ancien cercle mondain de Budapest avait été le décor d'une cité thermale livrée aux spectres, une scène originelle que la folie du siècle avait vidée, pour ne retenir que la tristesse d'une stèle sans nom. Dans ce labyrinthe orné de miroirs, derrière le luxe des stucages et des ors, un monstre attendait, tapi au fond du temps.

Une ville peut ressembler à un état d'âme. Buda pest me paraissait flotter ; les attaches qui la reliaient à la gloire de ses rois médiévaux, aux rutilances de la double monarchie, à l'esprit de ses boulevardiers, avaient été rompues comme on sectionne un nerf. Moi aussi, je flottais. Depuis quelques années déjà, il me devenait évident que j'enseignais devant des élèves studieux, mais dont les liens avec la langue que nous parlions se relâchaient. Il leur devenait difficile d'entendre les résonances polyphoniques du français, le tissu sous-jacent des langues anciennes, la phrase de Suétone sous les périodes de Chateaubriand, le verset biblique sous les exordes de Bossuet. J'avais le sentiment, malgré mes efforts, que le langage répondait pour eux à la seule fonction expressive ou transactionnelle. Mes élèves tournaient autour de certains textes comme au pied de grandes citadelles désertées par les hommes et abandonnées aux lichens. Je marchais, là aussi, à travers les salons vides d'un pavillon abandonné.

Dans la chambre de notre hôtel hongrois, je retrouvai mon fatal ennemi un poste de télévision branché par satellite sur les chaînes du monde entier. Je savais bien que les références de mes élèves, le temps volé aux livres, les codes de récit qu'ils maîtrisaient le plus aisément, étaient en rapport avec cet écran. Des chanteurs criards ne cessaient de triompher sur des plateaux somptueux, tandis que j'allais chaque semaine enseigner dans des locaux de plus en plus dégradés. En sautant de chaîne en chaîne, j'avais l'impression que tous ces présentateurs interchangeables parlaient une langue morte. De l'allemand mort, de l'anglais mort, de l'italien mort. Ils étaient convaincus d'être à la pointe de la vibration, de l'immédiat, *breaking news,* et pourtant les commentaires sur le Dow Jones me semblaient moins vivants qu'une page de vieux roman.

A cet instant, j'ai eu le projet d'un livre. Dans la langue la plus simple, la plus accessible, la plus informée des tics de l'adversaire. J'allais sortir de l'arène, violemment s'il le fallait, pour ne pas sombrer.

Je restais attaché au service de Jean-Michel Dugrand, mais il me laissait réaliser des expertises pour les salles des ventes, contribuer à des expositions ou des monographies sur la photographie du XXe siècle. La vie avec Alexia avait pris la place naguère occupée par le souci exclusif de ma personne. Longtemps, j'avais pensé que l'on ne peut jamais être à la hauteur des promesses et des rêves que l'existence suscite. Comme si le temps qui passe soulignait le trop-plein de nos désirs et les compromis que l'on accepte pour tenter de les assouvir. Quand on n'y parvient pas, la malignité des autres est une excuse commode. « Ton intérêt pour le spectacle de la corruption ordinaire, m'avait dit un ami, est d'essence narcissique. Tu as besoin de vérifier que le mal existe, qu'il se manifeste très banalement dans la vie courante, chez les êtres que tu côtoies, pour te convaincre que tu vaux mieux que ça. »

Avec Alexia, je perdais l'habitude de fonder mes certitudes sur la malveillance des autres. Ma petite magicienne avait le génie de la sérénité. Elle pouvait rentrer échevelée de son bureau, après avoir refait dix fois un logo ou bataillé avec un client ergotant sur une maquette, elle prenait une douche et réapparaissait, habillée pour sortir. Ou bien nous restions devant l'écran de la télévision avec un bon DVD, des sushis et de la bière japonaise. C'était le climat de ces heures nocturnes et désoccupées, avec au loin la rumeur de la ville, qui me laissait éprouver le luxe du calme. Au fil du temps, la beauté un peu sauvage d'Alexia se faisait élégante, c'est-à-dire simple. Elle l'était en tout, sans couper les cheveux en quatre, ayant la bonne humeur de sourire d'elle-même, de moi et du reste. Alexia ne donnait pas l'impression de rechercher la paix pour fuir une hantise ou un passé, comme il arrive souvent. Il lui suffisait d'être.

Tous les signes d'une ancienne malédiction s'inversaient à son contact. Alexia ne me reprochait pas la vie que j'avais menée avant elle, mais y trouvait des raisons de s'instruire sur ce qui nous menaçait. Je ne lui racontais pas grand-chose, en réalité, mais ma mémoire était un garde-fou. J'essayais d'anticiper les moments où la fatigue devient nervosité, ceux où les échanges d'humeur installent une électricité mauvaise. Et même, très concrètement, je me chargeais des commandes chez Franprix et des visites au pressing, toutes ces petites servitudes dont la répétition empoisonne le puits. Il m'arrivait de dire à Alexia que le bonheur est une décision et la bonne humeur une politesse. Elle trouvait la phrase curieuse, mais je lui rétorquais qu'il serait intéressant d'observer les transformations de la vie courante si chacun tentait de s'y conformer.

En mai 2002, raides comme des petits soldats, Alexia et moi sommes allés mettre dans l'urne, au second tour de l'élection présidentielle, un bulletin au nom de Jacques Chirac. Elle disait que la politique ne l'intéressait guère. Je reprenais goût au spectacle, pour ce qu'il avait de cannibale. La France était dirigée par un Moloch. Pendant trente ans, cet homme n'avait cessé d'ingérer ses rivaux, broyant leurs os sous sa dent, avalant leurs membres disjoints, en un rituel sanglant qui tenait moins du meurtre en série que du sacrifice carthaginois. On faisait chauffer le métal de la grande idole de fonte, on actionnait sa mâchoire, et les corps disparaissaient dans le gouffre béant du brasier. Il avait ébouillanté Chaban en 1974, grillé Giscard en 1981, incendié Barre en 1988, rôti Balladur en 1995. Immolations septennales. Mais il lui fallait d'autres proies, d'autres nourritures. A y bien regarder, le paysage de la droite française était jalonné de dépouilles calcinées, de rapaces désailés qui ne voleraient plus. Que restait-il des hussards Léotard et Longuet, des rénovateurs Noir et Barzach, de l'atrabilaire Séguin ou du sautillant Toubon ? Que restait-il du grognard Pasqua et de l'impétueux Madelin, des juppettes de 1995 et du Grenoblois Carignon ? Pour quelques-uns d'entre eux, on aurait pu invoquer l'heure de la retraite, pour d'autres l'empressement qu'ils avaient mis à se tirer une balle dans le pied.

N'empêche. Des hommes qui auraient été en âge d'accéder au tournant de l'an 2000 à leur pleine maturité politique, des hommes qui avaient rêvé de Matignon et pouvaient prétendre y accéder, s'étaient retrouvés au détour de la cinquantaine dans la gueule du Moloch corrézien. Mâchoire, brasillement, gouffre. Après avoir dévoré ses pairs, il avalait les rejetons de la génération suivante. Moloch était devenu Cronos : pareil au dieu grec, Chirac consommait désormais ses propres enfants. Lorsqu'il apparaissait à la télévision, au gré de ces symposiums de chefs d'Etat où il représentait la France avec autorité, je ne pouvais m'empêcher de le voir comme une créature à forte mandibule, une statue métallique dont les entrailles surchauffées attendaient l'heure des immolations rituelles. Même son prédécesseur, qui aimait la ciguë des disgrâces, avait su distinguer quelques jeunes pousses, les fortifier, leur ouvrir la barrière. Le Cronos de l'Elysée, lui, battait toujours la campagne en cherchant un fils à déchiqueter.

Au début du second mandat, il en restait trois sur le pré : Juppé, Sarkozy, Villepin. Le dernier plaçait la France si haut dans les nuages qu'il aurait du mal à la trouver dans les urnes. De Juppé, fils élu, on avait l'impression que l'ogre Chirac se le réservait pour l'ultime festin, lorsqu'il faudrait sucer avec volupté les os du meilleur chapon, longtemps nourri au grain, mûr pour la délectation finale. Des juges allaient en décider autrement. Restait Sarkozy. Celui-là avait la peau dure. Enfant renégat, revenu prendre sa place dans le garde-manger, il ne cessait de jeter son gant au nez du père dévorateur. On sentait qu'il attendait en vibrant d'impatience l'un de ces combats œdipiens chers aux trilogies de cinéma, Luke Skywalker contre Darth Vader, le hobbit de Neuilly contre le vieux roi des Aulnes. C'était la scène archaïque et sauvage que toute la France espérait. Verrait-on le Barbe-Bleue d'Ussel, le croque-mitaine phosphorescent, l'increvable minotaure mordre la poussière sous la dague d'un Thésée monté sur échasses, d'un petit poucet déguisé en vampire ? Ou bien le vieux roi, chapelet de scalps autour du cou, poserait-il son pied sur la tête de son ancien ministre, avant de lui trancher la gorge pour boire goulûment l'hydromel dans son crâne ?

Alexia se souciait peu de ces arènes. Nous partions en week-end aussi souvent que possible, roulant à travers les vallons de Bourgogne, les départementales crayeuses du Saumurois, les bocages de Normandie. Parfois, avion vers Prague ou une île grecque. Je revoyais avec elle, en séjournant dans des hôtels de meilleure catégorie, les villes où j'avais traîné autrefois. On dit que la vie des gens heureux est toujours un peu idiote. Si cela est, je revendiquais cette idiotie, dès lors qu'elle m'amenait à retrouver à Vérone un admirable Pisanello, à dormir dans un vieil hôtel de Grenade, à sentir contre la mienne la peau nue d'Alexia endormie.

Ce que d'autres pouvaient décrire narquoisement comme l'alliance d'un homme de quarante-quatre ans et d'une jeune femme de vingt-six, je le vivais intérieurement comme une floraison d'adolescence au milieu de ma maturité. Non pas l'incertitude trépignante, la gaminerie hautaine du godelureau que j'avais été, mais la promesse revécue dans la certitude de l'instant donné, cueilli comme une gourmandise savourée avec elle. Alexia, je ne pouvais que le remarquer, était encline à idéaliser les années qui précédaient sa naissance, comme j'avais moi-même rêvé sur celles qui entouraient la mienne. Elle entretenait la conviction que les années 1970 avaient représenté le dernier rivage de la liberté. La nostalgie que ceux qui avaient vécu cette époque s'interdisaient d'exprimer, de peur de passer pour des gérontes, devenait dans la bouche d'Alexia le regret de n'avoir pas connu la vraie vie. J'essayais de la détromper. Mais elle renchérissait en évoquant des images iréniques de foules sur les pelouses des parcs d'Amsterdam, écoutant des groupes de rock en tirant sur d'énormes pétards ; et les corps nus sous le soleil d'Ibiza, et le son hypnotique de la basse des Wailers, et les crachats rimbaldiens des premiers punks, et le satin des nuits disco... Tout un univers d'avant le fric, la haine, les illusions perdues. Etaient-ce seulement des images ? Insensiblement, je glissais vers ce point du temps que j'avais cru connaître et dont l'imagination d'Alexia faisait une Arcadie. Les photos d'un album que je lui avais offert, *Underground*, nourrissaient son enthousiasme pour les kaabouters hollandais, les dômes géodésiques de Buckminster Fuller et les bacchantes de Frank Zappa. Elle me demanda si j'avais suivi, à l'époque, les débuts d'Iggy Pop à Ann Arbor. Je lui répondis qu'elle exagérait ; en 1967, je n'avais que neuf ans. Mais Alexia tenait le bon fil : la musique est le meilleur conducteur de souvenirs, parce qu'elle résonne dans un éternel présent.

Je commençais à racheter, pour elle autant que pour moi, des disques que j'avais possédés en 33 tours vinyle et que l'on rééditait en CD remastérisés. Puis Alexia m'indiqua des sites Internet où l'on négociait contre dollars des disques inédits sur le marché, des *bootlegs* superbes. Le Web avait recréé en puissance exponentielle un monde alternatif qui évoquait celui des années 1970, avec de vrais toqués du concert rare, du disque introuvable, des érudits dont l'on sentait que les soirées se passaient à recenser tous les concerts de Led Zeppelin ou des Pink Floyd – de l'archive, déjà. Je constatais ainsi que le marché parallèle du rock était essentiellement consacré à la commémoration d'un âge d'or, la nostalgie devenant la loi première de ceux qui s'y approvisionnaient. De Londres à Tokyo, des milliers d'individus étaient en train de se focaliser sur la musique de leur adolescence. Comme s'ils avaient voulu, non seulement revenir, mais entrer plus profondément dans un moment de leur vie dont la plénitude ne leur était pas alors pleinement apparue, et vers lequel ils revenaient désormais pour déchiffrer le sens qu'avait pris leur existence, pour tenter de comprendre pourquoi cette intensité n'était jamais revenue.

Parce que, en somme, l'un de mes plus beaux souvenirs de rock'n'roll, c'était Led Zeppelin sur la scène du Palais des Sports de Lyon en 1973, ils étaient arrivés au milieu des hurlements de la foule, toutes lumières éteintes, et avaient attaqué le concert comme l'on mord. Il y avait des strobs, des lumières clignotantes qui éveillaient des reflets sur la guitare électrique de Jimmy Page. Violence immédiate, ils jouaient très fort, saturé, avec cette distance merveilleuse, hautaine, surnaturelle de Page. On n'entendrait pas sa voix de tout le concert, à peine un regard pour la salle, seulement son travail glorieux de héros grec qui combat sous l'œil des dieux – une distance anglaise, en fait, une morgue de corsaire qui s'est acheté un jabot pour descendre sur le pré. La salle était électrique, houleuse, la musique du Zeppelin ressemblait à un assaut, aux coups de boutoir assenés contre la porte d'une ville assiégée. Le concert avait commencé depuis dix minutes lorsque l'on entendit, entre deux chansons, une rumeur de foule venue de l'extérieur, puis le bruit de vitres que l'on brisait. Des dizaines de hooligans, dépourvus de billets, avaient débordé le service d'ordre. Munis de barres de fer, ils entreprenaient la destruction systématique des carreaux de verre poli qui ornaient les murs extérieurs de l'immense hall. Sur la scène, Robert Plant hurlait les paroles d'un blues – *squeeze my lemon till the juice runs down my legs* – tandis que les carreaux du Palais des Sports tombaient un par un au milieu des cris. Au-dehors, il y avait ces bandes d'Ostrogoths furieux qui allaient peut-être forcer les portes, entrer en vague dans le Palais des Sports, ivres de bière, prêts à tout saccager, et sous nos yeux les quatre musiciens de Led Zeppelin qui jouaient à la limite du son, une fusion explosive, somptueusement dédaigneux de l'émeute dont ils étaient la cause. Je n'ai rien retrouvé ensuite, dans les concerts auxquels j'ai assisté, qui ressemble à ce moment où toute une salle vibrait d'une sorte d'extase plus forte que le péril.

Je vivais, comme tout le monde, sous la menace des renoncements, des habitudes, des existences rétrécies. Décapant chaque jour en moi la couche d'indifférence qui menaçait de durcir comme une corne, pour tenter de maintenir ma perception à vif. La force d'étonnement qui vous accorde musicalement au monde et aux heures, j'aurais pu la puiser dans le passé. Il avait existé une époque où la vie s'ouvrait comme une pro messe, non seulement par l'effet de la jeunesse, mais parce qu'une convergence d'énergies et d'illusions, liée à diverses libérations en cours, chargeait les individus comme des piles électriques. Puisque la conscience est ennemie de l'innocence, Alexia me forçait à une discipline de la candeur. Avaler quelques capsules de temps pouvait y aider. Lorsque j'écoutais ce disque qu'elle aimait tant, l'enregistrement du concert que les Rolling Stones donnèrent au Forest National de Bruxelles en 1973, implacable, joué en accélération permanente jusqu'à l'explosion finale de *Street fighting man*, c'était comme si le *bottleneck* de Mick Taylor avait glissé au fond de moi sur des cordes tendues, saturées de courant, je devenais la guitare sur laquelle le temps posait ses doigts.

Le rock, comme la beauté d'une femme, nous garde vivants. Et les femmes de la rue étaient, elles aussi, cette musique qui vous arrête et fait sentir la promesse d'une grâce, parfois une silhouette naissait des rives de la nuit et me laissait l'aimer en songe. Je me réveillais plein d'une fraîcheur ramenée de pays imaginaires, qui me portait pendant les premières heures de la journée. J'allais chercher dans les rêves la couleur du jour.

Si Alexia avait su combien je la regardais, combien je lui savais gré d'exister, de rougir, de faire la belle, de s'étonner exagérément d'un compliment, d'être soucieuse et incertaine de son apparence, dotée d'une peau si douce et de jambes si joliment dessinées, de prendre la peine de calculer la hauteur d'un ourlet ou d'un talon, de rire et de répondre, d'avancer avec un étrange courage, de vouloir envers et contre tout rester amoureuse. Si Alexia avait su combien je l'aimais.

CLAIRE ——————————

Extrait de *Télé-Viciés* (Flammarion, 2003), par Claire Herrmann.

[...] *La télévision promeut ceux qui ont assez d'appétit pour s'accrocher aux branches, pour accepter de condenser en quelques phrases fortes l'expression d'une pensée qui s'y réduit.*

Des présentateurs aux allures de stewards obséquieux, des animatrices qui tiennent le micro avec un sourire permanent, intérieurement terrifiés, vendent de l'émotion, des retrouvailles, des applaudissements de commande avec une expression de veulerie vitaminée. Ecrans de pub, yaourts, automates, margarine, et les voilà revenus, visages d'un purgatoire blanc, marionnettes de la peur, otages de leur Audimat, faisant le trottoir devant les caméras. Il y a quelque chose de malheureux et de chiffonné au fond de leur gaieté terrorisée. Comme si leur petite troupe, où l'on voit au fil des années des noms apparaître et d'autres disparaître, était une agence de collabos modernes, courbés, la sueur au front, devant les occupants de l'époque, c'est-à-dire le fric et la diffusion de l'envie. Tout un peuple se repent d'avoir suivi autrefois un vieux maréchal, mais se jette du même mouvement dans les bras du maréchal d'époque, qui s'appelle l'Audi-

mat. La même moralité tartuffe, les mêmes larmes majoritaires, la même obsession des familles, les mêmes accommodements paresseux avec l'ignorance, les mêmes lâchages opportuns quand il faut sauver les meubles. Le virus est là, chaque époque le réactive selon son tragique ou sa bouffonnerie propres.

Il y a trente ans, on hurlait contre le corps-marchandise, l'utilisation des femmes par la publicité, avec un certain succès. Mais la fin du XX*e* *siècle aura installé le corps des femmes dans une dimension mercantile, avec le concours des intéressées elles-mêmes. Jamais on n'avait vu autant de jambes, de nombrils, de poitrines refaites, de lèvres au collagène et de rides effacées au Botox, jamais autant de bimbos vendant leur corps aux journaux, de chanteuses-lolitas maquillées comme des roues de voiture, de créatures-potiches nichées dans le coin de l'écran. Ce maquerellage se situait au carrefour de deux réalités, la puissance du marché et la culture de la célébrité. Misère de millions de jeunes femmes qui accédaient brutalement à un univers transactionnel et n'avaient que leur corps à vendre, leur apparence à solder. Culture de la célébrité qui poussait à rechercher sa place dans l'univers des images dominantes, où la silhouette et la voix, la plastique et l'aptitude à pousser la chansonnette vous qualifiaient comme modèle universel. Le couple Beckham marquait comme nul autre ce triomphe du corps visuel : il avait gagné des millions avec ses pieds, elle en avait engrangé autant grâce à son décolleté.*

Les « working class heroes » ne pointaient plus à la Maison du Peuple ; ils avançaient entourés d'agents, de gardes du corps et de photographes. Le modèle Imelda

Marcos avait remplacé le modèle Karl Marx : dictatures douces où des reines de cœur, sorties de la gouttière et rhabillées par Gucci, faisaient vibrer les lecteurs de tabloïds au rythme de leurs caprices royaux. Dans ce nouveau monde, la langue écrite avait pour objet d'accompagner des clichés détaillant la chronique des monarques de l'heure. Elle servait à légender des photographies.

Des millions de citoyens, qui négligeaient de se rendre aux urnes lorsqu'il fallait désigner gratuitement leurs dirigeants, jubilaient d'avoir à payer pour voter : il s'agissait d'émissions où l'on désignait chaque semaine le candidat qui sortirait d'un loft ou d'un château. Le suffrage censitaire se voyait rétabli à travers la dîme perçue sur chaque appel téléphonique, avec le concours enthousiaste des électeurs. Cette époque dopée aux Droits de l'Homme adorait payer pour regarder des singes. [...]

KARINE

Mouais. Moi aussi, j'ai lu le livre de Claire. Et vu le succès qui a suivi. Le truc d'écrire un pamphlet contre la télévision en refusant d'y aller, c'est assez bien vu. Du coup, les radios et la presse écrite lui ont tressé des couronnes, trop contentes de pouvoir taper sur leurs rivaux de la télé. Moi-même, au journal, je lui ai envoyé une jeune rédactrice qui a sorti un entretien saignant. C'est comme ça que je l'ai vue réapparaître, Claire, avec la photo illustrant l'entretien. La même et unique photo, distribuée à toute la presse, pour faire austère. Elle n'a pas tellement changé. D'une certaine façon, elle continue à me damer le pion à travers les années. Elle n'a même pas remercié pour le papier. Claire doit pourtant savoir que c'est moi qui tiens les rênes. Mais peut-être ne le sait-elle pas ?

La vérité, c'est qu'elle m'agace. Claire ramène la vie à la conviction intime de sa supériorité morale. Elle ne veut rien lâcher, rien conceder, il faut que tout soit rangé dans ses grilles d'interprétation comme des clés à la réception d'un palace. Elle a une clé pour chaque chambre, elle est une sorte de réceptionniste de ce grand hôtel qu'est l'existence des autres. Le truc de dire que les gens qui passent leur vie devant la télé sont les nouveaux collabos, ça a fait du chambard. Elle est assez marketing, finalement, la petite Claire...

Maintenant, un peu de vérité. Les intellos à la Claire me gonflent autant qu'ils m'amusent. Ils sont installés en haut de la tour et prétendent parler depuis les douves. Ils appellent à la révolte en comptant leurs points de retraite, rédigent des communications gourmées qu'ils s'entrelisent à huis clos, se surveillent comme des concierges tout en plaidant pour la générosité universelle, prétendent observer le mouvement social en tournant autour de la Sorbonne. Un peu de vérité ? L'intello, c'est moi. Quelle est ma pratique, comme ils disent ? J'observe au plus près les modes, leur zone de formation, leur cristallisation, leur échec ou leur expansion. J'en suis très précisément informée, je vais voir au plus près, je connais les acteurs. Incidemment, j'essaie d'en comprendre les raisons, et ne me prive pas de donner un coup de stylet quand la tricherie montre le bout de son nez. Je suis polygraphe, mobile, décalée par rapport à moi-même, me forçant sans cesse à interroger les présupposés de ce que j'avance. J'ai des lecteurs : ils peuvent réagir, écrire, se plaindre, et l'addition de leurs doléances aura pour effet, si je suis mauvaise, mon renvoi pur et simple. J'ai des ailes, mais pas de parachute. Je ne méprise pas les goûts du public. S'il est fasciné par Emmanuelle Béart ou Zinedine Zidane, par Carla Bruni ou Johnny Hallyday, je demande à voir. A ces niveaux de célébrité, je n'ai jamais rencontré l'imposture : ces individus-là, quels que soient leurs défauts, ont assez donné d'eux-mêmes pour ne pas tricher.

J'étudie leurs biographies, je prépare les questions qu'ils m'inspirent, et les leur pose directement. Autrement dit, je fais de la sociologie sauvage sur des personnages suscitant un engouement de masse. Il y a toujours une raison à la fascination que déclenchent les stars. J'essaie de la trouver, tant qu'à faire avec le concours des intéressés. Le monde contemporain se focalise sur eux ? C'est donc qu'ils ont quelque chose à m'apprendre sur ce monde. On les adule ? Je n'ai aucun dédain pour ceux qui les adulent, puisqu'ils me ressemblent. L'intello, l'amie du peuple, c'est moi.

Claire devrait faire un stage au journal. Elle verrait ce qu'est un atelier à mythologies. Je ne travaille pas avec Junon ou Ganymède, avec Wotan ou Alberich, puisque cela a déjà été fait. Mon matériau ? Des chanteuses, des héros de sitcom, des princesses, des tenniswomen, des présentateurs de journal télévisé, des reines de la nuit. Les hommes ont besoin de fables ? Ils veulent des récits, des perspectives sur la vie, des amours et des drames, un scénario pour rêver ? Qui va leur donner ? Tante Karine est là. Tiens, pour faire bisquer Claire, je citerais bien son idole, puisqu'elle aussi a des idoles, après tout. « Ta tête se détourne : le nouvel amour ! Ta tête se retourne : – le nouvel amour ! » Il me reste des souvenirs de mon époque Aristote-Supradyne ; c'est de Rimbaud. Eh bien, je suis une théoricienne du nouvel amour. L'amour concret, au ras des songes, l'infini à la portée des caniches, j'en suis la spécialiste. Dans ma vie et ailleurs.

Vous voulez savoir comment fonctionne le nouvel amour ? Ses phases, ses envolées, son *format* ? Je peux l'expliquer, avec la syntaxe et les tropes. Je ne suis pas une téléviciée, mais une tabloïvicieuse. Ingrédients : deux personnages jeunes et connus. Première scène, l'énamoration, la rencontre, les photos surprises sur une plage de l'île Maurice, l'embarquement pour Cythère, les protestations d'amour éternel, le couple éblouissant – « Ils sont ensemble ! » – les promenades hivernales dans Paris où les tourtereaux portent invariablement des manteaux longs, des baskets et des lunettes noires, suivies d'interviews exclusives où la femme (plus rarement l'homme) raconte que l'on en est au choix des alliances, que tout ce qui a précédé ne comptait pas, *at last long love.* Séquence suivante : quelques mois plus tard, photos dérobées de la fille arrondie, chaussures plates mais toujours lunettes noires, accompagnées de confidences sur le sexe de l'enfant à venir. Noël ! Ils se sont reproduits ! Ensemble ! *Mirabile visu !* Celebrity dans la layette ! Matrix again ! Lorsque l'enfant paraît, c'est la phase poussette, on ne voit pas le visage du bébé, attention aux procès, mais le père et la mère attelés au landau, toujours avec des lunettes noires, préférablement dans un numéro du magazine où l'on décrète que la maternité est à la mode – « Elles font des bébés ! » –, comme si cette mode-là n'avait jamais eu cours auparavant et que les milliards d'individus qui vous ont précédés sur cette planète avaient été engendrés par l'opération du Saint-Esprit !

Quelques semestres passent en immersion. Soudain, c'est l'alerte. Visage inverse, la jeune star est photographiée dans la rue au bras d'une amie consolatrice, ou de sa mère, toujours avec lunettes noires, sous un titre qui suggère qu'il y a de l'eau dans le gaz. On ne sait trop où est passé l'élément masculin du couple en péril, mais, miracle, le voici trois semaines plus tard en état d'ébriété à la sortie d'une boîte de nuit, la main dans le soutien-gorge d'une bimbo dont le string dépasse du pantalon. Adrénaline ! Rupture ! Les micros se tendent vers la femme bafouée (l'homme ne va pas aller déclarer qu'il mène de nouveau une joyeuse vie de patachon après avoir goûté aux devoirs saumâtres de la nursery). Avec l'air altier et déchiré de Maria Callas poussant un contre-ut dans *Norma*, la bafouée convoque un spécialiste de la confession au magnétophone auquel elle délivre en quadrichromie et lunettes noires une philippique rouge sang. Séduite et abandonnée ! Un monstre ! Un Landru ! Vengeance ! Le bébé, lui, a disparu de l'image. Quant au lecteur avisé, il se demande comment une femme si sensible a pu remettre son destin entre les mains d'un pareil surineur, qu'elle ensevelissait quelques mois plus tôt sous les serments les plus définitifs. Cela fait partie du jeu

Voilà comment on fait de la mythologie au quotidien. Puisque les célébrités pullulent et que les candidats à ce scénario désiré sont légion, il n'est pas difficile de nourrir l'inévitable récit en puisant dans le stock des amours en cours. C'est un énorme mouvement valvulaire d'aspiration et d'expulsion, un maelström mimétique dans lequel des millions d'existences vont se précipiter, phalènes affolées qui se brûlent à la lampe. Et alors ? Il n'est pas interdit de rêver La star possède cette voiture ? Je la veux aussi. Elle couche avec son beau-frère ? Moi aussi. Elle part en vacances sous les palmiers de l'océan Indien ? A mon tour. Elle confesse ses états d'âme ? J'en ai plein mon sac. C'est la vie. L'amour ressemble à une auberge espagnole où chacun apporte ses propres castagnettes ; tant mieux si le guitariste sait encore faire crépiter la danseuse. L'humanité a droit à ses embarquements pour Cythère, à ses lunettes noires, à ses landaus photographiés en numérique, à ses drames grecs, à son film autoproduit avec de l'illusion et des larmes. Ta tête se détourne ? Le nouvel amour !

CLAIRE

En ce moment, j'ai le sentiment d'être à la charnière de deux époques. Ma vie, elle aura été jusqu'alors ce qu'elle a été. Daniel est entré dans la cinquantaine. On vante toujours ses essais, et il est resté mon amour. La grâce de l'existence, elle m'aura été donnée par une rencontre, un soir à Lisbonne, avec cet homme qui ne m'a plus quittée. Ensemble, nous avons conjuré la malédiction. Tuer en soi la fatalité qui pousse à la discorde, la mauvaise enfance qui veut la haine. Se regarder en riant, comme si l'on s'était rencontrés la veille et que la vie passait telle une journée au soleil.

Lucas est un adolescent, désormais. Lorsque je pénètre dans sa chambre, je vois une chaîne digitale, des CD, un poster des White Stripes sur le mur, ses bandes dessinées, *Calvin et Hobbes*, *Trolls de Troy*, des livres de Lovecraft et de Tolkien. Passé l'époque où l'on doit les surveiller comme le lait sur le feu, l'éducation des enfants consiste aussi à leur expliquer qui nous étions. Ils accepteront ou blâmeront nos raisons, ils nous regarderont probablement comme des extra-terrestres, mais ils sauront de quelles erreurs ou de quelles ferveurs ils sont les fils.

Je ne suis pas sûre de leur léguer un monde aimable. La conscience de n'avoir qu'une vie devrait l'emplir d'actes de douceur. Au lieu de quoi, c'est trop souvent l'invention d'un enfer. Devant nous, mais surtout devant eux, une ère s'ouvre qui verra peut-être des conflits, des pandémies, des terrorismes sans précédent. De nouveau, le temps du courage reviendra. Du moins auront-ils connu, pendant leurs premières années, l'Eden-Land des baby boomers, la secte du considérable nombril, la grande coterie du jeunisme éternel. Peut-être l'époque de nos guerres narcissiques deviendra-t-elle à leurs yeux celle du bonheur perdu. *Et in Arcadia ego.*

Le temps, je l'ai vu passer sur le visage de mes élèves. De ma première classe, en 1982, jusqu'au début des années 2000. Ceux des années 1980, privés de cette posture contestatrice qui avait donné depuis trois décennies, sous sa forme existentialiste, communiste ou gauchiste, une armature au besoin de mordre de leurs aînés. On parlait désormais de Droits de l'Homme et de Restaurants du Cœur. Mais l'air du temps ressemblait à la musique qui s'imposa alors : moins de guitares électriques, plus de synthétiseurs. Je les sentais inquiets, désarçonnés. Ils s'initiaient aux mystères de l'analyse diégétique, de la syllepse et de la métonymie, mais la télévision parlait de la montée du chômage et de grandes opérations de fusions-acquisitions. Un jour, l'un d'entre eux m'a dit : « Si j'étais aussi instruit sur la politique des taux que je commence à l'être sur la rhétorique médiévale, je pourrais faire une petite fortune en Bourse. » Un autre, qu'il se sentait parfois tels ces personnages de dessins animés qui fusent d'une falaise, font quelques pas dans le vide avant de tomber au fond de l'abîme.

Quelques années auparavant, ils auraient considé‑e un Bernard Tapie comme un dépeceur bravache, un batteur d'estrade faisant au boniment les poches du chaland. Désormais, il était ministre de la République. Que leur répondre ? L'inconsidération dans laquelle ils étaient tenus par leurs cousins, leurs anciens camarades de lycée, qui avaient choisi de faire une maîtrise de gestion à Dauphine ou un mastère dans une école de commerce, n'était que l'anticipation du mépris dont je me sentais moi-même menacée. « Il n'y a que deux situations dans lesquelles on peut encore exercer sereinement notre métier, m'avait dit un grand professeur bordelais. Dans les pays pauvres, parce qu'ils respectent la rareté, et dans les pays très riches, parce qu'ils se flattent de la financer. » A Yaoundé comme à Harvard, il s'était senti respecté.

L'argent y a sa part. La rémunération d'une prestation intellectuelle n'est pas fonction de son excellence, mais de facteurs externes qui en fixent la valeur. Prenons un linguiste de renom mondial tel que Noam Chomsky. Il est probablement l'un des hommes de la planète qui en sait le plus long sur le fonctionnement du langage, phénomène constitutif de notre humanité. Ce que Chomsky et ses pairs ont théorisé ou découvert devrait être affecté d'un multiplicateur considérable. Or, ils gagnent infiniment moins d'argent qu'un courtier expert en mouvements spéculatifs sur le cours du cacao. L'espèce humaine, qui pourrait éventuellement se passer de cacao, cesserait d'exister si le langage disparaissait. Mais la rémunération d'une opération sur la graine de cacaoyer est néanmoins très supérieure à celle d'un grand savoir sur le langage. Ce constat-là, par quelque bout qu'on le prenne, sera devenu criant avec les années 1980 : il se tient au cœur de la démoralisation universitaire. L'argent donnant la mesure du statut ou du succès, sa multiplication hyperbolique a récompensé des activités prosaïques avec une ostentation sans précédent. L'école de commerce, garantie de savoir sur le cacao, l'emporte sur l'agrégation de philosophie, qui ne promet qu'un ciel étoilé au-dessus de nos têtes.

Tout ceci est connu. Il aurait été possible, peut-être, de dissocier l'enrichissement du prestige, de laisser le premier aux faiseurs d'or et le second aux faiseurs d'idées. Mais la confusion des ordres au bénéfice des seuls hommes d'argent, favorisée par l'effondrement des éthiques judéo-chrétiennes, a ouvert le champ à une muflerie païenne.

Je dois le dire en des termes qui me retournent le cœur, mais c'est un fait : j'ai assisté, au milieu de la société française, aisée, omniscolarisée, enracinée dans des siècles d'exigence, à une *destruction d'intelligence* qui humiliait, et parfois détruisait sans remède, quelques-uns de ses meilleurs esprits. Non seulement les lenteurs mandarinales, la quête des postes, qui font partie d'un folklore universitaire ancien. Non seulement la béatification des importants asseyant leurs maximes sur le Dow Jones. Mais l'usure acide de toute réflexion, les projecteurs braqués sans relâche sur une foule de chanteurs moraux, de doctrinaires improvisés, d'apôtres de la psychiatrie télévisuelle, d'écrivains à escarres, de marchands de bonheur, de protestataires égotistes, de serviteurs stipendiés du mensonge. Il faut imaginer ce qui se passe dans la tête d'un chercheur scrupuleux, ne validant jamais un énoncé sans l'avoir passé au filtre du doute méthodique, dont la réflexion nécessite plus de six phrases d'exposition, et qui prend le risque de ne pas acquiescer aux usages majoritaires, parce que son honneur est de ne jamais céder sur la vérité. Imaginer, devant ce caravansérail, l'incrédulité, la corrosion, la rage ravalée, l'impuissance. Où sont les Michel Foucault d'aujourd'hui ? Ce n'est pas l'Audimat qui nous le dira : il les a anéantis, annulés, laminés. Il les a tués.

L'université a été pour moi un asile, un abri. J'étais dénuée de toute possession et n'avais hérité de rien. Le capital que j'ai accumulé se composait de mots et vivait dans les livres. Quelques professeurs m'ont aidée à y accéder. Cela s'appelle un savoir, si l'on veut. Ce savoir n'est guère solvable, sauf à ce qu'il soit rémunéré quand on le transmet. Un professeur, c'est un individu payé par l'Etat avec l'argent des citoyens pour faire accéder leurs enfants à un certain niveau de civilisation ; éventuellement, il peut enrichir de ses propres recherches le contenu de son enseignement. Qu'avais-je recherché à travers l'étude du langage ? La cause de mes rêves, les fondations de l'humain ? La longue chaîne des vocables qui m'inscrivait dans le temps ? Ces états de disjonction mentale par lesquels se manifeste une autre logique, reliée au mystère du non-être ? Et si je n'avais été, en prenant la trace de mes maîtres, qu'une épigone s'enfermant de plus en plus dans la citadelle d'une parole morte ? Je vivais à l'abri de recherches qui n'inquiétaient personne. Mon existence sociale, certifiée par les bulletins de salaire que m'adressait l'université, ne se marquait guère qu'à travers les communications publiées par quelques revues savantes, les actes des colloques auxquels je participais. Nous avons tous besoin de reconnaissance, mais qui m'avait reconnue ? Il avait fallu que je sorte de mon champ pour me faire entendre. Le succès de mes deux livres, écrits de façon simplificatrice et corsaire, en marge de l'université, m'avait gratifiée à la mesure de ce qu'ils comportaient également, je dois l'avouer, de renoncement et de facilité. Mais ils étaient signés.

J'allais continuer.

En décembre 2003, l'un de mes amis d'autrefois a disparu. J'ai lu dans *Le Monde* qu'on l'avait retrouvé mort dans son appartement parisien. Il était âgé de quarante-neuf ans. Je l'avais rencontré vers 1979, élève de Barthes, porté par la vague, signant dans les revues les plus choisies. Tout paraissait lui réussir selon les critères de l'époque. J'ai connu des filles qui étaient passées entre ses bras parce qu'il pouvait leur expliquer les théories de Strawson sur les langages logiques – j'exagère à peine. Au tournant des années 1980, il avait changé de rêve. Lassé, me disait-il, de passer ses réveillons avec des psychanalystes, il était devenu un peu hussard, déposant au râtelier la vieille quincaillerie théorique pour écrire de courts romans absurdes et fins où Scott Fitzgerald paraissait boire du champagne sur la tombe de Franz

Kafka. Il était habité d'un désespoir anglais, poli, civilisé, irrémédiable. Pendant plusieurs années, il s'était retiré dans sa maison de campagne. Il pêchait à la ligne. Il buvait. Considérablement. Le destin d'un Guy Debord déguisé en personnage d'Evelyn Waugh. Un sage d'estampe japonaise rongé par le vertige du néant. Que devenait-il ? « Il est à la campagne », répondait-on invariablement, comme si cette indication avait fini par définir sa condition permanente et presque ontologique. Les trous noirs de la littérature l'avaient finalement avalé, absent de la vie et du roman qu'il ne finirait pas. Il s'appelait Frédéric Berthet.

Sa disparition m'a rappelée au temps. Si les murs de la ville où je vivais, si la voix de mes amis au téléphone ne s'étaient pas altérés avec les années, des photos anciennes m'indiquaient que mon corps avait changé. Pourtant, la facilité avec laquelle ma mémoire se déplaçait vers des époques déjà révolues, jusqu'à me les rendre aussi fallacieusement proches qu'un événement de la veille, soutenait encore l'illusion selon laquelle mes amis seraient éternels. Ils ne l'étaient pas.

C'est alors que j'ai décroché mon téléphone. J'avais envie de revoir Pierre.

PIERRE ___________

J'écris ces lignes à une heure avancée de la nuit. Alexia dort dans la chambre. Sous le halo de la lampe, j'ai posé des feuilles quadrillées. La stéréo joue, très bas, des romances d'Irving Berlin chantées par Ella Fitzgerald. C'est une musique qui n'est pas dénuée de mélancolie, même si elle regarde vers le ciel. La voix des disparus enchante la vie que nous menons parmi les vivants. Et même ceux que l'on a croisés autrefois et que l'on ne voit plus, ils partagent chaque moment de la vie du monde en nous accompagnant vers la vérité.

J'ai lu le livre de mon ancienne copine. Je devine ce qui habite Claire, la déchire peut-être, et qu'elle n'avouera jamais : il existe une souffrance de l'intelligence dans le monde moderne, supérieure sans doute à ce qu'elle a pu être il y a trente ou quarante ans. L'univers des images est devenu si intempestif, si autosatisfait, si toxique qu'elle ne peut qu'en être blessée. Claire me fait penser à un type de personnage que l'on rencontre dans deux films de Fellini. Au milieu de la décadence générale, des mœurs de Bas-Empire, il y a des êtres à la morale de vieux Romains qui résistent au capharnaüm général. Ils marquent l'appartenance à un monde ancien par leur vertu, leur équanimité, le souci d'éduquer leurs enfants. C'est Alain Cuny dans *La Dolce Vita*, et cette famille de patriciens isolée derrière les murs de sa villa, au milieu des bacchanales du *Satyricon*. Dans un cas comme dans l'autre, ces vertueux sont poussés au suicide : ils ne peuvent plus supporter l'ordre du monde qui vient.

Claire ne se suicidera pas. Mais je vois monter en elle le syndrome de l'assiégée, son obsession de la télévision, sa paranoïa latente. Claire, qui ne s'est jamais vraiment mise en colère, se sent désormais pourchassée, privée de l'estime des autres qui a toujours été son oxygène. Tout ce qu'elle tente d'enseigner dans la journée lui paraît détricoté par la tératologie télévisuelle. Elle a eu le sentiment que les milliers d'heures passées en bibliothèque la mettaient au contact de ce que le monde a produit de plus noble ; qu'il lui incombait de transmettre à de plus jeunes l'amour des livres qui a éclairé sa vie. L'argent ne lui était rien et on lui oppose qu'il peut tout, ce n'était pas une rebelle et elle se voit, à son corps défendant, poussée vers une sédition intérieure, de plus en plus seule.

Je ne saurais que lui répondre. Nous avons fini par opposer à la cruauté du monde le secret de nos vies privées. Si elles sont heureuses, c'est une amulette contre l'amertume : la vérité est plus triste que nous. Je ne partage pas son obsession du maléfice télévisuel ; après tout, on peut passer d'excellentes soirées devant la télé si l'on sait choisir. Mais je rejoins Claire sur les fatalités de l'amenuisement. L'expérience du temps, c'est d'avancer vers la souffrance des autres. Même si les vies ont suivi des cours séparés, avec une grande disparité d'événements et d'attitudes, on se retrouve sur la nudité de l'essentiel : la mort de nos parents, un amour qui s'éteint, la conscience des rendez-vous manqués. C'est un premier club dans lequel on entre tôt ou tard, sans avoir demandé la carte, jusqu'au club final où chacun est admis sans exception, qui s'appelle le cimetière.

Au fil des années, j'avais vu des destinées se croiser et s'épanouir, des êtres rapprochés par l'amour et séparés par la haine. Le grand et misérable luxe des gens de notre âge, leur sport énigmatique et préféré, c'était la passion du litige entre les hommes et les femmes, ces guerres incessantes dans lesquelles nous avions laissé des plumes. Nos Eparges, c'était le couple, et le champ de bataille, le bureau du juge des divorces. Nous n'avions eu ni faim ni froid, nous disposions de poêles en Téflon et d'anoraks en Kevlar, et si une nouvelle guerre mondiale se dessinait insidieusement, implacablement, nous l'attendions au cœur d'une vaste Suisse continentale qui s'en lavait les mains. Alors, pour passer le temps, il avait fallu s'inventer des enfers, des lacérations psychiques, des guérillas de l'ego qui constituaient peut-être le plus grand répertoire de comédie dont l'humanité ait jamais disposé. Mais les acteurs n'avaient pas tous du talent. C'était une fourmilière d'insectes plaintifs, dolents, dressés sur leurs pattes pour se faire entendre de la salle. On tirait des salves, on lustrait ses antennes, on se reproduisait selon les lois de l'espèce, puis on brûlait la chambre en laissant

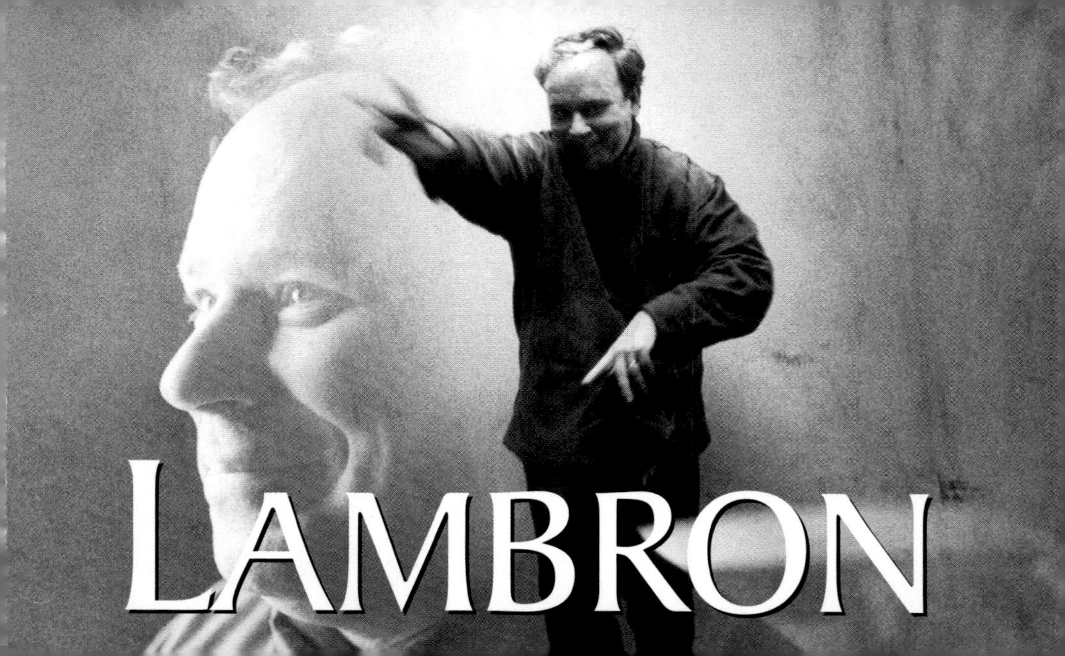
LAMBRON

les petits s'égailler dans la nature. Ils sauraient bien se débrouiller.

L'amenuisement. J'étais fasciné par le nombre de films, de jeux, d'objets qui avaient désormais pour support la vie miniature. Dessins animés mettant en scène des insectes, graphistes en vogue déclinant le quotidien des cirons. Quand l'on se promenait dans certains endroits du Quartier latin, tels la rue Dante ou le bas de la rue Saint-Jacques, on trouvait des vitrines regorgeant de figurines peintes, occupant les présentoirs comme un peuple lilliputien. Des boutiques spécialisées en jeux de stratégie se consacraient uniquement à la vente d'armées de micro-monstres, de minuscules guerriers gothiques qui s'affrontaient sur des champs de bataille à échelle réduite. Il n'y avait pas que des adolescents pour fréquenter ces boutiques : nombre d'hommes mûrs venaient s'y fournir. On écoutait des chanteurs égrener leurs comptines sur un piano grêle, tel Vincent Delerm, ou ces charmantes ritournelles de Yann Tiersen qui évoquent les boîtes à musique où valsent deux danseurs de fer-blanc. Tout un univers de figurines, de menus mécanismes, de machines à système, de scarabées tapis entre les herbes – un monde qui paraissait passé à travers le prisme d'une lunette rétrécissante, balayé par un mystérieux rayon rapetisseur. C'était une façon enfantine de régner sur des royaumes tangibles, dont on devenait à la fois le démiurge et le géant. L'horizon des empires s'était amenuisé jusqu'à tenir dans une boîte que l'on refermait à l'heure des rêves. Les amours mêmes se ramenaient souvent à la confrontation de deux enfances, avec le concours du psy qui comptait les poupées éborgnées et les soldats de plomb écaillés. Tout était devenu petit, et nos vies aussi. On commence en rêvant de Lawrence d'Arabie et l'on finit avec Loulou le Pou. Il n'y a pas de grandes personnes.

L'amenuisement, c'est aussi l'ironie. Longtemps, j'avais pratiqué l'ironie pour ne pas me laisser atteindre, ou le moins possible, par la vie telle qu'elle va. Convaincu, à tort ou à raison, qu'il avait existé dans un passé pas si éloigné des possibilités de noblesse dont les circonstances étaient désormais moins prodigues. Un ordre tel que celui des Compagnons de la Libération, par exemple, indiquait qu'au milieu du XXe siècle, le courage et l'honneur avaient pu être célébrés. On aurait cherché en vain l'équivalent contemporain d'une telle chevalerie, née d'une époque et morte avec elle. L'ironie vient à la place d'un courage qui n'a pu être démontré. C'est un bouclier dansant que l'on agite quand on a envie de gerber. Abandonné à l'exécration froide que pouvaient susciter certains comportements humains, on serait devenu l'otage d'une révulsion. L'ironie permet de les envisager en marquant que l'on n'est pas dupe. Elle signifie : votre jeu est écœurant de transparence, sachez que j'ai déchiffré les règles.

J'étais en train de me lasser de l'ironie ; elle attaque mal la peau des buffles. Si la vie était un jeu de forces, si la permanence du cerveau reptilien l'emportait désormais sur la civilisation, alors il fallait dire la vérité. Enfin ? Oui, enfin.

La vérité ? Nous avions vécu sous le signe du travestissement. Dès l'origine, le mensonge était là. Comment un enfant des années 1960 aurait-il pu deviner que le pays abondant et doux dans lequel il naissait, avec ses silences et ses prospérités, était peuplé d'individus – par millions – que la mauvaise conscience taraudait ? Ils n'étaient pas fiers de leur guerre, c'est un euphémisme. Le saccage du printemps 1940, tout un peuple en exode, les affichettes du Maréchal, l'attentisme et la délation, la honte de devoir la liberté à l'Amérique. Il fallait s'acquitter de cette mauvaise dette en comblant les enfants de jouets, d'espoir et d'oubli. Nous avions été les petits rois d'un monde coupable. Les fétiches dorés de l'amnésie nationale. D'une certaine façon, les Français ont redouté autant qu'ils ont désiré mai 1968 : il leur fallait un autre châtiment. L'un de mes amis a coutume de soutenir, non sans provocation, que les étudiants ligués contre de Gaulle accomplissaient obscurément la vengeance de papa qui n'avait pas aimé ce général en 1940, et ne l'aimait toujours pas vingt-huit ans plus tard. Sous les pavés, le képi du Maréchal ? La carcasse exhumée de l'île d'Yeu, le mort à moustaches réincarné sur les barricades ? C'est une hypothèse comme une autre.

En tout cas, notre adolescence avait endossé des vertiges comme on monte dans un train en marche. Nous héritions d'une amnésie verticale – Vichy – et d'un décentrement d'identité – mai 68. Nous avions été libérés deux fois, des boches et des parents. Aucune génération française n'aura eu en main autant de cartes, des géniteurs neutralisés, des comptes épargne-logement, la pilule, la paix civile, une Europe apaisée, la bibliothèque universelle au prix poche, des opiacés et des 33 tours, la majorité à dix-huit ans et des billets de train pour Istanbul. Comment des outils de liberté sont-ils devenus des barreaux de prison, c'est la question de l'amenuisement.

Une chose me frappa au bout de quelques mois à l'Ecole normale. C'est que nombre de mes camarades, notamment les Parisiens, marquaient ostensiblement la distance avec ce qu'ils auraient dû être. Certes, ils sortaient de trois ans de surchauffe totale liée à l'ascèse malade de la khâgne, et avaient besoin de s'aérer les poumons. Mais cette attitude, que je pris pour du dandysme, s'exprimait par un dédain ostensible de ce en quoi ils excellaient. Il ne fallait surtout pas, sous peine de passer pour un fâcheux, parler de philosophie ou de prose latine, mais cultiver au contraire un engagement vigilant dans la futilité. La question n'était pas : que vais-je écrire sur Popper ou Habermas, mais plutôt : comment m'habiller pour aller au Palace ? On pouvait commenter le dernier disque des Ramones, mais pas les derniers écrits de Wittgenstein. Le refus de l'esprit de sérieux, la méfiance vis-à-vis des illusions politiques dont cette école avait été le théâtre flamboyant, la volonté de vivre une jeunesse quand tout menaçait déjà de nous faire vieillir ? Peut-être. Mais aussi, au fond, une certaine façon de vivre dans le mépris de son propre savoir. Un déni de filiation. Nous ne voulions pas des querelles françaises qui enveniment la mémoire, ni des stridences obtuses des lanceurs de pavés. Que restait-il ? Le fracas du rock ; des jeux d'étiquette (veste Ventilo ou chemise Arrow ?) ; cette façon d'être toujours en avant de soi-même, dans la fuite.

En somme, le refus de monter en ligne, d'habiter la coquille, de parler en première personne.

Comme par prémonition de ce qui triompherait dix ans plus tard, j'ai vu autour de 1979 de jeunes intellectuels, qui n'étaient pas idiots et décrochaient haut la main leur agrégation, se vouer à l'empire des apparences. Ils avaient grandi sous le régime finissant des baba cools languissants, ils fêtaient leurs vingt ans entre les épingles à nourrice du punk et les rythmiques aqueuses du disco. Tout s'accélérait alors de trimestre en trimestre. Mode pirate ? Tendance Növö ? Cold wave ? Oripeaux néo-hippies ? Retour aux Beach Boys via la musique des B-52's ? Il fallait suivre, se déguiser, passer au chapitre suivant, abjurer, singer, s'oublier. De simulacre en simulacre, les enfants du cogito éclaté devenaient des caméléons : aptitude à imiter, eau qui épouse la forme du vase, identité vécue comme une penderie où s'entassent les postiches. On aurait pu attendre cela d'un publicitaire ou d'une rédactrice de mode. Mais le spectacle de certains brillants sujets cultivant dès la fin des années 1970 un frégolisme actif annonçait déjà la suite. Le problème, c'est l'arc nerveux du caméléon improvisé. S'il ne tient pas la route, si les mutations s'enchaînent, si la mode s'endiable, il n'est plus qu'un patchwork affolé. On peut pendant quelque temps enfiler une défroque, puis une autre, puis encore une autre. A la cinquième défroque, on est perdu. Problème d'identité basique : qui ne consiste pas abdique, ce qui n'affirme pas s'effrite. Très vite, on a des eunuques à genoux, des singes qui se déguisent.

D'une certaine façon, tout était joué très tôt, jugé – emballé, préparé pour l'estocade. Quand arrivèrent les années 1980, les girouettes avaient été fixées sur le toit. On n'était pas dépourvus de cynisme, parce que non dépourvus de détachement ; mais le cynisme que l'on a dû endosser n'était pas le nôtre. Nous avions grandi en récitant le verbe « être » ; il fallait désormais conjuguer le verbe « avoir ». Quand une pensée fondée sur la révolte devient le dogme de nouveaux maîtres, quand la haine de l'Histoire fait le lit des amnésies, quand le publicitaire et l'homme politique se donnent la main pour réduire le chant de la vie à quelques slogans, une certaine dignité meurt, qui est celle de la délicatesse.

Nous avions passé des années à vivre la vie par procuration. L'héroïsme recréé sur l'écran des cinémas en temps de paix, les femmes fatales d'autrefois rêvées pour nous épargner le prosaïsme de celles qui nous étaient promises, les musiques de Billie Holliday ou de Frank Sinatra préférées aux rengaines du moment. Et même le présent était devenu une galerie d'effigies, d'idoles, de stars grâce auxquelles on traversait des existences que l'on ne connaîtrait jamais. Quand le présent n'est plus que nostalgie, celle-ci devient l'étoffe dont nos nuits sont faites. Il avait fallu que ma jeunesse s'achève pour que j'apprenne à ne plus regretter

Désormais, j'aimais moins le passé que la promesse des possibles qu'il avait nourrie. Une vie presque inentamée, l'enfance momentanément mise à distance, le temps ouvert comme un livre. Que mon adolescence ait coïncidé avec une époque de liberté intense lui donnait encore plus de force jubilatoire, dans le temps où elle avait été vécue, et même rétrospectivement. Je reviendrais toujours vers l'été, les grands étés sous le soleil, où m'attendaient quelques sœurs désolées. Je n'ai connu aucune fille de mon âge qui n'ait décidé. Elles pouvaient désirer un homme, l'attendre et le rater. Mais celui qui venait les chercher, ou qu'elles finissaient par avoir, elles l'avaient choisi. Je pense qu'elles pouvaient être profondément amoureuses, qu'elles l'ont été, et que cet amour-là s'est souvent perdu en chemin.

Pendant toutes ces années, j'avais cherché la clé qui ouvrait les portes d'un paradis, le lieu où ma vie trouverait enfin sa plénitude. Je comprenais que cette quête, mise en perspective par le temps écoulé, riche des visages qui l'avaient éclairée, constituait ce qu'elle avait pour objet de trouver. Je cherchais la clé, mais la recherche était la clé. La vérité ? j'avais vécu dans le paradis concret. Il me suffisait d'ouvrir les yeux, de percevoir le jeu de la lumière sur les volumes, d'entendre la rumeur de la ville, de mordre dans la pulpe d'un fruit, et c'était en moi une louange à la vie donnée, gloire au monde immense qui s'ouvrait, alléluia pour la profondeur du temps. Le paradis était là où j'étais.

Je revoyais la petite échoppe où l'on achetait les bandes dessinées des éditions « Mon Journal » et l'angle jaune d'une rue qui n'existait plus. Je retrouvais Jimmy Page sur la scène du Palais des Sports, un soir de 1973, il avait attaqué le concert avec *Rock And Roll*, et les décibels sortaient des amplis comme une poussière d'or, des grappes sonores reverbérées par le dôme de la halle. Je marchais sur le toit d'une maison turque, c'était l'année de la guerre à Chypre, il faisait si chaud que nous avions dormi à la belle étoile, et le ciel de cette nuit d'Orient m'appartenait si j'ouvrais les yeux. Je traversais des forêts un jour de mai où j'avais pris avec Alexia la route de Vézelay, le monde me paraissait de nouveau ouvert, immense, donné. Je voyais le temps où je suivais des yeux la silhouette de ma mère en l'imprimant au fond de moi pour ne jamais l'oublier.

La vie avait été merveilleuse.

KARINE

Un jour, dans une revue du cœur espagnole, j'ai lu cette déclaration d'une femme de la bonne société madrilène, devenue un pilier des boîtes de nuit de Marbella : « Avant de m'ingénier à devenir sotte, j'aimais beaucoup lire », *antes de empeñarme a ser tonta, me gustaba mucho leer*. Ça me va. Je prends. Je ne vais pas devenir un hibou à grimoire comme Claire, la vie est trop injuste pour qu'on s'acharne à la vivre honnêtement. Donc je fais la conne, depuis des années. *Me empeño a ser tonta*. D'ailleurs, je suis ainsi gaulée qu'ils me prennent pour une idiote patentée, ne pouvant imaginer qu'une blonde ait quelques neurones en stock. Tant mieux, j'en profite, c'est mon masque, mon loup, mon laissez-passer. Je recueille les confidences épastrouillantes de vraies idiotes, un éclat de rire intérieur me secoue quand ça devient abyssal – je ne m'en lasserai jamais. Je regarde avec intérêt le manège des types qui me tournent autour, pas encore rassasiée de leurs tours éculés. Je pourrais présider le jury d'agrégation de la déclaration amoureuse, en recalant neuf candidats sur dix.

Qui a dit que je suis désespérée ? Rien ni personne ne me retient. Une fille née en 1958, comme moi, a eu affaire à toutes sortes de détenteurs de monopoles.

Nos parents avaient le monopole des souffrances de guerre, nos grands frères avaient le monopole de mai 68, nos petits frères le monopole de l'esprit d'entreprise, et les gens encore plus jeunes le monopole du *trash*. A chacun sa marotte. Moi, je n'ai le monopole de rien. Si, quand même, j'ai le monopole des pifises.

Quand j'étais petite, j'attendais chaque semaine avec impatience la parution de *Pif Gadget*. Pas seulement à cause de Placid et Muzo ou d'Arthur le fantôme, mais parce qu'il y avait le gadget. Les plus célèbres sont restés les pois sauteurs, des cosses importées du Mexique qui contenaient des larves trémulantes, et les pifises, de minuscules organismes endormis qui se décristallisaient au contact de l'eau ; on les voyait nager dans le bocal, sortes de têtards infimes ou de spermatozoïdes géants, avec leurs têtes rondes et leurs flagelles vivaces. D'une certaine façon, c'est ce que j'ai toujours attendu d'un homme, qu'il me surprenne chaque semaine comme les gadgets de mon enfance, encore et toujours plus fort. Les hommes ne descendent pas de l'australopithèque, ils sont pour moi les héritiers des pifises. J'agite le sachet, je verse la poudre dans l'eau, j'attends que les flagelles remuent et je bats des mains. Il ne m'en faut pas plus.

Lorsque l'on dépasse la quarante-cinquième année, la théorie du pifise doit être repensée. En fait, les termes sont moins défavorables qu'on ne le croit, pour peu que l'on réussisse à séduire des hommes plus jeunes. Pas trop jeunes, tout de même, parce qu'il y a des choses qui finissent par vous dépasser. Les gens de vingt ans, par exemple, sait-on comment ils font l'amour ? J'ai eu là-dessus les confidences de vieux séducteurs, quarante ans de carrière, qui n'ont jamais vu ça et en perdent leurs moyens. D'après eux, beaucoup de filles de vingt ans ont fait leur éducation sexuelle en regardant des films pornos. Elles en imitent les lieux communs. Du coup, ce sont des postures obligées, des soupirs, des accessoires, la tête renversée en arrière, les grimaces babines retroussées, les petits cris, l'éjac' faciale, tout ça joué comme une partition canonique, sans que le type ait à un quelconque moment le sentiment qu'il peut infléchir l'enchaînement, arracher une émotion, interrompre le déroulement de la bobine. L'homme se trouve confronté à un pur simulacre, plein de maniérismes et d'attitudes composées, jusque dans le mime de la jouissance : une poupée programmée que l'on enclenche comme un DVD, en appuyant sur le bouton de lecture. On le sent en regardant les magazines *people* les plus bas de gamme, nouvelles idoles décolorées avec des tee-shirts flous et des shorts collants, lèvres et seins gonflés, chaussures à semelles compensées. Elles sont clairement réglées sur le scénario classé X, la photo de paparazzo étant l'envers de la pantomime porno.

Moi, j'ai compris la nouvelle transaction. Tu te branches sur un type de trente-cinq ans que le mariage effraie, qui n'a aucune envie de passer par la case layette où il voit ses copains emprisonnés. Tu lui offres :

1) La sécurité contraceptive totale (il sait que si tu tombes enceinte, ta santé sera en péril. Donc, tu ne tombes pas enceinte).

2) Un ascendant rassurant sur une femme d'expérience. Il devine que tu es fragilisée par les années qui vous séparent, ce qui lui donne le sentiment de rester maître du jeu tout en étant flatteusement choisi.

3) L'antidote vivant à l'acidité des trentenaires, qui sont essorées/vindicatives/déboussolées. Toi, tu te contentes d'être merveilleuse.

4) Une assurance contre le drame. Les tempêtes sont derrière toi, tu veux juste un type charmant pour vivre comme si vous aviez l'un et l'autre vingt-cinq ans. Avec une quadragénaire, il rajeunit de dix ans.

5) Une grande et indulgente disponibilité sexuelle. Tu as passé l'âge des reproches, tu n'en fais pas un plat mais préfères qu'il soit servi chaud. Lui aussi.

6) Un certain enveloppement érotico-maternel qui lui titille l'œdipe sans transgresser la loi, car tu n'as tout de même pas l'âge de sa mère.

7) Une certaine dimension historique. Tu lui racontes combien la vie était belle avant 1980, tout en dénigrant à ton bénéfice les filles de son âge.

La semaine dernière, justement, j'ai passé une nuit de Walpurgis avec un petit DJ du 93 (Neuf-Trois), qui te remixe comme personne du latino-reggae et les tambours du Burundi sur sa console TB-303. Il me fait kiffer, sauf lorsqu'il me demande de lui raconter le Swinging London, mais on peut se tromper d'une décennie quand on est jeune. Je ne suis pas malheureuse. Les gens de la mode sont vipérins avec assez peu de vocabulaire. Quand on maîtrise la grammaire, ils ont la chique coupée. Pour le reste, l'univers où j'évolue est devenu un condensé de tout ce dont je rêvais à dix-huit ans. La comédie brillante des marivaudages internationaux (George Clooney a remplacé Cary Grant), des avions qui vous déposent en quelques heures à Marrakech ou Formentera, des crèmes efface-rides et des téléphones portables. Tout cela joué en surface, dans l'instant, sans excessif rappel de mémoire ni injonction de culture. Je fais la conne ou je ne fais pas la conne ? Là, je peux enfin y aller sans culpabilité, car le monde est en passe d'appartenir aux connes. *Me empeño a ser tonta.* Gagné ! L'un de mes plaisirs, ces derniers temps, consiste à écouter la musique de Henry Mancini pour les vieux films de Blake Edwards. Un cocktail fruité, insouciant, qui évoque des filles à robes orange, des fauteuils gonflables, des types un peu idiots qui boivent du Campari-soda. Je ne souhaite rien d'autre. Balayez-moi la mauvaise conscience et les psys remboursés, je veux rentrer dans le film, partir pour d'éternelles grandes vacances sous le soleil des studios.

Quand je pense à mon adolescence... Tous les objets qui nous manquaient. On avait des radios, des télévisions, des tourne-disques, des magnétophones à cassettes. Mais pas de bande FM, pas de baladeurs ni de VHS, pas de micro-ordinateurs et pas de DVD, ni câble ni satellite, pas de lecteurs de CD et pas d'Internet, ni camescopes ni photos numériques, pas de console Game Cube et pas de Palm Pilot. Ils se plaignent tous, mais est-ce qu'ils savent bien que c'est un privilège d'écouter David Bowie avec parfaite restitution laser, de regarder en direct les feuilletons géniaux de HBO, de revoir les films de Sergio Leone avec plein de bonus, d'appeler une copine qui se prélasse à Mykonos, d'aller faire son marché sur Amazon.com ? Les envapés de Cythère, les hédonistes de Capoue n'avaient pas le centième de cet arsenal. Ni la ressource d'aller se payer des séances de *rebirth* topissimes sur les mesas du Nouveau-Mexique.

Je fais la conne ou je ne fais pas la conne ? Allez, je ne fais pas vraiment la conne. Nous aurons vécu depuis notre naissance dans la paix civile, avec démocratie représentative et carte Vitale, contrôle des naissances et fiancés à la carte. Plus besoin de faire les enfants nous-mêmes, des cornues s'en chargent. Si Dieu et Al Qaida nous prêtent vie, on est repartis pour la suite du voyage avec toutes les prothèses requises, le Botox et les taxi-boys, les fonds de pension et les plages égalisées au râteau. Nous reverrons notre vie passée sans cesser de vivre au présent, elle sera archivée et numériquement projetée sur des écrans à cristaux liquides. Nous aurons des rotules en plastique et des dents en résine, des poitrines perpétuellement rondes et des cheveux souples ; les enfants de nos enfants s'activeront pour sauver la planète, tandis que nous jouerons une énième partie de Trivial Pursuit en version spéciale baby boomer. Autour de 2050, nous représenterons la plus nombreuse et vigoureuse génération de nonagénaires que l'humanité ait connue, avec des neurones recyclés et des amours toujours vertes. Nous aurons joué la partie et gagné dix fois la mise. Quel bonheur !

Quelle horreur.

PIERRE

J'avais retrouvé Claire près de la fontaine Médicis. Que dire à quelqu'un que l'on n'a pas vu depuis vingt-cinq ans ? La beauté brune d'autrefois était devenue une femme dans la mi-quarantaine. Elle portait un manteau beige, un pull à col roulé et des pantalons noirs. Elle m'a regardé avec un sourire, son air sérieux et légèrement moqueur à la fois.

Claire tenait à la main un quotidien du jour, janvier 2004, qui consacrait sa une au futur procès de Bertrand Cantat. Je constatai qu'une conversation interrompue depuis des années peut se renouer, avec le même ton, la même longueur d'onde, le tutoiement allant de soi. Tout en marchant vers le bassin du Luxembourg, nous avons évoqué l'affaire de Vilnius.

— C'est bizarre, dit Claire. Sociologiquement, j'ai le même profil que Cantat.

— Tu n'es ni chanteuse de rock ni accusée de meurtre, que je sache.

— Non, mais nos grands-parents se connaissaient. Ils habitaient à Imphy, une cité ouvrière à dix kilomètres de Nevers, où toute la vie s'organise autour de l'aciérie. Mon grand-père était ouvrier, celui de Cantat aussi, d'ailleurs élu maire d'Imphy après la guerre... Les parents de Bertrand Cantat se sont connus là, avec le souhait commun d'échapper à la vie d'usine. Lui est entré dans l'armée, elle a été la première bachelière de sa famille, puis est devenue enseignante. Comme ma mère.

Je reconnaissais la voix de Claire, cette façon qu'elle avait d'évoquer sa famille pour bien marquer, sans forfanterie mais avec clarté, qu'elle procédait de l'aristocratie ouvrière. Vingt-cinq ans avaient passé, et les premiers mots échangés ce matin-là nous ramenaient au couple d'autrefois, à ce petit couple d'étudiants que nous avions été, dans une autre vie qui restait pourtant la nôtre. En marchant vers les jardins du Luxembourg, je m'étais demandé dans quelle disposition je la trouverais. Nostalgique ? Rétractée ? Hérissée ? Après tout, Claire avait quelques raisons de me garder rancune. Mais non. Le premier abord, les mots que nous avions échangés, Claire prenait tout en bonne part. Soudain, j'eus l'impression d'être ailleurs, au milieu d'un temps flottant. Le gravier qui crissait sous nos talons était pourtant réel, et Claire aussi était réelle, marchant à côté de moi, enveloppée dans son manteau d'hiver.

— Cantat, tu l'as connu ? ai-je enchaîné.

— Non. Nos grands-parents étaient amis, nos mères ont dû fréquenter l'école normale d'instituteurs à la même époque. Ensuite, cela diverge. Jusqu'à un certain point.

— Pourquoi, jusqu'à un certain point ?

— Parce que, a renchéri Claire. Toi et moi, nous étions des Bertrand Cantat à dix-huit ans. On écoutait les Doors, on lisait Lautréamont, on grattait vaguement des guitares et on tirait sur des joints. Lui près de Bordeaux, nous à Lyon. La différence, c'est que j'ai continué dans la voie de ma mère, les concours de la République. Alors que lui a vraiment voulu être une star. Comme un type de Detroit ou du New Jersey, comme un prolo.

— Qu'il n'était pas.

Claire a eu une petite moue. Je regardais le bassin du Luxembourg. A cette heure-là, et par ce froid, aucun enfant pour y faire voguer des modèles réduits de voiliers.

— Grand-père ouvrier, a-t-elle corrigé, mais parents fonctionnaires. Enfin, là aussi, jusqu'à un certain point, parce que le père est revenu de Diên Biên Phu avec des éclats d'obus dans le corps. Le Normal sup' de Cantat, c'est la guitare électrique. Cela peut rapporter beaucoup plus si l'on est repéré par une multinationale du disque. L'usine, il l'a retrouvée plus tard, mais elle pressait ses CD. L'atelier travaillait pour lui.

J'avais l'impression que Claire parlait d'un camarade d'enfance, même si Cantat devait avoir cinq ou six ans de moins que nous. Ce que les gens deviennent, le hasard des vies que l'on suit de loin, sans vraiment les connaître...

— Le côté intello, ai-je repris, il l'avait quand même. C'est d'ailleurs le problème. Il voulait être le Jim Morrison français, écrire des poèmes, chanter des hymnes destroy. En même temps, il cherchait la bonne cause. Curieux, non, de faire le chevalier blanc quand on veut jouer le grand prêtre du noir désir ? D'un côté, la part maudite, de l'autre, les déclarations en faveur des Indiens du Chiapas, de José Bové, des sans-papiers, tout en étant distribué par Universal Music.

— Le beurre et l'argent du beurre, c'est ça ?

— Ecoute, Claire, ce type étouffe de contradictions toujours favorables. Il insulte Messier en direct à la télé mais garde son contrat avec Universal. Il joue au rebelle mais veut les gros tirages. Il incarne Satanas et parle comme l'Abbé Pierre. Cantat a dû tellement crever sous le poids du bien que le mal n'attendait qu'une occasion pour se venger... Et la fille, tu en penses quoi ?

— Je la plains, dit Claire. Rien ne peut justifier ce qu'il a fait. Vraiment rien.

J'ai jeté un coup d'œil sur la couverture du quotidien que Claire tenait plié en deux. La cassure du papier coïncidait avec le nez du chanteur. On voyait un demi-profil, un visage scindé. Les deux côtés d'un homme, et peut-être les deux côtés du temps. En écoutant Claire évoquer ses grands-parents, je les imaginais, rompant autrefois le pain avec ceux de Cantat. Auraient-ils pu imaginer qu'un jour, la petite-fille des uns commenterait un meurtre commis par le petit-fils des autres ?

Il faisait froid. Je me souvenais d'une autre promenade d'hiver avec elle, des années auparavant, par les allées du parc de la Tête d'Or. Claire portait un caban bleu et un bonnet sur les oreilles. Les arbres du parc lyonnais étaient défeuillés, comme ceux du jardin parisien où nous marchions aujourd'hui. Ce jour-là, on s'était promis de partir en voyage vers un pays nordique. La promesse n'avait pas été tenue. D'un parc à un jardin, nous étions restés des enfants de la vie française.

Nous avons pris l'allée qui conduit vers l'avenue de l'Observatoire. C'était étrange, cette affaire de Vilnius. Des personnages qui auraient pu être nos petits frères, nos petites sœurs. Jardins de l'Observatoire : j'aimais ces mots, l'idée que l'on scrute les constellations depuis la terre des fleurs. Observatoire : l'endroit d'où je considérais le passé, le présent, les jeux de l'existence et du hasard. Nos vies sont des jardins d'où l'on contemple les étoiles.

Claire avait légèrement pressé le pas.

— Cantat, ai-je repris, tu en as parlé avec ta mère ?

— Oui, a acquiescé Claire.

— Qu'est-ce qu'elle a dit ?

— Elle dit que les grands-parents étaient des gens très bien. Elite ouvrière, on se tient droit, décence. Quand elle était enfant, la grand-mère de Bertrand Cantat lui a donné un objet que ma mère conserve encore chez elle.

— Un objet ?

— Un missel à reliure d'ivoire. En lui remettant l'objet, la vieille dame a dit à ma mère : « Si tu as besoin de sous, tu le vendras. »

Il était près de midi, mais les promeneurs restaient rares. Un balayeur égalisait le sable de l'allée, la rumeur de la ville venait mourir sous les arbres. Au milieu de la multitude d'événements qui se produisaient à cet instant, dont la plupart suivaient le cours routinier, usuel et affairé d'une matinée d'hiver à Paris, il s'en trouvait un qui prenait pour moi une résonance inhabituelle : nous étions en 2004 et j'allais retrouver ensemble deux femmes auxquelles je n'avais pas parlé depuis les années 1979 ou 1980. Nous nous étions connus dans une autre ville, puis nous avions vécu dans celle-ci. Dix fois, le hasard ou la volonté auraient pu nous réunir. Cela ne s'était pas produit.

Au loin, parmi les arbres nus, j'ai vu se détacher une silhouette qui marchait vers nous.

— La voilà ! s'est exclamée Claire.

Elle avait parlé avec un accent d'impatience, presque enfantin.

Karine s'avançait vers nous. L'allure était claquante. Manteau grège fait de peaux cousues, pantalons crème, sac flottant, bottes de daim, très chic bohème. Avec la mèche blonde sur l'œil, et toujours son maintien de diva. En se rapprochant, Karine nous a fait un petit signe, du genre « Bonjour les copains », en même temps qu'elle décochait un sourire à terrasser le parterre. Elle aurait fait une bonne actrice. En un sens, elle en était une.

Karine a ouvert les bras, les deux filles se sont embrassées, puis Karine m'a embrassé aussi.

— *Such a long time*, a-t-elle dit en nous dévisageant.

Il y avait sur les traits de Karine quelque chose que je ne lui connaissais pas. Les yeux embués, peut-être.

Nous avions déjeuné dans un restaurant du boulevard Montparnasse. Assez vite, la conversation s'était faite enjouée, nourrie par toutes sortes d'anecdotes anciennes. Nous avions beaucoup parlé et beaucoup ri. Il me sembla soudain être assis à une table de la Brasserie du Parc, presque trois décennies auparavant. Elles allaient avoir l'une et l'autre quarante-six ans dans l'année, mais je les retrouvais, en exceptant quelques ridelettes au coin des yeux, pareilles à autrefois. Jusque dans la façon qu'avait Karine, à l'instant où nous parlions, de regarder Claire comme la fille que l'on ne supplantera jamais.

— Avec tout ce que l'on raconte, on pourrait écrire nos souvenirs, a plaisanté Karine.

— Ou un roman, ai-je ajouté.

Claire a souri.

— Nous ne sommes pas des personnages de roman, a-t-elle corrigé, mais des personnages de mémoires. Il faudrait raconter les choses à mi-parcours, comme elles ont été. Je suis sûre que cela nous rendrait plus libres pour la suite...

— Tu as un titre ? a lancé Karine.

J'ai répondu à la place de Claire :

— On devrait appeler ça « Les Menteurs ».

Deux visages se sont tournés vers moi. Elles comprenaient parfaitement ce que je voulais dire. Non pas les faux-semblants dont la malignité du monde est prodigue, mais la loi du temps humain. Nous restons esclaves de la fallacieuse dispersion de notre existence quand elle tente de se rassembler. Notre sincérité est toujours celle du témoin abusé : il n'y a pas de bonne version, seulement des interprétations. Chacun se trompe de bonne foi. Le mensonge fluctue avec la vie, il lui donne sa respiration face au verdict des miroirs. En cela, il embrasse la vérité comme le silence renvoie au langage ; étranger à soi-même en croyant se connaître, chacun vit proche des autres en partageant ce simulacre. Mensonge des reflets, de l'époque, de la mémoire, des romans. Lorsque tous les leurres ont brûlé sur le bûcher des phrases, les cendres avouent ce qui a vraiment été.

Peut-être écririons-nous un livre, un récit si fidèle à notre illusion qu'il finirait par avouer une vérité ? Peut-être l'un d'entre nous, en devenant le ventriloque des deux autres, fixerait-il par les mots ce qui échappe à l'oubli ? Je regardais Claire et Karine, la brune et la blonde. Je les avais trouvées au cœur du temps, et leur présence me donnait une ferveur nouvelle. Nous étions des menteurs qui allions dire la vérité. La vie ne commence jamais, et elle commence toujours. Tourné du côté de l'ombre, je les voyais, mes filles, mes reines.

Cet ouvrage a été composé et imprimé par

FIRMIN DIDOT

GROUPE CPI

Mesnil-sur-l'Estrée

pour le compte des Éditions Grasset
en octobre 2004

Imprimé en France
Première édition, dépôt légal : août 2004
Nouveau tirage, dépôt légal : octobre 2004
N° d'édition : 13477 - N° d'impression : 70435
ISBN : 2-246-67381-X